生活·讀書·新知 三联书店

金庸著

飞狐外传

下集

图书在版编目(CIP)数据

飞狐外传/金庸著 . – 北京:生活·读书·新知三联书店,1999.4

ISBN 7 – 108 – 01263 – 4

Ⅰ.飞… Ⅱ.金… Ⅲ.侠义小说:长篇小说 – 中国 – 当代 Ⅳ.I247.5

中国版本图书馆 CIP 数据核字(98)第 38413 号

飞狐外传 (共二册)

责任编辑 苑兴华

封扉设计 宁成春

版式设计 赵学兰 姜仕依

出版发行 生活·读书·新知 三联书店
(北京市东城区美术馆东街 22 号 邮编 100010)

经 销 新华书店

印 刷 北京联华印刷厂

版 次	1999 年 4 月北京第 1 版	印张	19.5
	1999 年 4 月北京第 1 次印刷	字数	517 千字
开 本	740×900 毫米 32 开		
印 数	00,001–50,100 册	ISBN 7 – 108 – 01263 – 4/I · 235	

口袋本定价共二册 23.00 元

目录

　　胡斐见苗人凤脸色平和，这一刀说什么也砍不下去，大叫一声，转身便走。一口气狂奔了十来里路，这才停住。恩仇之际，实所难处，可不知如何是好。

第十一章　恩仇之际

次日一早，三人上马又行，来时两人快马，只奔驰了一日，回去时却到次日天黑，方到苗人凤所住的小屋之外。

钟兆文见屋外的树上系着七匹高头大马，心中一动，低声道："你们在这里稍等，我先去瞧瞧。"绕到屋后，听得屋中有好几人在大声说话，悄悄到窗下向内一张，只见苗人凤用布蒙住了眼，昂然而立，厅门口站着几条汉子，手中各执兵刃，神色甚是凶猛。钟兆文环顾室内，不见兄长兆英、兄弟兆能的影踪，心想他二人责在保护苗大侠，却不知何以竟会离去，心中不禁忧疑。

只听得那五个汉子中一人说道："苗人凤，你眼睛也瞎了，活在世上只不过是多受些儿活罪。依我说啊，还不如早点自己寻个了断，也免得大爷们多费手脚。"苗人凤哼了一声，并不说话。又有一名汉子说道："你号称打遍天下无敌手，在江湖上也狂了几十年啦。今日乖乖儿趴在地下给大爷们磕几个响头，爷们一发善心，说不定还能让你多吃几年窝囊饭。"

苗人凤低哑着嗓子道："田归农呢？他怎么没胆子亲自来跟我说话？"首先说话的汉子笑道："料理你这瞎子，还用得着田大爷自己出马么？"苗人凤涩然说道："田归农没来？他连杀我也没胆么？"

便在此时，钟兆文忽觉得肩头有人轻轻一拍，他吃了一惊，向前纵出半丈，回过头来，见是胡斐和程灵素两人，这才放心。胡斐走到他身前，向西首一指，低声道："钟大哥和三哥在那边给贼子围上啦，你快去相帮。我在这儿照料苗大侠。"钟兆文知他武功了得，又挂念着兄弟，当下从腰间抽出判官笔，向西疾驰而去。

他这么一纵一奔，屋中已然知觉。一人喝道："外边是谁？"胡斐笑道："一位是医生，一个是屠夫。"那人怒喝："什么医生屠夫？"胡斐笑道："医生给苗大侠治眼，屠夫杀猪宰狗！"那人怒骂一声，便要抢出。另一名汉子一把拉住他臂膀，低声说道："别中了调虎离山之计。田大爷只叫咱们杀这姓苗的，旁的事不用多管。"那人喉头咕噜几声，站定脚不动了。胡斐原怕苗人凤眼睛不便吃亏，要想诱敌出屋，逐一对付，哪知他们却不上这当。

苗人凤道："小兄弟，你回来了？"胡斐朗声道："在下已请到了毒手药王他老人家来，苗大侠的眼准能治好。"

他说"毒手药王"，原是虚张声势，恫吓敌人，果然屋中五人尽皆变色，一齐回头，却见门口站着一个粗壮少年，另有一个瘦怯怯的姑娘，哪里有什么"毒手药王"？

苗人凤道："这里五个狗崽子不用小兄弟操心，你快去相助钟氏三雄。贼子来的人不少，他们要倚多为胜。"

胡斐还未回答，只听得背后脚步声响，一个清朗的声音说道："苗兄料事如神，我们果然是倚多为胜啦！"

胡斐回头一望，吃了一惊，只见高高矮矮十几条汉子，手中各持兵刃，慢慢走近。此外尚有十余名庄客僮仆，高举火把。钟氏三雄双手反缚，已被擒住。一个中年相公腰悬长剑，走在各人前头。胡斐见这人长眉俊目，气宇轩昂，正是数年前在商家堡中见过的田归农。当年胡斐只是个黄皮精瘦的童子，眼下身形相貌俱已大变，田归农自然不认得他。

苗人凤仰头哈哈一笑，说道："田归农，你不杀了我，总是睡不安稳。今天带来的人可不少啊！"田归农道："我们是安分守己的良民，怎敢说要人性命？只不过前来恭请苗大侠到舍下盘桓几日。谁叫咱们有故人之情呢。"这几句话说得轻描淡写，可是洋洋自得之情溢于言表，今日连威震湘鄂的钟氏三雄都已擒，苗人凤双目已瞎，此外更无强援，哪里更有逃生的机会？至于站在门口的胡斐和程灵素，他自然没放在眼角之下，便似没这两个人一般。

胡斐见敌众我寡，钟氏三雄一齐失手，看来对方好手不少，如何退敌救人，实是不易。他游目察看敌情，田归农身后站着两个女子。此外有一个枯瘦老者手持点穴橛，另一个中年汉子拿着一对铁牌，双目精光四射，看来这两人都是劲敌。此外有七八名汉子拉着两条极长极细的铁链，不知有什么用途。

胡斐微一沉吟，便即省悟："是了，他们怕苗大侠眼瞎后仍是十分厉害，这两条铁链明明是绊脚之用，欺他眼睛不便，七八人拉着铁链远远一绊一围，他武功再强，也非摔倒不可。"他向田归农望了一眼，胸口忍不住怒火上升，心想："你诱拐人家妻子，苗大侠已饶了你，竟要一个毒计接着一个，非将人置之死地不可。如此凶狠，当真禽兽不如。"

其实田归农固然阴毒，却也有不得已的苦衷，自从与苗人凤的妻子南兰私奔之后，想起她是当世第一高手的妻子，每日里食不甘味，寝不安枕，一有什么风吹草动，便疑心是苗人凤前来寻仇。

南兰初时对他是死心塌地的热情痴恋，但见他整日提心吊胆，日日夜夜害怕自己的丈夫，不免生了鄙薄之意。因为这个丈夫苗人凤，她实在不觉得有什么可怕。在她心中，只要两心真诚地相爱，便是给苗人凤一剑杀了，那又有什么？她看到田归农对他自己性命的顾念，远胜于珍重她的情爱。她是抛弃了丈夫，抛弃了女儿，抛弃了名节来跟随他的，而他却并不以为这是这世界上最宝贵的。

因为害怕，于是田归农的风流潇洒便减色了，于是对琴棋书画便不大有兴致了，便很少有时候伴着她在妆台前调脂弄粉了。他大部分时候在练剑打坐。

这位官家小姐，却一直是讨厌人家打拳动刀的。就算武功练得跟苗人凤一般高强，又值得什么？何况，她虽然不会武功，却也知道田归农永远练不到苗人凤的地步。

田归农却知道，只要苗人凤不死，自己一切图谋终归是一场春梦，什么富可敌国的财宝，什么气盖江湖的权势，终究不过是镜中花、水中月罢了！

因此虽然是自己对不起苗人凤,但他非杀了这人不可。现在,苗人凤的眼睛已弄瞎了,他武功高强的三个助手都已擒住了,室内有五名好手在等待自己下手的号令,屋外有十多名好手预备截拦,此外,还有两条苗人凤看不见的长长的铁链……

程灵素靠在胡斐的身边,一直默不作声,但一切情势全瞧在眼里。她缓缓伸手入怀,摸出了半截蜡烛,又取出火摺。只要蜡烛一点着,片刻之间,周围的人全非中毒晕倒不可。她向身后众人一眼也不望,晃亮了火摺,便往烛芯上凑去,在夜晚点一枝蜡烛,那是谁也不会在意的事。

哪知背后突然飕地一声,打来了一枚暗器。这暗器自近处发来,既快且准,程灵素猝不及防,蜡烛竟被暗器打成两截,跌在地下。她吃了一惊,回过头来,只见一个十六岁左右的小姑娘厉声道:"你给我规规矩矩地站着,别捣鬼!"

众人目光一时都射到了程灵素身上,均有讶异之色。程灵素见那暗器是一枚铁锥,淡淡地道:"捣什么鬼啊?"心中却暗自着急:"怎么这个小姑娘居然识破了我的机关?这可有点难办了。"

田归农只斜晃一眼,并不在意,说道:"苗兄,跟我们走吧!"

他手下一名汉子伸手在胡斐肩头猛力一推,喝道:"你是什么人?站开些。这里没热闹瞧。"他见胡程二人貌不惊人,还道是苗人凤的邻居。胡斐也不还手,索性装傻,便站开一步。

苗人凤道:"小兄弟,你快走,别再顾我!只要设法救出钟氏三雄,苗某永感大德。"胡斐和钟氏三雄均是大为感动:"苗大侠仁义过人,虽然身处绝境,仍是只顾旁人,不顾自己。"

田归农心中一动,向胡斐横了一眼,心想:"难道这小子还会有什么门道?"喝道:"请苗大侠上路。"

这六个字一出口,屋中五人刀枪并举,同时向苗人凤身上五处要害杀去。

小屋的厅堂本就不大,六个人挤在里面,眼见苗人凤无可闪避,岂知他双掌一错,竟是硬生生从两人之间挤了过去。五人兵刃尽数落空，喀喇喇几声响，一张椅子被两柄刀同时劈成数块。

苗人凤回转身来，神威凛凛地站在门口，他赤手空拳，眼上包布，却堵住门不让五个敌人逃走。胡斐本待冲入相援，但见他回身这么一站，已知他有恃无恐，纵无不胜，一时也不致落败。

那五名汉子心中均道："我们五个人联手，今日若还对付不了一个瞎子，此后还有什么脸面再在江湖行走？"

苗人凤叫道："小兄弟，你再不走，更待何时？"胡斐道："苗大侠放心，凭这些狗崽子，还挡不了我的路！"苗人凤说道："好，英雄年少，后生可畏！"说了这几个字，突然抢入人丛，铁掌飞舞，肘撞足踢，威不可当。

室中这五人均非寻常之辈，一见苗人凤掌力沉雄，便各退开，靠着墙壁，俟隙进击。混乱中桌子倾倒，室中灯火熄火。屋外两人高举火把，走到门口，因苗人凤双目既瞎，有无火光全是一样，那五人却可大占便宜。

突听一人大吼一声，挺枪向苗人凤刺去，这一枪对准他的小腹，去势极是狠辣。苗人凤右腿横跨，伸掌欲抓枪头，哪知西南角上一人悄没声地伏着，倏地挥刀砍出，噗的一声，正中他右腿。原来这人颇有智计，知道苗人凤全仗耳朵听敌，闻风辨器。他屏住呼吸，一动不动地蹲着，苗人凤激斗方酣，自不知他的所在，直候到苗人凤的右腿伸到自己跟前，这才一刀砍落。

屋内屋外众人见苗人凤受伤，一齐欢呼。

钟兆英喝道："小兄弟，快去救苗大侠，再待一会儿可来不及了。"

便在此时，苗人凤左肩又中了一鞭。他心中想："今日之势，若无兵刃，空手杀不出重围。"

胡斐也早已看清楚局面，须得将手中单刀抛给苗人凤，他方能制胜，但门外劲敌不少，自己没了兵刃，却也难以抵挡，如何两全，一时彷徨无计，眼见情势紧急，不暇细思，叫道："苗大侠接刀！"挥起内力，呼的一声，将单刀掷了进去。这一掷力道奇猛，室中五个敌人便要伸手来接，手腕非折断不可，只有苗人凤一人，才接得了这一掷。

哪知此时苗人凤的左膀正伸到西南角处诱敌，待那人又是一刀砍出，手腕一翻，夹手已将单刀抢过，听着胡斐单刀掷来的风势，刀背对刀背一碰，当的一声，火花四溅，竟将掷进来的单刀砸出门去，叫道："你自己留着，且瞧我瞎子杀贼。"

　　他身上虽受了两处伤，但手中有了兵刃，情势登时大不同，呼呼两刀，将五名敌人逼得又贴住了墙壁。

　　屋中五人素知"苗家剑"的威名，但精于剑术之人极少会使单刀，均想你纵然夺得一把刀，未必比空手更强，各人吆喝一声，挺着兵刃又上。只见门外亮光一闪，又掷进一把刀来，这一次却是掷给那单刀被夺的汉子。那人伸手接住，他适才兵刃脱手，颇觉脸上无光，非立功难以挽回颜面，当下舞刀抢攻，向苗人凤迎面砍去。

　　苗人凤凝立不动，听得正面刀来，左侧鞭至，仍是不闪不架，待得刀鞭离身不过半尺，猛地转身，刷的一刀，正中持鞭者右臂，手臂立断，钢鞭落地。那人长声惨呼。持刀者吓了一跳，伏身向旁滚开。

　　胡斐心中一动："这一招'鹞子翻身刀'明明是我胡家刀法，苗大侠如何会使？而他使得居然比我更是精妙！"

　　屋中其余四人一愣之下，有人开口叫了起来："苗瞎子也会使刀！"

　　田归农骇然记起：当年胡一刀和苗人凤曾互传刀法剑法，又曾交换刀剑比武，心中一凛，叫道："他使的是胡家刀法，与苗家剑全然不同。大伙儿小心些！"

　　苗人凤哼了一声，说道："不错，今日叫鼠辈见识胡家刀法的厉害！"踏上两步，一招"怀中抱月"，回刀一削，乃是虚招，跟着"闭门铁扇"，单刀一推一横，又有一人腰间中刀，倒在地下。

　　胡斐又惊又喜："他使的果然是我胡家刀法！原来这两招虚虚实实，竟可以如此变化！"要知苗人凤得胡一刀亲口指点刀法的妙诣要旨，他武功根底又好，比之胡斐单从刀谱上自行琢磨，所知自然更为精深。

　　但见苗人凤单刀展开，寒光闪闪，如风似电，吆喝声中，一招

"沙僧拜佛",一人花枪折断,斜肩被劈,跟着"上步摘星刀",又有一人断腿跌倒。

田归农叫道:"钱四弟,出来,出来!"他见苗人凤大展神威,这时屋中只剩下了一个使单刀的"钱四弟",即令有人冲入相援,也未必能操胜算,决意诱他出屋用铁链擒拿。但苗人凤拦住屋门,那姓钱的如何能够出来?

苗人凤知道此人便是阴毒手法砍伤自己右腿之人,决不容他如此轻易脱逃,钢刀晃动,将他逼进屋角之中,猛的一刀"穿手藏刀"砍将出去,呛啷一响,那人单刀脱手。这人极是狡猾,乘势在地下一滚,穿过桌底,想欺苗人凤眼不见物,便此逃出屋去。苗人凤顺手抓起一张板凳,用力掷出。那人正好从桌底滚出,砰的一声,板凳正撞他的胸口。这一掷力道何等刚猛,登时肋骨与凳脚齐断,那人立时昏死过去。

苗人凤片刻间连伤五人,总算他知这些人全是受田归农指使,与自己无冤无仇,因此未下杀手,每人均使其身受重伤而止。但霎时之间五名好手一齐倒地,屋外众人无不骇然,均想:"这人号称打遍天下无敌手,果然了得!若他眼睛不瞎,我辈今日都死无葬身之地了。"

田归农朗声笑道:"苗兄,你武功越来越高,小弟佩服得很。来来来,小弟用天龙剑领教领教你的胡家刀法!"接着使个眼色,那些手握铁链的汉子上前几步,余人却退了开去。

苗人凤道:"好!"他也料到田归农必有阴险的后着,但形格势禁,非得出屋动手不可。

胡斐突然说道:"且慢!姓田的,你要领教胡家刀法,何必苗大侠亲自动手,在下指点你几路,也就是了!"

田归农见他适才掷刀接刀的手法劲力,已知他不是平常少年,但究也没怎么放在心上,向他横了一眼,冷笑道:"你是何人?胆敢在田大爷面前口出狂言?"

胡斐道:"我是苗大侠的朋友,适才见苗大侠施展胡家刀法,心下好生敬佩,记住了他几下招数,就想试演一番。阁下手中既然有剑,只好劳你大驾,给我喂喂招了!"

田归农气得脸皮焦黄,还没开口,胡斐喝道:"看刀!"一招"穿手藏刀",当胸猛劈过去,正是适才苗人凤用以打落姓钱的手中兵刃这一招。田归农举剑封架,当的一响,刀剑相交,田归农身子一晃,胡斐却退了一步。

要知田归农是天龙门北宗的掌门人,一手天龙剑法自幼练起,已有四十年的造诣,功力自比胡斐深厚得多。两人这一较内力,胡斐竟自输了一筹。但田归农见对方小小年纪,膂力竟如此沉雄,满以为这一剑势将他单刀震飞,内伤呕血,哪知他只退了一步,脸上若无其事,倒也不禁暗自惊诧。

苗人凤站在门口,听得胡斐上前,听得刀削的风势,又听得两人刀剑相交,胡斐倒退,说道:"小兄弟,你这招'穿手藏刀'使得一点不错。可是胡家刀法的要旨端在招数精奇,不在以力碰力。请你退开,让我瞎子来收拾他。"

胡斐听到"胡家刀法的要旨端在招数精奇,不在以力碰力"这两句话,心念一动,暗道:"苗大侠这两句话令我茅塞顿开,跟敌人硬拼,那是以己之短,攻敌之长。"又想起当年赵半山在商家堡讲解武学精义,正与苗人凤的说法不谋而合,心中一喜之下,大声道:"且慢!苗大侠适才所使刀法我只试了一招,还有十几招未试。"转过头来,向田归农道:"这一招'穿手藏刀',你知道厉害了么?"

田归农喝道:"浑小子,还不给我滚开!"

胡斐说道:"好,你不服气,待我把胡家刀法一一施展,若是我使得不对,打你不过,我跟你磕头。倘若你输了呢?"田归农满肚子没好气,喝道:"我也跟你磕头!"

胡斐笑道:"那倒不用!你若不敌胡家刀法,那就须立时将钟氏三雄放了。这三位武功修为,可比你高明得太多。若说单打独斗,你决非三位钟兄敌手。单凭人多,那算什么英雄?"他这番话一则激怒对方,二则也是替钟氏三雄出气。

三钟双手被缚,听了这几句话,心中甚是感激。

田归农行事本来潇洒,但给胡斐这么一激,竟是大大地沉不住气,心想:"你想输了给我磕头?有这么便宜事!今日叫你的小命难逃我的剑底。"当下左袖一拂,右手捏个剑诀,斜走三步,他心中虽怒,却不莽进,使的竟是正规的天龙门一字剑法。

众人见首领出手,一齐退开,手执火把的高高举起,围成一个明晃晃的火圈。

胡斐叫道:"'怀中抱月',本是虚招,下一招'闭门铁扇'!"口中吆喝,单刀一推一横,正与苗人凤适才所使的一模一样。田归农身子一闪,横剑急刺。胡斐叫道:"苗大侠,下一招怎么?我对付不了啦!"

苗人凤听他叫出"怀中抱月"与"闭门铁扇"两招的名字,也不怎么惊异,因胡家刀法的招数外表上看去,和武林中一般大路刀法并无多大不同,只是变化奇妙,攻则去势凌厉,守则门户严谨,攻中有守,守中有攻,令人莫测高深,这时听胡斐急叫,眉头一皱,叫道:"沙僧拜佛。"

胡斐依言一刀劈去。田归农长剑斜刺,来点胡斐手腕。

苗人凤叫道:"鹞子翻身!"他话未说完,胡斐已使"鹞子翻身"砍去。田归农吃了一惊,急忙退开一步,嗤的一声,长袍袍角已被刀锋割去一块。他脸上微微一红,刷刷刷连刺三剑,迅捷无伦,心想:"难道你苗人凤还来得及指点?"

苗人凤一惊,暗叫要糟。却听胡斐笑道:"苗大侠我已避了他三剑,怎地反击?"苗人凤顺口道:"关平献印!"胡斐道:"好!"果然是一刀"关平献印"!

这一刀劈去,势挟劲风,威力不小,但苗人凤先已叫出,田归农是武林一大宗派的掌门,所学既精,人又机灵,早已抢先避开。胡斐跟着一刀削去,这一招是"夜叉探海"。他刀到中途,苗人凤也已叫了出来:"夜叉探海!"

十余招一过,田归农竟被迫得手忙脚乱,全处下风,一瞥眼见旁观众人均有惊异之色,当下剑法一变,快击快刺。胡斐展开生平所学,以快打快。苗人凤口中还在呼喝:"上步抢刀,亮刀势,观音坐莲,浪子回头……"众人只见胡斐刀锋所向,竟与苗人凤叫的若合符节,无不骇然。

其实这事也不希奇。明末清初之时，胡苗范田四家武功均有声于世。苗人凤为一代大侠，专精剑术，对天龙门剑术熟知于胸，这时田胡两人相斗，他眼睛虽然不见，一听风声即能辨知二人所使的大致是何招术。胡斐出招进刀，其实是依据自己生平所学全力施为，若是听到苗人凤指点再行出力，在这生死系于一发的拚斗之际，哪里还来得及？只是他和苗人凤所学的胡家刀法系出同源，全无二致。苗人凤口中呼喝和他手上施为，刚好配得天衣无缝，倒似是预先排演纯熟，在众人之前试演一般。

田归农暗想："莫非这人是苗人凤的弟子？要不然苗人凤眼睛未瞎，装模作样地包上一块白布，实则瞧得清清楚楚？"想到此处，不禁生了怯意。胡斐的单刀却越使越快。

这时苗人凤再也无法听出两人的招数，已然住口不叫，心中却在琢磨："这少年刀法如此精奇，不知是哪一位高手的门下？"

若是他双目得见，看到胡斐的胡家刀法使得如此精纯，自早料到他是胡一刀的传人了！

众人围着的圈子越离越开，都怕被刀锋剑刃碰及。

胡斐一个转身，却见程灵素站在圈子之内，满脸都是关注之情，不知怎的，竟在这酣斗之际，脑海中飘过了王铁匠向他所唱的四句情歌，不禁向她微微一笑，突然转头喝道："'怀中抱月'，本是虚招！"

话声未毕，当的一声，田归农长剑落地，手臂上满是鲜血，踉跄倒退，身子晃了两晃，喷出一口血来。

原来"怀中抱月"，本是虚招，下一招是"闭门铁扇"。这两招一虚一实，当晚苗人凤和胡斐各已使了一次，田归农自是瞧得明白，激斗中猛听得"怀中抱月，本是虚招"这八字，自然而然地防他下一招"闭门铁扇"。哪知道胡家刀法妙在虚实互用，忽虚忽实，这一招"怀中抱月"却突然变为实招，胡斐单刀回抱，一刀砍在他的腕上，跟着刀中夹掌，在他胸口结结实实地猛击一掌。

胡斐笑道："你怎地如此性急，不听我说完？我说'怀中抱月，本是虚招，变为实招，又有何妨？'你听了上半截，没听下半截！"

田归农胸口翻腾,似乎又要有大口鲜血喷出,知道今日已一败涂地,又怕苗人凤眼睛其实未瞎,强行运气忍住,一指钟氏三雄,命手下人解缚,随即将手一挥,转过身去,忍不住又是一口血吐出。

那放锥的小姑娘田青文是田归农之女,是他前妻所生,她见父亲身受重伤,急忙抢上扶住,低声道:"爹,咱们走吧?"田归农点点头。

众人群龙无首,人数虽众,却已全无斗志。苗人凤抓起屋中受伤五人,一一掷出。众人伸手接住,转身便走。

程灵素叫道:"小姑娘,暗器带回家去!"右手一扬,铁锥向田青文飞去。

田青文竟不回头,左手向后一抄接住,手法极是伶俐。哪知锥甫入手,她全身一跳,立即将铁锥抛在地下,左手连连挥动,似乎那铁锥极其烫手一般。

胡斐哈哈一笑,说道:"赤蝎粉!"程灵素回以一笑,她果然是在铁锥上放了赤蝎粉。

片刻之间,田归农一行人去得干干净净,小屋之前又是漆黑一团。

钟兆英朗声道:"苗大侠,贼子今日败去,不会再来。我三兄弟维护无力,大是惭愧,望你双目早日痊可。"又向胡斐道:"小兄弟,我三钟交了你这位朋友,他日若有差遣,愿尽死力!"三人一抱拳,径自快步去了。

胡斐知他三人失手被擒,脸上无光,当下不便再说什么。苗人凤心中恩怨分明,口头却不喜多言,只是拱手还礼,耳听得田归农一行人北去,钟氏三雄却是南行。

程灵素道:"你两位武功惊人,可让我大开眼界了。苗大侠,请你回进屋去,我瞧瞧你的眼睛。"

当下三人回进屋中。胡斐搬起倒翻了的桌椅,亮起油灯。程灵素轻轻解开苗人凤眼上的包布,手持烛台,细细察看。

胡斐不去看苗人凤的伤目,只是望着程灵素的神色,要从她脸色之中,看出苗人凤的伤目是否有救。但见程灵素的眼珠晶莹清澈,犹似一泓清水,脸上只露出凝思之意,既无难色,亦无喜容,直是叫人猜度不透。

苗人凤和胡斐都是极有胆识之人,但在这一刻间,心中的惴惴不安,尤甚于身处强敌环伺之中。

过了半响,程灵素仍是凝视不语。苗人凤微微一笑,说道:"这毒药药性厉害,又隔了这许多时刻,若是难治,姑娘但说不妨。"程灵素道:"要治到与常人一般,并不为难,只是苗大侠并非常人。"胡斐奇道:"怎么?"程灵素道:"苗大侠人称'打遍天下无敌手',武功如此精强,目力自亦异乎寻常,再者内力既深,双目必当炯炯有神,凛然生威。倘若给我这庸医治失了神采,岂不可惜?"

苗人凤哈哈大笑,说道:"这位姑娘吐属不凡,手段自是极高的了。但不知跟一嗔大师怎生称呼?"程灵素道:"原来苗大侠还是先师的故人……"苗人凤一怔,道:"一嗔大师亡故了么?"程灵素道:"是。"

苗人凤霍地站起,说道:"在下有言要跟姑娘说知。"

胡斐见他神色有异,心中奇怪,又想:"程姑娘的师父毒手药王法名叫做'无嗔',怎么苗大侠称他为'一嗔'?"

只听苗人凤道:"当年尊师与在下曾有小小过节,在下无礼,曾损伤过尊师。"程灵素道:"啊,先师左手少了两根手指,那是给苗大侠用剑削去的?"苗人凤道:"不错。虽然这番过节尊师后来立即便报复了,算是扯了个直,两不吃亏,但前晚这位兄弟要去向尊师求救之时,在下却知是自讨没趣,枉费心机。今日姑娘来此,在下还道是奉了尊师之命,以德报怨,实所感激。可是尊师既已逝世,姑娘是不知这段旧事的了?"程灵素摇头道:"不知。"

苗人凤转身走进内室,捧出一只铁盒,交给程灵素,道:"这是尊师遗物,姑娘一看便知。"

那铁盒约莫八寸见方,生满铁锈,已是多年旧物。程灵素打开盒盖,只见盒中有一条小蛇的骨骼,另有一个小小磁瓶,瓶上刻着"蛇药"两字,她认得这种药瓶是师父常用之物,但不知那小蛇的骨骼是何用意。

苗人凤淡淡一笑，说道："尊师和我言语失和，两人动起手来。第二天尊师命人送了这只铁盒给我，传言道：'若有胆子，便打开盒子瞧瞧，否则投入江河之中算了。'我自是不受他激，一开盒盖，里面跃出这条小蛇，在我手背上咬了一口，这条小蛇剧毒无比，我半条手臂登时发黑。但尊师在铁盒中附有蛇药，我服用之后，性命是无碍的，这一番痛苦却也难当之至。"说着哈哈大笑。

胡斐和程灵素相对而嘻，均想这番举动原是毒手药王的拿手好戏。

苗人凤道："咱们话已说明，姓苗的不能暗中占人便宜。姑娘好心医我，料想起来决非一嗔大师本意，烦劳姑娘一番跋涉，在下就此谢过。"说着一揖，站起身来走到门边，便是送客之意。

胡斐暗暗佩服，心想苗人凤行事大有古人遗风，豪迈慷慨，不愧"大侠"两字。

程灵素却不站起，说道："苗大侠，我师父早就不叫'一嗔'了啊。"苗人凤道："什么？"

程灵素道："我师父出家之前，脾气很是暴躁。他出家后法名'大嗔'，后来修性养心，颇有进益，于是更名'一嗔'。倘若苗大侠与先师动手之时，先师不叫一嗔，仍是叫做大嗔，这铁盒中便只有毒蛇而无解药了。"苗人凤"啊"的一声，点了点头。

程灵素道："他老人家收我做徒儿的时候，法名叫作'微嗔'。三年之前，他老人家改作了'无嗔'。苗大侠，你可把我师父太小看了。"苗人凤又是"啊"的一声。程灵素道："他老人家撒手西归之时，早已大彻大悟，无嗔无喜，哪里还会把你这番小小旧怨记在心上？"

苗人凤伸手在大腿上一拍，说道："啊呀！我确是把这位故人瞧得小了。一别十余年，人家岂能如你苗人凤一般丝毫没有长进？姑娘你贵姓？"

程灵素抿嘴一笑，道："我姓程。"从包袱中取出一只木盒，打开盒盖，拿出一柄小刀，一枚金针，说道："苗大侠，请你放松全身穴道。"苗人凤道："是了！"

胡斐见程灵素拿了刀针走到苗人凤身前，心中突起一念："苗大侠和那毒手药王有仇。江湖上人心难测，倘若他们正是安排恶计，由程姑娘借治伤为名，却下毒手，岂不是我胡斐第二次又给人借作了杀人之刀？这时苗大侠全身穴道放松，只须在要穴中轻轻一针，即能制他死命。"正自踌躇，程灵素回过头来，将小刀交了给他，道："你给我拿着。"忽见他脸色有异，当即会意，笑道："苗大侠放心，你却不放心吗？"胡斐道："倘若是给我治伤，我放一百二十个心。"程灵素道："你说我是好人呢，还是坏人？"

这句话单刀直入地问了出来，胡斐绝无思索，随口答道："你自然是好人。"程灵素很是喜欢，向他一笑。她肌肤黄瘦，本来算不得美丽，但一笑之下，神采焕发，犹如春花初绽。胡斐心中更无半点疑虑，报以一笑。程灵素道："你真的相信我了吧？"说着脸上微微一红，转过脸去，不敢再和他眼光相对。

胡斐曲起手指，在自己额角上轻轻打了个爆栗，笑道："打你这糊涂小子！"心中忽然一动。"她问：'你真的相信我了吧？'为什么要脸红？"王铁匠所唱的那几句情歌，突然间在心底响起："小妹子待情郎——恩情深，你莫负了小妹子——段情……"

程灵素提起金针，在苗人凤眼上"阳白穴"、眼旁"睛明穴"、眼下"承泣穴"三处穴道逐一刺过，用小刀在"承泣穴"下割开少些皮肉，又换上一枚金针，刺在破孔之中，她大拇指在针尾一控一放，针尾中便流出黑血来。原来这一枚金针中间是空的。眼见血流不止，黑血变紫，紫血变红。胡斐虽是外行，也知毒液已然去尽，欢呼道："好啦！"

程灵素在七心海棠上采下四片叶子，捣得烂了，敷在苗人凤眼上。苗人凤脸上肌肉微微一动，接着身下椅子格的一响。

程灵素道："苗大侠，我听胡大哥说，你有一位千金，长得挺是可爱，她在哪里啊？"苗人凤道："这里不太平，送到邻舍家去了。"程灵素用布条给他缚在眼上，说道："好啦！三天之后，待得疼痛过去，麻痒难当之时，揭开布带，那便没事了。现下请进去躺着歇歇。胡大哥，咱们做饭去。"

苗人凤站起身来，说道："小兄弟，我问你一句话。辽东大侠胡一刀，是你的伯父呢还是叔父？"要知胡斐以胡家刀法击败田归农，苗人凤虽未亲睹，但听得出他刀法上的造诣大非寻常，若不是胡一刀的嫡传，决不能有此功夫。他知胡一刀只生一子，而那儿子早已给人杀死，抛入河中，因此猜想胡斐必是胡一刀的侄子。

胡斐涩然一笑，道："这位辽东大侠不是我的伯父，也不是我叔父。"苗人凤甚是奇怪，心想胡家刀法素来不传外人，何况这少年确又姓胡，又问道："那位胡一刀胡大侠，你叫他作什么？"

胡斐心中难过，只因不知苗人凤和自己父亲究竟有甚关联，不愿便此自承身份，道："胡大侠？他早逝世多年了，我哪有福份来叫他什么？"心中在想："我这一生若有福分叫一声爹爹妈妈，能得他们亲口答应一声，这世上我还希求些什么？"

苗人凤心中纳罕，呆立片刻，微微摇头，回进卧室。

程灵素见胡斐脸有黯然之色，要逗他高兴，说道："胡大哥，你累了半天，坐一忽儿吧！"胡斐摇头道："我不累。"程灵素道："你坐下，我有话跟你说。"胡斐依言坐下，突觉臀下一虚，喀的一响，椅子碎得四分五裂。程灵素拍手笑道："五百斤的大牯牛也没你重。"

胡斐下盘功夫极稳，虽然坐了个空，但双腿立时拿桩，并没摔倒，心中觉得奇怪。程灵素笑道："那七心海棠的叶子敷在肉上，痛于刀割十倍，若是你啊，只怕叫出我的妈来啦。"胡斐一笑，这才会意，原来适才苗人凤忍痛，虽是不动声色，但一股内劲，早把椅子坐得脆烂了。

两人煮了一大镬饭，炒了三盘菜，请苗人凤出来同吃。苗人凤道："能喝酒吗？"程灵素道："能喝，什么都不用忌。"苗人凤拿出三瓶白干来，每人面前放了一瓶，道："大家自己倒酒喝，不用客气。"说着在碗中倒了半碗，仰脖子一饮而尽。胡斐是个好酒之人，陪他喝了半碗。

程灵素不喝，却把半瓶白干倒在种七心海棠的陶盆中，说道："这花得用酒浇，一浇水便死。我在种醍醐香时悟到了这个道理。师兄师姊他们不懂,一直忙了十多年,始终种不活。"剩下的半瓶分给苗胡二人倒在碗中,自己吃饭相陪。

苗人凤又喝了半碗酒,意兴甚豪,问道:"胡兄弟,你的刀法是谁教的?"胡斐答道:"没人教,是照着一本刀谱上的图样和解说学的。"苗人凤"嗯"了一声。胡斐道:"后来遇到红花会的赵三当家,传了我几条太极拳的要诀。"苗人凤一拍大腿,叫道:"是千臂如来赵半山赵三当家了?"胡斐道:"正是。"苗人凤道:"怪不得,怪不得。"胡斐道:"怎么?"苗人凤道:"久慕红花会陈总舵主豪杰仗义,诸位当家英雄了得,只可惜豹隐回疆,苗某无缘见得,实是生平憾事。"胡斐听他语意之中对赵半山极是推重,心下也感喜欢。

苗人凤将一瓶酒倒干,举碗饮了,霍地站起,摸到放在茶几上的单刀,说道:"胡兄弟,昔年我遇到胡一刀大侠,他传了我一手胡家刀法。今日我用以杀退强敌,你用以打败田归农,便是这路刀法了。嘿嘿,真是好刀法啊,好刀法!"蓦地里仰天长啸,跃出户外,提刀一立,将那一路胡家刀法施展开来。

只见他步法凝稳,刀锋回转,或闲雅舒徐,或刚猛迅捷,一招一式,俱是势挟劲风。胡斐凝神观看,见他所使招数,果与刀谱上所记一般无异,只是刀势较为收敛,而比自己所使,也缓慢得多。胡斐只道他是为了让自己看得清楚,故意放慢。

苗人凤一路刀法使完,横刀而立,说道:"小兄弟,以你刀法上的造诣,胜那田归农是绰绰有余,但等我眼睛好了,你要和我打成平手,却尚有不及。"

胡斐道:"这个自然。晚辈怎是苗大侠的敌手?"苗人凤摇头道:"这话错了。当年胡大侠以这路刀法,和我整整斗了五天,始终不分上下。他使刀之时,可比你缓慢得多,收敛得多。"胡斐一征,道:"原来如此?"苗人凤道:"是啊,与其以主欺客,不如以客犯主。嫩胜于老,迟胜于急。缠、滑、绞、擦、抽、截,强于展、抹、钩、刺、砍、劈。"

原来以主欺客,以客犯主,均是使刀之势,以刀尖开砸敌器为"嫩",以近柄处刀刃开砸敌器为"老";磕托稍慢为"迟",以刀

317

先迎为"急"，至于缠、滑、绞、擦等等，也都是使刀的诸般法门。

苗人凤收刀还入，拿起筷子，扒了两口饭，说道："你慢慢悟到此理，他日必可称雄武林，纵横江湖。"

胡斐"嗯"了一声，举着筷子欲来不夹，心中思量着他那几句话，筷子停在半空。程灵素用筷子在他筷子上轻轻一敲，笑道："饭也不吃了吗？"胡斐正自琢磨刀诀，全身的劲力不知不觉都贯注右臂之上。程灵素的筷子敲了过来，他筷子上自然而然地生出一股反震之力，嗒的一声轻响，程灵素的一双筷子竟尔震为四截。她"啊"的一声轻呼，笑道："显本事么？"

胡斐忙赔笑道："对不起，我想着苗大侠那番话，不禁出了神。"随手将手中筷子递了给她。程灵素接过来便吃，胡斐却喃喃念着："嫩胜于老，迟胜于急，与其以主欺客……"一抬头，见她正用自己使过的筷子吃饭，竟是丝毫不以为忤，不由得脸上一红，欲待拿来代她拭抹干净，为时已迟，要道歉几句吧，却又太着形迹，于是到厨房去另行取了一双筷子。

他扒了几口饭，伸筷到那盘炒白菜中去夹菜，苗人凤的筷子也刚好伸出，轻轻一拨，将他的筷子挡了开去，说道："这是'截'字诀。"胡斐道："不错！"举筷又上，但苗人凤的一双筷子守得严密异常，不论他如何高抢低拨，始终伸不进盘子之中。

胡斐心想："动刀子拚斗之时，他眼睛虽然不能视物，但可听风辨器，从兵刃劈风的声音之中，辨明了敌招的来路。这时我一双小小的筷子，伸出去又无风声，他如何能够察觉？"

两人进退邀击，又拆了数招，胡斐突然领悟，原来苗人凤这时所使招数，全是用的"后发制人"之术，要待双方筷子相交，他才随机应变，这正是所谓"以客犯主"、"迟胜于急"等等的道理。

胡斐一明此理，不再伸筷夹菜，却将筷子高举半空，迟迟不落，双眼凝视着苗人凤的筷子，自己的筷子一寸一寸地慢慢移落，终于碰到了白菜。那时的手法可就快捷无伦，一夹缩回，送到了嘴里。苗人凤瞧不见他筷子的起落，自是不能拦截，将双筷往桌上一掷，哈哈大笑。

胡斐自这口白菜一吃，才真正踏入了第一流高手的境界，回想适才花了这许多力气才胜得田归农,霎时之间又是喜欢,又是惭愧。

程灵素见他终于抢到白菜,笑吟吟地望着他,心下也十分代他高兴。

苗人凤道:"胡家刀法今日终于有了传人,唉,胡大哥啊胡大哥!"说到这里,语音甚是苍凉。

程灵素瞧出他与胡斐之间,似有什么解难的纠葛,不愿他多提此事,于是问道:"苗大侠,你和先师当年为了什么事情结仇,能说给我们听听吗?"

苗人凤叹了口气道:"这一件事我到今日还是不能明白。十八年前,我误伤了一位好朋友,只因兵刃上喂有剧毒,见血封喉,竟尔无法挽救。我想这毒药如此厉害,多半与尊师有关,因此去向尊师询问。尊师一口否认,说道毫不知情,想是我一来不会说话,二来心情甚恶,不免得罪了尊师,两人这才动手。"

胡斐一言不发,听他说完,隔了半响,才问道:"如此说来,这位好朋友是你亲手杀死的了?"苗人凤道:"正是。"胡斐道:"那人的夫人呢?你斩草除根,一起杀了?"

程灵素见他手按刀柄,脸色铁青,眼见一个杯酒言欢的局面,转眼间便要转为一场腥风血雨。她全不知谁是谁非,但心中绝无半点疑问:"如果他二人动手砍杀,我得立时助他。"这个"他"到底是谁,她心中自是清清楚楚的。

苗人凤语音甚是苦涩,缓缓地道:"他夫人当场自刎殉夫。"胡斐道:"那条命也是你害的了?"苗人凤凄然道:"正是!"

胡斐站起身来,森然道:"这位好朋友姓甚名谁?"苗人凤道:"你真要知道?"胡斐道:"我要知道。"苗人凤道:"好,你跟我来!"大踏步走进内堂。胡斐随后跟去。程灵素紧跟在胡斐之后。

只见苗人凤推开厢房房门,房内居中一张白木桌子,桌上放着两块灵牌,一块写着"义兄辽东大侠胡公一刀之灵位",另一块写着"义嫂胡夫人之灵位"。

胡斐望着这两位灵牌,手足冰冷,全身发颤。他早就疑心父母之丧，必与苗人凤有重大关联，但见他为人慷慨豪侠，一直盼望自己是疑心错了。但此刻他直认不讳，可是他既说"我误伤了一位好朋友"，神色语气之间，又是含着无限隐痛，一霎时间，不知该当如何才好。

苗人凤转过身来，双手负在背后，说道："你既不肯说和胡大侠有何干连，我也不必追问。小兄弟，你答应过照顾我女儿的，这话可要记得。好吧，你要替胡大侠报仇，便可动手！"

胡斐举起单刀，停在半空，心想："我只要用他适才教我'以客犯主'之诀，缓缓落刀，，他决计躲闪不了，那便报了杀父杀母的大仇！"

然见他脸色平和，既无伤心之色，亦无惧怕之意，这一刀如何砍得下去？突然间大叫一声，转身便走。程灵素追了出来，捧起那盆七心海棠，取了随身包袱，随后赶去。

胡斐一口气狂奔了十来里路，突然扑翻在地，痛哭起来。程灵素落后甚远，隔了良久，这才奔到，见到他悲伤之情，知道此时无可劝慰，于是默默坐在他的身旁，且让他纵声一哭，发泄心头的悲伤。

胡斐直哭到眼泪干了，这才止声，说道："灵姑娘，他杀死的便是我的爹爹妈妈，此仇不共戴天。"

程灵素呆了半晌，道："那咱们给他治眼，这事可错了。"胡斐道："治他眼睛，一点也不错。待他双眼好了，我再去找他报仇。"他顿了一顿，道："只是他武功远胜于我，非得先把武艺练好了不可。"程灵素道："他既用喂毒的兵刃伤你爹爹，咱们也可一报还一报。"

胡斐觉得她全心全意地护着自己，心中好生感激，但想到她要以厉害毒药去对付苗人凤，说也奇怪，反而不自禁地凛然感到惧意。

他心中又想："这位灵姑娘聪明才智，胜我十倍，武功也自不弱，但整日和毒物为伍，总是……"他自己也不知"总是……"什么，心底只隐隐地觉得不妥。

　　盗党中一个老者纵身下马,手持雷震挡奇形兵器,一语不发,便向徐铮脸上砸去。马春花眼见丈夫抵敌不过,手抱着一对双生子,心中十分焦急。

第十二章　古怪的盗党

他大哭一场之后,胸间郁闷发泄了不少,眼见天已黎明,正可赶路,刚要站起身来,突然叫了声"啊哟!"

原来他心神激荡,从苗人凤家中急冲而出,竟将随身的包袱留下了,倘再回头去取,此时实不愿和苗人凤会面。

程灵素幽幽地道:"别的都没什么,就是那只玉凤凰丢不得。"胡斐给她说中心事,脸上一红,说道:"你在这儿稍等,我赶回去拿包袱,否则连今晚吃饭住店的银子也没有了。"程灵素道:"我有银子,连金子也有。"说着从怀中取出两小锭黄金来。胡斐道:"最要紧的是我家传的拳经刀谱,决计丢不得。"程灵素伸手入怀,取出他那本拳经刀谱来,淡淡地道:"可是这本?"

胡斐又惊又喜,道:"你真细心,什么都帮我照料着了。"程灵素道:"就可惜那只玉凤给我在路上丢了,当真过意不去。"胡斐见她脸色郑重,不像是说笑,心中一急,道:"我回头找找去,说不定还能找到。"说着转头便走。程灵素忽道:"咦,这里亮晃晃的是什么东西?"伸手到青草之中,拾起一件饰物,莹然生光,正是那只玉凤。

胡斐大喜,笑道:"你是女诸葛,小张良,小可甘拜下风。"程灵素道:"见了这玉凤,瞧你喜欢得什么似的。还给你吧!"于是将刀谱和玉凤都还了给他,说道:"胡大哥,咱们后会有期。"

胡斐一怔,道:"你生气了么?"程灵素道:"我生什么气?"但眼眶一红,珠泪欲滴,转过了头去。胡斐道:"你……你要到哪里去?"程灵素道:"我不知道。"胡斐道:"怎么不知道?"程灵素道:"我没爹没娘,师父又死了,又没人送什么玉凤凰、玉麒麟给我,

322

我……我怎么知道到哪里去。"说到这里，泪水终于流了下来。

胡斐自和她相识以来，见她心思细密，处处占人上风，任何难事到了手上，无不迎刃而解，但这时见她孤立晓风之中，残月斜照，怯生生的背影微微耸动，心中不由得大生怜惜之心，说道："灵姑娘，我送你一程。"

程灵素背着身子，拉衣角拭了拭眼泪，说道："我又不到哪里去，你送我做什么？你要我医治苗人凤的眼睛，我已经给治好啦。"

胡斐要逗她高兴，说道："可是还有一件事没做。"程灵素转过身来，问道："什么？"胡斐道："我求你医治苗人凤，你说也要求我一件事的。什么事啊，你还没说呢。"

程灵素究是个年轻姑娘，突然破涕为笑，道："你不提起，我倒忘了，这叫做自作孽，不可活。好，我要你干什么，你都得答应，是不是？"胡斐确是心甘情愿地为她无论做什么事，昂然道："只要我力所能及，无不从命。"

程灵素伸出手来，道："好，那只玉凤凰给了我。"胡斐一呆，心中大是为难，但他终究是个言出必践之人，当即将玉凤递了过去。程灵素不接，道："我要来干什么？我要你把它砸得稀烂。"

这一件事胡斐可万万下不了手，呆呆地怔在当地，瞧瞧程灵素，又瞧瞧手中玉凤，不知如何是好，袁紫衣那俏丽娇美的身形面庞，刹那间在心头连转了几转。

程灵素缓步走近，从他手里接过玉凤，给他放入怀中，微笑道："从今以后，可别太轻易答应人家。世上有许多事情，口中虽然答应了，却是无法办到的呢。好吧，咱们可以走啦！"胡斐心头怅惘，感到一股说不出的滋味，给她捧着那盆七心海棠，跟在后面。

行到午间，来到一座大镇。胡斐道："咱们找家饭店吃饭，然后去买两头牲口。"话犹未了，只见一个身穿缎子长袍、商人模样的中年汉子走上前来，抱拳说道："这位是胡爷么？"胡斐从未见过此人，还礼道："不敢，正是小可。请问贵姓，不知如何识得小可?"那人微笑道:"小人奉主人之命,在此恭候多时,请往这边用些粗点。"说着恭恭敬敬地引着二人到了一座酒楼之中。

酒楼中店伴也不待那人吩咐,立即摆上酒馔。说是粗点,却是十分丰盛精致的酒席。胡斐和程灵素都感奇怪。但见那商人坐在下首相陪,一句不提何人相请,二人也就不问,随意吃了些。

酒饭已罢,那商人道:"请两位到这边休息。"下了酒楼,早有从人牵了三匹大马过来。三人上了马,那商人在前引路,驰出市镇,行了五六里,到了一座大庄院前。但见垂杨绕宅,白墙乌门,气派甚是不小。

庄院门前站着六七名家丁,见那商人到来,一齐垂手肃立。那商人请胡斐和程灵素到大厅用茶,桌上摆满了果品细点。胡斐心想:"我若问他何以如此接待,他不到时候,定不肯说,且让他弄足玄虚,我只随机应变便了。"当下和程灵素随意谈论沿途风物景色,没去理睬那人。那商人只是恭敬相陪,对两人的谈论竟不插口半句。

用罢点心,那商人说道:"胡爷和这位姑娘旅途劳顿,请内室洗澡更衣。"胡斐心想:"听他口气,似不知程姑娘的来历,如此更妙。他如果敢向毒手药王的弟子下毒,正好自讨苦吃。"当下随着家丁走进内堂。另有仆妇前来侍候程灵素往后楼洗沐。

两人稍加休息,又到大厅,你看我,我看你,但见对方身上衣履都是焕然一新。程灵素低声笑道:"胡大哥,过新年吗?打扮得这么齐整。"胡斐见她脸上薄施脂粉,清秀之中微增娇艳之色,笑道:"你却像个新娘子一般呢。"程灵素脸上一红,转过了头不理。胡斐暗悔失言,但偷眼相瞧,她脸上却不见有何怒色,目光中只是露出又顽皮又羞怯的光芒。

这时厅上又已丰陈酒馔,那商人向胡斐敬了三杯酒,转身入内,回出时手捧托盘,盘中放着一个红布包袱,打开包袱,里面是一本泥金笺订成的簿子,封皮上写着"恭呈胡大爷印斐哂纳"九个字。他双手捧着簿子,呈到胡斐面前,说道:"小人奉主人之命,将这份薄礼呈交胡大爷。"

胡斐并不接簿,问道:"贵主人是谁?何以赠礼小可?"那商人道："敝上吩咐，不得提他名字，将来胡大爷自然知晓。"胡斐好生奇怪，接过锦簿，翻开一看，只见第一页写道："上等水田四百一十五亩七分"，下面详细注明田亩的四至和坐落，又注明佃户为谁，每年缴租谷若干等等。

胡斐大奇，心想："我要这四百多亩水田干什么？"再翻过第二页，见写道："庄子一座，五进，计楼房十二间，平房七十三间。"下面也以小字详注庄子东南西北的四至，以及每间房子的名称，花园、厅堂、厢房，以至灶披、柴房、马厩等等，无不书写明白。再翻下去，则是庄子中婢仆的名字，日用金银、粮食、牲口、车轿、家具、衣着等等，无不具备。

胡斐翻阅一过，大是迷惘，将簿子交给程灵素，道："你看。"程灵素看了一遍，也猜不透是什么用意，笑道："恭喜发财，恭喜发财！"

那商人道："敝上说仓促之间，措备不周，实是不成敬意。"顿了一顿，说道："待会儿小人陪胡大爷，到房舍各处去瞧瞧。"胡斐问道："你贵姓？"那商人道："小人姓张。这里的田地房产，暂时由小人替胡大爷经管。胡大爷瞧着有什么不妥，只须吩咐便是。田地房屋的契据，都在这里，请胡大爷收管。"说着又呈上许多文据。胡斐道："你且收着。常言道：无功不受禄。如此厚礼，我未必能受呢。"那商人道："胡大爷太谦了。敝上只说礼数太薄，心中着实过意不去。"

胡斐自幼闯荡江湖，奇诡怪异之事，见闻颇不在少，但突然收到这样一份厚礼，而送礼之人又避不见面，这种事却从没听见过。看这姓张的步履举止，决计不会武功，谈吐中也毫无武林人物的气息，瞧来他只是奉人之嘱，不见得便知内情。

酒饭已罢，胡斐和程灵素到书房休息。但见书房中四壁图书，几列揪枰，架陈瑶琴，甚是雅致。一名书童送上清茶后退了出去，房中只留下胡程二人。

程灵素笑道："胡员外，想不到你在这儿做起老爷来啦。"胡斐想想，也是不禁失笑，但随即皱眉说道："我瞧送礼之人定有歹意，只是实在猜不出这人是谁？如此做法有什么用意？"程灵素道："会不会是苗人凤？"胡斐摇头道："这人虽和我有不共戴天的深仇，但我瞧他光明磊落，实是一条好汉，不致干这等鬼鬼祟祟的勾当。"程灵素道："你助他退敌，他便送你一份厚礼，一来道谢，二来盼望化解怨仇，恐怕倒是一番美意。"胡斐道："姓胡的岂能瞧在这金银田产份上，忘了父母大仇？不，不！苗人凤不会如此小觑了我。"程灵素伸了伸舌头，道："那倒是我小觑了你啦。"

两人商量了半日，瞧不出端倪，决意便在此住宿一宵，好歹也要探寻出一点线索。到了晚间，胡斐在后堂大房中安睡，程灵素的闺房却设在花园旁的楼上。胡斐一生之中从未住过如此富丽堂皇的屋宇，而这屋宇居然属于自己，更是匪夷所思。

他睡到二更时分，轻轻推窗跃出，窜到屋面，伏低身子一望，见西面后院中灯火未熄，于是展开轻身功夫，奔了过去。足钩屋檐，一个"倒卷珠帘"，从窗缝中向内张望，只见那姓张的滴滴笃笃地打着算盘，正自算帐，另一个老家人在旁相陪。那姓张的写几笔帐，便跟那人说几句话，说的都是工薪柴米等等琐事。

胡斐听了半天，全无头绪，正要回身，忽听得东边屋面上一声轻响。他翻身站直，手握刀柄，只见来的却是程灵素。她做个手势，胡斐纵身过去。程灵素悄声道："我前前后后都瞧过了，没半点蹊跷。你看到什么没有？"胡斐摇了摇头。两人分别回房，这一晚各自提防，反复思量，都没睡得安稳。

次晨起身，早有童仆送上参汤燕窝，跟着便是面饺点心，胡斐却另有一壶状元红美酒。胡斐心道："有灵姑娘为伴，谈谈讲讲，倒也颇不寂寞。在这里住着，说得上无忧无虑，快乐逍遥。"

蓦地转念："那姓风的恶霸杀了钟阿四全家，我不伸此冤，有何面目立于天地之间？"想到此处，胸间热血沸腾，便向程灵素说道："咱们这就动身了吧？"程灵素也不问他要到何处，答道："好，是该动身了。"

两人回进卧室，换了旧时衣服。胡斐对那姓张的商人道："我们走了！"说了这一句，拔步便走。那姓张的大是错愕，道："这……这……怎么走得这般快？胡大……胡大爷，小人去备路上使费，您请等一会。"待他进去端了一大盘金锭银锭出来，胡程二人早已远去。

二人跨开大步，向北而行，中午时分到了一处市集，一打听，才知昨晚住宿之处叫做义堂镇。胡斐取出银子买了两匹马，两人并骑，谈论昨日的奇事。

程灵素道："咱们白吃白喝，白住白宿，半点也没有损到什么。这样说来，那主人似乎并没安着歹心。"胡斐道："我总觉这件事阴阳怪气，很有点儿邪门。"程灵素笑道："我倒盼这种邪门的事儿多遇上些，一路上阴阳怪气个不停。喂，胡大爷，你到底是去哪里啊？"胡斐道："我要上北京。你也同去玩玩，好不好？"程灵素笑道："好是没什么不好，就只怕有些儿不便。"胡斐奇道："什么不便？"程灵素笑道："胡大爷去探访那位赠玉凤的姑娘，还得随身带个使唤的丫鬟么？"

胡斐正色说道："不，我是去追杀一个仇人。此人武功虽不甚高，可是耳目众多，狡狯多智，盼望灵姑娘助我一臂之力。"于是将佛山镇上凤天南如何杀害钟阿四全家，如何庙中避雨相遇，如何给他再度逃走等情一一说了。

程灵素听他说到古庙邂逅、凤天南黑夜兔脱的经过时，言语中有些不尽不实，说道："那位赠玉凤的姑娘也在古庙之中，是不是啊？"胡斐一怔，心想她聪明之极，反正我也没做亏心之事，不用瞒她，于是索性连如何识得袁紫衣、她如何连夺三派掌门人之位、她如何救助凤天南等情，也从头至尾说了。

程灵素问道："这位袁姑娘是个美人儿，是不是？"胡斐微微一怔，脸都红了，说道："算是很美吧。"程灵素道："比我这丑丫头好看得多，是不是？"

胡斐没防到她竟会如此单刀直入地询问，不由得颇是尴尬，道："谁说你是丑丫头了？袁姑娘比你大了几岁，自然生得高大些。"程灵素一笑，说道："我八岁的时候，拿妈妈的镜子来玩。我姊姊说：'丑八怪，不用照啦！照来照去还是个丑八怪。'哼！我也不理她，你猜后来怎样？"

胡斐心中一寒，暗道："你别把姊姊毒死了才好。"说道："我不知道。"

程灵素听他语音微颤,脸有异色,猜中了他的心思,道:"你怕我毒死姊姊吗?那时我还只八岁呢。嗯,第二天,家中的镜子通统不见啦。"胡斐道:"这倒奇了。"程灵素道:"一点也不奇,都给我丢到了井里。"她顿了一顿,说道:"但我丢完了镜子,随即就懂了。生来是个丑丫头,就算没了镜子,还是丑的。那井里的水面,便是一面圆圆的镜子,把我的模样给得清清楚楚。那时候啊,我真想跳到井里去死了。"她说到这里,突然举起鞭子狂抽马臀,向前急奔。

胡斐纵马跟随,两人一口气驰出十余里路,程灵素才勒住马头。胡斐见她眼圈红红的,显是适才哭过来着,不敢朝她多看,心想:"你虽没袁姑娘美貌,但决不是丑丫头。何况一个人品德第一,才智方是第二,相貌好不好乃是天生,何必因而伤心?你事事聪明,怎么对此便这地看不开?"瞧着她瘦削的侧影,心中大起怜意,说道:"我有一事相求,不知你肯不肯答允,不知我是否高攀得上?"

程灵素身子一震,颤声道:"你……你说什么?"胡斐从她侧后望去,见她耳根子和半边脸颊全都红了,说道:"你我都无父母亲人,我想和你结拜为兄妹,你说好么?"

程灵素的脸颊霎时间变为苍白,大声笑道:"好啊,那有什么不好?我有这么一位兄长,当真是求之不得呢?"

胡斐听她语气中含有讥讽之意,不禁颇为狼狈,道:"我是一片真心。"程灵素道:"我难道是假意?"说着跳下马来,在路旁撮土为香,双膝一屈,便跪在地上。胡斐见她如此爽快,也跪在地上,向天拜了几拜,相对磕头行礼。

程灵素道:"人人都说八拜之交,咱们得磕足八个头……一、二、三、四、……七、八……嗯,我做妹妹,多磕两个。"果然多磕了两个头,这才站起。

胡斐见她言语行动之中,突然间微带狂态,自己也有些不自然起来,说道:"从今而后,我叫你二妹了。"程灵素道:"对,你是大哥。咱们怎么不立下盟誓,说什么有福共享、有难同当?"胡斐道："结义贵在心盟，说不说都是一样。"程灵素道："啊，原来如此。"说着跃上了马背，这日直到黄昏，始终没再跟胡斐说话。

傍晚二人到了安陆，刚驰马进入市口，便有一名店小二走上来牵住马头，说道："这位是胡大爷吧？请来小店歇马。"胡斐奇道："你怎知道？"店小二笑道："小人在这儿等了半天啦。"于是在前引路，让着二人进了一家房舍高敞的客店。上房却只留了一间，于是又开了一间，茶水酒饭也不用吩咐，便流水价送将上来。胡斐问那店小二，是谁叫他这般侍候。那店小二笑道："义堂镇的胡大爷，谁还能不知道么？"次晨结帐，掌柜的连连打躬，说道早已付过了，只肯收胡斐给店伴的几钱银子赏钱。

一连几日，都是如此。胡斐和程灵素虽都是极有智计之人，但限于年纪阅历，竟是瞧不透这一门江湖伎俩。

到第四日动身后，程灵素道："大哥，我连日留心，咱们前后无人跟随，那必是有人在前途说了你的容貌服色，命人守候。咱们来个乔装改扮，然后从旁察看，说不定便能得悉真相。"胡斐喜道："此计大妙。"

两人在市上买了两套衣衫鞋帽，行到郊外，在一处无人荒林之中改扮。程灵素用头发剪成假须，粘在胡斐唇上，将他扮成个四十来岁的中年汉子，自己却穿上长衫，头戴小帽，变成个瘦瘦小小的少年男子。两人一看，相对大笑。到了前面市集，两人更将坐骑换了驴子。胡斐将单刀包入包袱，再买了一根旱烟管，吸了几口，吞烟吐雾，这一副神色，旁人便眼力再好，也决计认他不出。

这日傍晚到了广水，只见大道旁站着两名店伴，伸长了脖子东张西望，胡斐知他们正在等候自己，不禁暗笑，径去投店，掌柜的见这二人模样寒酸，招呼便懒洋洋地，给了他们两间偏院。那两名店伴直等到天黑，这才没精打采地回店。胡斐叫了一人进来，跟他有一搭没一搭地瞎扯，想从他口中探听些消息。刚说得几句闲话，忽然大道上马蹄声响，听声音不止一乘。那店伴喜道："胡大爷来啦。"飞奔出店。

胡斐心道:"胡大爷早到啦,跟你说了这会子话,你还不知道。"当下走到大堂上去瞧热闹。只听得人声喧哗,那店伴大声道:"不是胡大爷,是镖局子的达官爷。"跟着走进一个趟子手来,手捧镖旗,在客店外的竹筒中一插。

胡斐看那镖旗时,心中一愕,只见那镖旗黄底黑线,绣着一匹背生双翼的骏马,当年在商家堡中,曾见过这镖旗一面,认得是飞马镖局的旗号,心想这镖局主人百胜神拳马行空已在商家堡烧死,不知眼下何人充任镖头。看那镖旗残破褪色,已是多年未换,那趟子手也是年老衰迈,没什么精神,似乎飞马镖局的近况未见得怎生兴旺。

跟着镖头进来,却是雄赳赳气昂昂的一条汉子,但见他脸上无数小疤,胡斐认得他是马行空的弟子徐铮。在他之后是一个穿着劲装的少妇,双手各携一个男孩,正是马行空的女儿马春花。

胡斐和她相别数年,这时见她虽然仍是容色秀丽,但已掩不住脸上的风霜憔悴。两个男孩不过四岁左右,却是雪白可爱,尤其两人相貌一模一样,显是一对孪生兄弟。只听一个男孩子道:"妈,我饿啦,要吃面面。"马春花低头道:"好,等爹洗了脸,大伙儿一起吃。"

胡斐心道:"原来他师兄妹已成了亲,还生下两个孩子。"那年他在商家堡为商老太所擒,被商宝震用鞭子抽打,马春花曾出力求情,此事常在心头。今日他乡邂逅,若不是他不愿给人认真面目,早已上去相认道故了。

开客店的对于镖局子向来不敢得罪,虽见飞马镖局这单镖只是一辆镖车,各人衣饰敝旧,料想没多大油水,但掌柜的还是上前殷勤接待。

徐铮听说没了上房,眉头一皱,正要发话,趟子手已从里面打了个转出来,说道:"朝南那两间上房不明明空着吗?怎地没了?"

掌柜的赔笑说道:"达官爷见谅。这两间房前天就有人定下了,已付了银子,说好今晚要用。"徐铮近年来时运不济,走镖常有失闪,因此一肚皮的委屈,听了此言,伸手在帐台上用力一拍,便要发作。马春花忙拉拉他衣袖,说道:"算啦,胡乱住这么一宵,也就是了。"

徐铮还真听妻子的话,向掌柜的狠狠瞪了一眼,走进了朝西的小房。马春花拉着两个孩子,低声道:"这单镖酬金这么微薄,若不对付着使,还得亏本。不住上房,省儿钱银子也是好的。"徐铮道:"话是不错,但我就瞧着这些狗眼看人低的家伙生气。"

原来马行空死后,徐铮和马春花不久成婚,两人接掌了飞马镖局。徐铮的武功威名固然不及师父,而他生就一副直肚直肠,江湖上的场面结交更是施展不开,三四年中连碰了几次钉子,每次均亏马春花多方设法,才赔补弥缝了过去。但这么一来,飞马镖局的生意便一落千丈,大买卖是永不上门的了。这一次有个盐商要送一笔银子上北直隶保定府去,为数只有九千两,托大镖局带嫌酬金贵,这才交了给飞马镖局。徐铮夫妇向来一同走镖,马春花以家中没可靠的亲人,放心不下孩子,便带同了出门,谅来这区区九千两银子,在路上也不会有什么风险。

胡斐向镖车望了一眼,走到程灵素房中,说道:"二妹,这对镖头夫妇是我的老相识。"于是将商家堡中如何跟他们相遇的事简略说了。

程灵素道:"你认不认他们?"胡斐道:"待明儿上了道,到荒僻无人之处,这才上前相识。"程灵素笑道:"荒僻无人之处?啊,那可了不得!他们不当你这小胡子是劫镖的强人才怪。"胡斐一笑,道:"这支镖不值得胡大寨主动手。程二寨主,你瞧如何?"程灵素笑道:"瞧那镖客身上无钱,甚是寒伧。你我兄弟盗亦有道,不免拍马上前,送他几锭金子便了。"胡斐哈哈一笑。他确是有赠金之心,只是要盘算个妥善法儿,赠金之时须得不失了敬意。

两人用过晚膳,胡斐回房就寝,睡到中夜,忽听得屋面上喀的一声轻响。他虽在睡梦之中,仍是立即惊觉,翻身坐起,跨步下炕,听得屋上共有二人。那二人轻轻一击掌,径从屋面跃落。

胡斐站到窗口，心想："这两个人是什么来头，竟是如此大胆，旁若无人？"伸手指戳破窗纸，往外张望，见两人都是身穿长衫，手中不执兵刃，推开朝南一间上房的门，便走了进去，跟着火光一闪，点起灯来。

胡斐心想："原来这两人识得店主东，不是歹人。"回到炕上，忽听得踢跶踢跶拖鞋皮响，店小二走到上房门口，大声喝道："是谁啊？怎地三更半夜的，也不走大门，就这么窜了下来？"他口中呼喝，走进上房，一脚刚踏进，便"啊哟"一声大叫，跟着砰的一响，又是"我的妈啊，打死人啦"叫了起来，原来给人摔了出来，结结实实地跌在院子之中。

这么一吵闹，满店的人全醒了。两个长衫客中一人站在上房门口，大声说道："我们奉鸡公山王大寨主之命，今晚踩盘子，劫镖银来着，找的是飞马镖局徐镖头。闲杂人等，事不干己，快快回房安睡，免得误伤人命。"

徐铮和马春花早就醒了，听他如此叫阵，不由得又惊又怒，心想怎他多厉害的大盗，也决不能欺到客店中来，这广水又不是小地方，这等无法无天，可就从未过过。徐铮接口大声道："姓徐的便在这里，两位相好的留下万儿。"那人大笑道："你把九千两纹银，一杆镖旗，双手奉送给大爷，也就是了，问大爷什么万儿？咱们前头见。"说着啪啪两声击掌，两人飞身上屋。

徐铮右手一扬，两枝钢镖激射而上。后面那人回手一抄，一手接住，跟着向下掷出，当的一声响，火星四溅，一齐落在徐铮身前一尺之处，两枝镖都钉入了院子中的青石板里，这一手劲力，徐铮就万万不能。只听两人在屋上哈哈大笑，跟着马蹄声响，向北而去。

店中店伙和住客待那两个暴客远去，这才七张八嘴地纷纷议论，有的说快些报官，有的劝徐铮不如绕道而行。

徐铮默不作声，拔起两枚钢镖，回到房中。夫妻俩低声商量，瞧这两人武功颇为不凡，该是武林中的成名人物，怎会瞧中这一枝小镖？虽然明知前途不吉，但一枝镖出了门，规矩是有进无退，决不能打回头，否则镖局子就算是自己砸了招牌。徐铮气愤愤地道："黑道上朋友越来越是欺人啦，往后咱们这口饭还能吃么？我拚着性命不要，也得给他们干上了。这两个孩子……"马春花道："咱们跟黑道上的无冤无仇，最多不过是银子的事，还不致有人命干系，带着孩子也不妨。"但在她心底，早已在深深后悔，实不该让这两个幼儿陪着父母干冒江湖上的风险。

胡斐和程灵素隔着窗子，一切瞧得清清楚楚，心下也是暗暗奇怪，觉得这一路而来，不可解之事甚多，满以为乔装改扮之后，便可避过追踪，岂知第一天便遇到飞马镖局这件奇事。

次日清晨，飞马镖局的镖车一起行，胡斐和程灵素便不即不离地跟随在后。徐铮见他二人跟踪不舍，越看路道越是不对，料他二人定是贼党，不时回头怒目而视。胡程二人却装作不见。

中午打尖，胡程二人也和飞马镖局一处吃牛肉面饼。行到傍晚，离武胜关约有四十来里，只听得马蹄声响，两骑马迎面飞驰而来。马上乘客身穿灰布长袍，从镖车旁一掠而过，直奔过胡程二人身旁，这才靠拢并驰，纵声长笑，听声音正是昨晚的两个暴客。

胡斐道："待得他们再从后面追上，不出几里路，便要动手了。"话犹未毕，忽听前面马蹄声响，又有两乘马从身旁掠过，马上乘客身手矫健，显是江湖人物。胡斐道："奇怪，奇怪！"行不到一里路，又有两乘马迎面奔来，跟着又有两乘马。

徐铮见了这等大势派，早已把心一横了，不怒反笑，说道："师妹，师父曾说，绿林中一等一的大寨，兴师动众劫那一等一的大镖，那才派到六个好手探盘子，今日居然连派到八位高人，后面又有两位阴魂不散地跟着，只怕咱们这路镖保的不是纹银九千两，而是九百万、九千万两！"

马春花猜不透敌人何以如此大张旗鼓，来对付这枝微不足道的小镖，但越是不懂，越是戚然有忧，对徐铮和赵一手道："待会儿情势不对，咱们带了孩子逃命要紧。这九千两银子嘛，数目不大，总还能张罗着赔得起。"徐铮昂然道："师父一世英名，便这么送在咱这个不成材的弟子手中吗？"马春花凄然道："总得瞧孩子份上。今后我两口子耕田务农，吃一口苦饭，也不做这动刀子拚命的勾当啦。"

说到这里，忽听得身后蹄声奔腾，回头一望，尘土飞扬，那八乘马一齐自后赶了上来。呜的一声长鸣，一枝响箭从头顶飞过，跟着迎面也有八乘马奔来。

胡斐道："瞧这声势，这帮子人只怕是冲着咱们而来。"程灵素点头道："田归农！"胡斐道："咱们的改扮终究不成，还是给认出了。"

这时前面八乘马，后面八乘马一齐勒缰不动，已将镖局子一行人和胡程二人夹住在中间。

徐铮翻身下马，亮出单刀，抱拳道："在下徐……"只说了三字，前面八乘马中一个老者突然飞跃下马，纵身而前，手中持着一件奇形兵刃，一语不发，便向徐铮脸上砸去。

胡斐和程灵素勒马在旁，见那老者手中兵刃甚是奇怪，前面一个横条，弯曲如蛇，横条后生着丁字形的握手，那横条两端尖利，便似一柄变形的鹤嘴锄模样。胡斐不识此物，问程灵素道："那是什么？"

程灵素还未回答，身后一名大盗笑道："老小子，教你一个乖，这叫做雷震挡。"程灵素接口道："雷震挡不和闪电锥同使，武功也是平常。"

那大盗一呆，不再作声，斜眼打量程灵素，心想这瘦小子居然也知道闪电锥。原来老者是他师兄，这大盗自己所使的便是闪电锥。他二人的师父右手使闪电锥，左手使雷震挡，一攻一守，变化极尽奇妙。但这两件兵刃一长一短，双手共使时相辅相成，威力固然甚大，但也十分艰难，他师兄弟二人各得师父一只手的技艺，始终学不会两件兵刃同使。他二人自幼便在塞外，初来中原未久，而他的闪电锥又是藏在袖中，并未取出，不意给程灵素一语道破来历，不禁惊诧无已。他哪知程灵素的师父毒手药王无嗔大师见闻广博，平时常和这个最钟爱的小弟子讲述各家各派武功，因此她虽然从未见过雷震挡，但一听其名，便知尚有一把闪电锥。

但见那老者将兵刃使得轰轰发发，果然有雷震之威。徐铮单刀上的功夫虽也不弱，但被那雷震挡裹住了，渐渐施展不开。

　　只听得前后十五名大盗你一言，我一语，出言讥嘲："什么飞马镖局？当年马老镖头走镖，才称得上'飞马'二字，到了姓徐的手里，早该改称狗爬镖局啦！""这小子学了两手三脚猫，不在家里抱娃娃，却到外面来丢人现世。""喂，姓徐的，快跪下来磕三个响头，我们大哥便饶了你的狗命。""走镖走得这么寒蠢，连九千两银子也保，不如买块豆腐来自己撞死了罢！""神拳无敌马老镖头当年赫赫威名，武林中无人不服，这脓包小子真是对不住师父。""我瞧他夫人比他强上十倍，当真是一枝鲜花插在牛粪里！好叫人瞧着生气。"

　　胡斐听了各人言语，心想这群大盗对徐铮的底细摸得甚是清楚，不但知道他的师承来历，还知他一共保了多少镖银，说话之中对他固是极尽尖酸刻薄，但对马春花和她过世的父亲却毫无得罪之处，甚至还显得颇为尊敬。胡斐虽然不识雷震挡，但那老者功力不弱，出手既狠且准，却是一眼便知，不由得暗自奇怪："这老头儿虽不能说是江湖上的第一流好手，但如此武功，必是个颇有身份的成名人物。瞧各人的作为，决非冲着这区区九千两银子而来。但若是田归农派来跟我为难，却又何必费这么大的劲儿去对付徐铮？"

　　马春花在旁瞧得焦急万分，她早知丈夫不是人家对手，然而自己上前相助，只不过多引一个敌人下场，于事丝毫无补，两个儿子无人照料，却势必落入盗众手中。眼睁睁地瞧着丈夫越来越是不济，突见那老者将蛇形兵器往前疾送，圈转回拉，徐铮单刀脱手，飞上半天，她"啊"的一声叫了出来。

　　那老者左足横扫，徐铮急跃避过。那单刀从半空落将下来，盗众中一人举起长剑，往上一撩，一柄钢刀登时断为两截。那盗伙出手好快，长剑跟着一劈一削，又将尚未落地的两截断刀斩成四截。他手中所持的固是极锋利的宝剑，而出手之迅捷，更是使人目为之眩。群盗齐声喝彩。

　　瞧这情势，哪里是拦路劫镖，实是对徐铮存心戏弄！单是这手持长剑的大盗一人,打败徐铮夫妇便已绰绰有余,何况同伙共有一十六人,看来个个都是好手,个个笑傲自若,便如十六头灵猫围住了一只小鼠,要戏耍个够,才分而吞噬。

徐铮红了双眼,双臂挥舞,招招都是拼命的拳式,但那老者雷震挡的铁柄长逾四尺,徐铮如何欺得近身去?数招之间,只听得嗤的一声响,雷震挡的尖端划破了徐铮裤脚,大腿上鲜血长流,接着又是一响,徐铮左臂中挡。那老者抬起一腿,将他踢翻在地,一脚踏住,冷笑道:"我也不要你性命,只要废了你的一对招子,罚你不生眼睛,太也糊涂。"徐铮又是害怕,又是愤怒,胸口气为之塞,说不出话来。

马春花叫道:"众位朋友,你们要镖银,拿去便是。我们跟各位往日无冤,近日无仇,何必赶尽杀绝?"那使剑的大盗笑道:"马姑娘,你是好人,不用多管闲事。"

马春花道:"什么多管闲事?他是我丈夫啊。"使雷震挡的老者道:"我们就是瞧着他太也不配,委曲了才貌双全的马姑娘,这才千里迢迢地赶来。这个抱不平非打不可!"

胡斐和程灵素越听越是奇怪,均想:"这批大盗居然来管人家夫妻的家务事,还说什么打抱不平,当真好笑。"两人对望一眼,目光中均含笑意。

便在此时,那老者举起雷震挡,挡尖对准徐铮右眼,戳了下去。马春花大叫一声,抢上相救,呼的一响,马上一个盗伙手中花枪从空刺下,将她拦住。两个小孩齐叫:"爸爸!"向徐铮身边奔去。

突然间一个灰影一晃,那老者手腕上一麻,急忙翻挡迎敌,手里蓦然间轻了,原来手中兵刃竟已不知去向,惊怒中抬起头来,只见那灰影跃上马背,自己的独门兵刃雷震挡却已给他拿在手中舞弄,白光闪闪,转成一个圆圈。

如此倏来倏去,一瞬之间下马上马,空手夺了他雷震挡的,正是胡斐!

众盗相顾骇然,顷刻间寂静无声,竟无一人说话,人人均为眼前之事惊得呆了。过了半晌，各人才纷纷呼喝，举刀挺杖，奔向胡斐。

胡斐大叫道："是线上的合字儿吗？风紧，扯呼，老窑里来了花门的，三刀兔儿爷换着走，咱们胡子上冈洞，财神菩萨上山！"群盗又是一怔，听他说的黑话不像黑话，不知瞎扯些什么。

那雷震挡被夺的老者怒道："朋友，你是哪一路的，来搅这淌浑水干么？"

胡斐道："兄弟专做没本钱买卖，好容易跟上了飞马镖局的九千两银子，没想到半路里杀出来十六个程咬金。各位要分一份，这不叫人心疼么？"那老者冷笑道："哼，朋友别装蒜啦，趁早留下个万儿来是正经。"

徐铮于千钧一发之际逃得了性命，搂住了两个儿子。马春花站在他的身旁，睁着一双大眼望住胡斐，一时之间还不明白眼前到底发生了何事。她只道胡斐和程灵素也必都是盗伙一路，哪知他却和那老者争了起来。

只见胡斐伸手一抹上唇的小胡子，咬着烟袋，说道："好，我跟你实说了罢。神拳无敌马行空是我师弟，师侄的事儿，老人家不能不管。"

胡斐此语一出，马春花吃了一惊，心想："哪里出来了这样一个师伯？我从没听爹爹说过，而且这人年纪比爹爹轻得多，哪能是师伯？"

程灵素在一旁见他装腔作势，忍不住要笑出声来，但见他大敌当前，身在重围，仍能漫不在意地言笑自若，却也不禁佩服他的胆色。

那老者将信将疑，哼的一声，说道："尊驾是马老镖头的师兄？年岁不像啊，我们也没听说马老镖头有什么师兄。"胡斐道："我门中只管入门先后，不管年纪大小。马行空是什么大人物了，还用得着冒充他师兄么？"

先入师门为尊的规矩，武林中许多门派原都是有的。那老者向马春花望了一眼，察看她的脸色，转头又问胡斐道："没请教尊驾的万儿。"胡斐抬头向天，说道："我师弟叫神拳无敌马行空，区区在下便叫歪拳有敌牛耕田。"群盗一听，尽皆大笑。

这一句话明是欺人的假话，那老者只因他空手夺了自己的兵刃，才跟他对答了这一阵子话，否则早就出手了。他性子本便躁急，听到"牛耕田"这三字，再也忍耐不住，虎吼一声，便向胡斐扑来。

胡斐勒马一闪，雷震挡一晃，那老者手中倏地多了一物，举手一看，却不是雷震挡是什么？物归原主，他本该喜欢，然而这兵刃并非自己夺回，却是对方塞入自己手中，瞧也没瞧清，莫名其妙地便得回了兵刃。

众盗齐声喝彩，叫道："褚大哥好本事！"都道是他以空手入白刃的功夫抢回。这姓褚的老者却自知满不是那回事，当真是哑巴吃黄连，说不出的苦。他微微一怔，说道："尊驾插手管这档子事，到底为了什么？"

胡斐道："老兄倒请先说说，我这两个师侄好好一对夫妻，何以要各位来打抱不平？"那老者说道："多管闲事，于尊驾无益。我好言相劝，还是各行各路罢！"众盗均感诧异："褚大哥平日多么霹雳火爆的性儿，今日居然这般沉得住气。"

胡斐笑道："你这话再对也没有了，多管闲事无益。咱们大伙儿各行各路。请啊，请啊！"那老者退后三步，喝道："你既不听良言，在下迫得要领教高招。"说着雷震挡一举，护住了胸口。

胡斐道："单打独斗，有什么味道？可是人太多了，乱糟糟的也不大方便。这样吧，我牛耕田一人，斗斗你们三位。"说着提旱烟管向那使长剑的一指，又向那老者的师弟一指。

那使剑的相貌英挺，神情傲慢，仰天笑道："好狂妄的老小子！"那姓褚的老者却早知胡斐决非易与之辈，一对一地跟他动手，也真没把握，他既自愿向三人挑战，正是求之不得，说道："聂贤弟，上官师弟，他是自取其死，怨不得旁人，咱三个便一齐陪他玩玩。"

那姓聂的兀自不愿，说道："谅这老小子怎是褚大哥的对手？要不，你师兄弟一齐出马，让大伙儿瞻仰瞻仰塞外'雷电交作'的绝技！"群盗轰然叫好。

胡斐摇头道:"年纪轻轻,便这般胆小,见不得大阵仗,可惜啊可惜。"

那姓聂的长眉一挑,跃下马来,低声道:"褚大哥请让一步,小弟独自来教训教训这狂徒。"胡斐道:"你要教训我歪拳有敌牛耕田,那也成。可是咱哥儿俩话说在先,倘若我牛耕田输了,你要宰要杀,任凭处置。不过要是小兄弟你有一个失闪,那便如何?"那姓聂的冷笑道:"那是你痴心妄想。"胡斐笑道:"说不定老天爷保佑,小兄弟你竟有个三长两短,七荤八素,那便如何?"那姓聂的喝道:"谁跟你胡说八道?若我输了,也任凭你老小子处置便是。"

胡斐道:"任凭我老小子处置,那可不敢当,只是请各位宽宏大量,别再来管我师侄小夫妻俩的家务,这个抱不平,咱们就别打了吧!"那姓聂的好不耐烦,长剑一摆,闪起一道寒光,喝道:"便是这样!"

胡斐目光横扫众盗,说道:"这位聂家小兄弟的话,作不作准?倘若他输了,你们各位大爷还打不打抱不平?"

程灵素听到这里,再也忍耐不住,终于嗤的一声,笑了出来,心想他自己小小年纪,居然口口声声叫人家"小兄弟",别人为了"鲜花插在牛粪上",因而兴师动众的来打抱不平,此事已十分好笑,而他横加插手,又不许人家打抱不平,更是匪夷所思。

盗众素知那姓聂的剑术精奇,手中那口宝剑更是削铁如泥的利刃,出手斗这乡下土老儿小胡子,定是有胜无败。众人此行原本嘻嘻哈哈,当作一件极有趣的玩闹,途中多生事端,正是求之不得,于是纷纷说道:"你小胡子若是赢得一招半式,咱们大伙儿拍屁股便走,这个抱不平是准定不打的了!"胡斐道:"诸位说的是人话,就是这么办,这抱不平打不打得成,得瞧我小胡子的玩艺儿行不行。看招!"猛地举起旱烟管,往自己衣领中一插,跃下马来,一个踉跄,险些摔倒。

众人听他一声喝:"看招!"又见他举起烟管,都道他要以烟管当作兵器,哪知他竟将烟管插在衣领之中,又见他下马的身法如此笨拙狼狈,旁观的十五个大盗之中,倒有十二三人笑了出来。

那姓聂的喝道:"你用什么兵刃,亮出来吧!"胡斐道:"黄牛耕田,得用犁耙! 褚大寨主,你手里这件家伙倒像个犁耙,借来使使!"说着伸手出去,向那姓褚的老者借那雷震挡。

那老者见了他也真有些忌惮,倒退两步,怒道:"不借! 谅你也不会使!"胡斐右手手掌朝天,始终摆着个乞讨的姿势,又道:"借一借何妨?"突然手臂一长一搭,那老者举挡欲架,不知怎的,手中忽空,那雷震挡竟又已到了胡斐手中。

那老者一惊非小,倒窜出一丈开外,脸上肌肉抽搐,如见鬼魅。

要知胡斐这路空手夺人兵刃的功夫,乃是他远祖飞天狐狸潜心钻研出来的绝技。当年飞天狐狸辅佐闯王李自成起兵打天下,凭着这手本领,不知夺过多少英雄好汉手中的兵器,当真是来无影,去无踪,神出鬼没,诡秘无比,"飞天狐狸"那四字外号,一半也是由此而来。

那姓聂壮汉见胡斐手中有了兵器,提剑便往他后心刺来。胡斐斜身闪开,回了一挡,跟着自左侧抢上,雷震挡回掠横刺。

姓褚的老者只瞧得张大了口,合不拢来,原来胡斐所使的招数,竟是他师父亲授的"六十四路轰天雷震挡法",一模一样,全无二致。他那姓上官的师弟更是诧异,明明听得胡斐连雷震挡的名字也不识,使出来的挡法,却和师哥全然相同。他二人哪想得到胡斐武功根底既好,人又聪明无比,瞧了那姓褚老者与徐铮打斗,早将招数记在心中。何况他所使招数虽然形似,其中用劲和变化的诸般法门,却绝不相干。

那姓聂的这时再也不敢轻慢,剑走轻灵,身手甚是便捷。胡斐所用兵刃全不顺手,兼之有意眩人耳目,招招依着那姓褚老者的武功法门而使,更加多了一层拘束,但见敌人长剑施展开来,寒光闪闪,剑法实非凡俗。他一面招架,心下寻思:"这十六人看来都是硬手,倘若一拥而上,我和二妹纵能脱身,徐铮一家四口一定糟糕,只有打败了这人,挤兑得他们不能动手,方是上策。"

突见对手长剑一沉，知道不妙，待想如何变招，当的一声，雷震挡的一端已被利剑削去。

盗众眼见胡斐举止邪门，本来心中均自嘀咕，忽见那姓聂的得利，齐声欢呼。姓聂的精神一振，步步进逼。胡斐从褚姓老者那里学得的几招挡法，堪堪已经用完，心想再打下去马脚便露，眼见雷震挡被削去一端，心念一动，回挡斜砸，敌人长剑圈转，当的一声响，另一端也削去了。

胡斐叫道："好，你这般不给褚大爷面子，毁了他成名的兵刃，未免太也不够朋友！"

姓聂的一怔，心想这话倒也有理。突然当的又是一响，胡斐竟将半截挡柄砸到他剑峰上去，手中只余下尺来长的一小截，又听他叫道："会使雷震挡，不使闪电锥，武功也是稀松平常。"说着将一小截挡柄递出，便如破甲锥般使了出来。

姓上官的大盗先听他说闪电锥，不由得一惊，但瞧了他几路锥法，横截直刺，全不是那一会事，这才放心，大声笑道："这算哪一门子的闪电锥？"胡斐道："你学的不对，我的才对。"说着连刺急戳。其实他除单刀之外，什么兵器都不会使，这闪电锥只是装模作样，所厉害者全在一只左手，近身而搏，左手勾打锁拿，当真是"一寸短，一寸险"。

那姓聂的手中虽有利剑，竟是阻挡不住，被他攻得连连倒退，猛地里"啊"的一声大叫，两人同时向后跃开。只见胡斐身前晶光闪耀，那口宝剑已到了他的手里。

胡斐左膝一跪，从大道旁抓起一块二十来斤的大石，右手持剑，剑尖抵地，剑身横斜，左手高举大石，笑道："这口宝剑锋利得紧，我来砸它几下，瞧是砸得断，砸不断？"说着作势便要将大石往剑身上砸去。

纵是天下最锋利的利剑，用大石砸在它平板的剑身上，也非一砸即断不可。那姓聂的对这口宝剑爱如性命，见了这般惨状，登时吓得脸色苍白，叫道："在下认输便是。"

胡斐道："我瞧这口好剑，未必一砸便断。"说着又将大石一举。

那姓聂的叫道："尊驾若是喜欢，拿去便是，别损伤了宝物。"

胡斐心想此人倒是个情种，宁可剑入敌手也不愿剑毁，于是不再嬉笑，双手横捧宝剑，送到他身前，说道："小弟无礼，多有得罪。"

那人大出意外，只道胡斐纵不毁剑，也必取去，要知如此利刃，当世罕见，有此一剑，平添了一倍功夫，武林中人有谁不爱？当下也伸双手接过，说道："多谢，多谢！"惶恐之中，掩不住满脸的喜出望外之情。

胡斐知道夜长梦多，不能再耽，翻身上马，向群盗拱手道："承蒙高抬贵手，兄弟这里谢过。"这句话却说得甚是诚恳。向徐铮和马春花叫道："走吧！"徐铮夫妇惊魂未定，赶着镖车，纵马便走。胡斐和程灵素在后押队，没再向后多望一眼，以免又生事端，耳听得群盗低声议论，却不纵马来追。

四人一口气驰出十余里，始终不见有盗伙追来。

徐铮勒住马头，说道："尊驾出手相救，在下甚是感激，却何以要冒充在下的师伯？"胡斐听他语气中甚有怪责之意，微笑道："顺口说说而已，兄弟不要见怪。"徐铮道："尊驾贴上这两撇胡子，逢人便叫兄弟，也未免把天下人都瞧小了。"胡斐一愣，没想到这个莽撞之人，竟会瞧得出来。程灵素低声道："定是他妻子瞧出了破绽。"

胡斐略一点头，凝视马春花，心想她瞧出我胡子是假装，却不知是否认出了我是谁。

徐铮见了他这副神情，只道自己妻子生得美丽，胡斐途中紧紧跟随，早便不怀好意。他被盗党戏弄侮辱了个够，已存必死之意，心神失常，放眼但觉人人是敌，大声喝道："阁下武艺高强，你要杀我，这便上吧！"说着一弯腰，就从趟子手的腰间拔出单刀，立马横刀，向着胡斐凛然傲视。

胡斐不明他的心意，欲待解释，忽觉背后马蹄声急，一骑快马狂奔而至。这匹马虽无袁紫衣那白马的神骏，却也是少有的名驹，片刻间便从镖队旁掠过。胡斐一瞥之下，认得马上乘客便是十六盗伙之一。

程灵素道："咱们走吧，犯不着多管闲事，打抱不平。"岂知"多管闲事，打抱不平"这八个字，正触动徐铮的忌讳，他眼中如要喷出火来，便要纵马上前相扑。马春花急叫："师哥，你又犯糊涂啦！"徐铮一呆。

程灵素一提马缰，跟着伸马鞭在胡斐的坐骑臀上抽了一鞭，两匹马向北急驰而去。胡斐回头叫道："马姑娘，可记得商家堡么？"

马春花斗然间满脸通红，喃喃道："商家堡，商家堡！我怎能不记得？"她心摇神驰，思念往事，但脑海中半分也没出现胡斐的影子。她是在想着另外一个人，那个华贵温雅的公子爷……

胡程二人纵马奔出三四里，程灵素道："大哥，打抱不平的又追上来啦。"胡斐也早已听到来路上马蹄杂沓，共有十余骑之多，说道："当真动手，咱们寡不敌众，又不知这批人是什么来头。"程灵素道："我瞧这些人未必便真是强盗。"胡斐点头道："这中间古怪很多，一时可想不明白。"

这时一阵西风吹来，来路上传来一阵金刃相交之声。胡斐惊道："给追上了。"程灵素道："我瞧那些人的心意，那位马姑娘决计无碍，他们也不会伤那徐爷的性命，不过苦头是免不了要吃的了。"胡斐竭力思索，皱眉道："我可真是不明白。"

急听得马蹄声响，斜刺往西北角驰去，走的却不是大道，同时隐隐又传来一个女子的呼喝之声。

胡斐驰马上了道旁一座小丘，纵目遥望，只见两名盗目各乘快马，手臂中都抱着一个孩子。马春花徒步追赶，头发散乱，似乎在喊："还我孩子，还我孩子！"隔得远了，听不清楚。那两个盗党兵刃一举，忽地分向左右驰开。马春花一呆，两个孩子都是一般的心头之肉，不知该向哪一个追赶才是。

胡斐瞧得大怒，心想："这些盗贼真是无恶不作。"叫道："二妹，快来！"明知寡不敌众，若是插手，此事实极凶险，但眼见这种不平之事，总不能置之不理，于是纵马追了上去。但相隔既远，坐骑又没盗伙的马快，待追到马春花身边，两个大盗早已抱着孩子不知去向。只见马春花呆呆站着，却不哭泣。

胡斐叫道："马姑娘别着急，我定当助你夺回孩子。"其实这时"马姑娘"早已成了"徐夫人"，但在胡斐心中，一直便是"马姑娘"，脱口而出，全没想到改口。

马春花听了此言，精神一振，便要跪将下去。胡斐忙道："请勿多礼，徐兄呢？"马春花道："我追赶孩子，他却给人缠住了。"

程灵素驰马奔到胡斐身边，说道："北面又有敌人。"胡斐向北望去，果见尘土飞扬，又有八九骑奔来。胡斐道："敌人骑的都是好马，咱们逃不远，得找个地方躲一躲。"游目四顾，一片空旷，并无藏身之处，只西北角上有一丛小树林。

程灵素马鞭一指，道："去那边。"向马春花道："上马！"马春花道："多谢姑娘！"跃上马背，坐在她身后。程灵素笑道："你眼光真好，危急中还能瞧出我是女扮男装。"三人两骑，向树林奔去。

只奔出里许，盗党便已发觉，只听得声声嘬哨，南边十余骑，北边八九骑，两头围了上来。

胡斐一马当先，抢入树林，见林后共有六七间小屋，心想再向前逃，非给追上不可，只有在屋中暂避。奔到屋前，见中间是座较大的石屋，两侧的都是茅舍。他伸手推开石屋的板门，里面一个老妇人卧病在床，见到胡斐时惊得说不出话来，只是"啊，啊"的低叫。

程灵素见那些茅舍一间间都是柴扉紧闭，四壁又无窗孔，看来不是人居之所，踢开板门一望，见屋中堆满了柴草，另一间却堆了许多石头。原来这些屋子是石灰窑贮积石灰石和柴草之处。

程灵素取出火摺，打着了火，往两侧茅舍上一点，拉着马春花进了石屋，关上了门，又上了门闩。

这几间茅舍离石屋约有三四丈远，柴草着火之后，人在石屋中虽然炽热，但可将敌人挡得一时，同时石屋旁的茅舍尽数烧光，敌人无藏身之处，要进攻便较不易。

马春花见她小小年纪，却是当机立断，一见茅舍，毫不思索地便放上了火,自己却要待进了石屋之后,想了一会,方始明白她的用意,赞道:"姑娘!你好聪明!"

茅舍火头方起,盗众已纷纷驰入树林,马匹见了火光,不敢奔近,四周团团站定。

马春花进了石屋,惊魂略定,却悬念儿子落入盗手,不知此刻是死是活。她虽是著名拳师之女,自幼便随父闯荡江湖,不知经历过多少风险,但爱儿遭掳,不由得珠泪盈眶。她伸袖拭了拭眼泪,向程灵素道:"妹子,你和我素不相识,何以犯险相救?"

这一句也真该问,要知这批大盗个个武艺高强,人数又众,便是她父亲神拳无敌马行空亲自遇上了,也决计抵敌不住。这两人无亲无故,竟然将这桩事拉在自己身上,岂不是白白赔了性命?至于胡斐自称"歪拳有敌牛耕田",她自然知道是戏弄群盗之言。她父亲的武功是祖父所传,并无同门兄弟。

程灵素微微一笑,指着胡斐的背,说道:"你不认得他么?他却认得你呢。"

胡斐正从石屋窗孔中向外张望,听得程灵素的话,回头一笑,随即转身伸手,从窗孔中接了一枝钢镖、一枝甩手箭进来,抛在地下,说道:"咱们没带暗器,只好借用人家的了。一、二、三、四……五、六……这里南边共是六人。"转到另一边窗孔中张望,说道:"一、二、三……北边七人,可惜东西两面瞧不见。"

回头向屋中一望,见屋角砌着一只石灶,心念一动,拿起灶上铁锅,右手握住锅耳,左手拿了锅盖,突然从窗孔中探身出去,向东瞧了一会,又向西瞧了一会。这么一来,他上半身尽已露在敌人暗器的袭击之下,但那铁锅和锅盖便似两面盾牌,护住了左右。只听得叮叮当当、的的笃笃一阵响亮,他缩身进窗,哈哈大笑。只见锅盖上钉着四五件暗器,铁锅中却又抄着五六件,什么铁莲子、袖箭、飞锥、丧门钉等都有。那锅口已缺了一大块,却是给一块飞蝗石打碎了的。

胡斐说道:"前后左右,一共是二十一人。我没瞧见徐兄和两个孩子,推想起来,尚有二人分身对付徐兄,有两人抱着孩子,对方共是二十五人了。"程灵素道:"二十五人若是平庸之辈,自然不足为患,可是这一批……"胡斐道:"二妹,你可知那使雷震挡的是什么来头?"

程灵素道:"我听师父说起过有这么一路外门兵器,说道擅使雷震挡、闪电锥的,都是塞北白家堡一派。可是那使宝剑的这人,剑术明明是浙东的祁家剑。一个是塞北,一个是浙东,嗯,大哥,你听出了他们的口音么?"

马春花接口道:"是啊,有的是广东口音,还有湖南湖北的,也有山东山西的。"程灵素道:"天下决没这么一群盗伙,会合了四面八方的这许多好手,却来抢劫区区九千两银子。"

马春花听到"区区九千两银子"一句话,脸上微微一红。飞马镖局开设以来,的确从没承保过这样一枝小镖。

胡斐道:"为今之计,须得先查明敌人的来意,到底是冲着咱兄妹而来呢,还是冲着马姑娘而来。"他初时见了敌人这般声势,只道定是田归农一路,但盗伙的所作所为,却处处针对着徐铮、马春花夫妇,显然又与苗人凤、田归农一事无关。

马春花道:"那自然是冲着飞马镖局。这位大哥贵姓?请恕小妹眼拙。"胡斐伸手撕下唇上粘着的胡子,笑道:"马姑娘,你不认得我了么?"

马春花望着他那张壮健之中微带稚气的脸,看来年纪甚轻,却想不起曾在哪里见过。

胡斐笑道:"商少爷,请你去放了阿斐,别再难为他了。"马春花一怔,樱口微张,却无话说。胡斐又道:"阿斐给你吊着,多可怜的,你先去放了他,我再给你握一回,好不好?"

当年胡斐在商家堡给商宝震吊打,极是惨酷,马春花瞧得不忍,恳求释放。商宝震对她钟情,虽然恼恨胡斐,却也允其所请,但要握一握她的手为酬,马春花也就答应。虽然其时胡斐已经自脱捆缚,但马春花为他求情之言却句句听得明白,当时小小的心灵之中,便存着一份深深的感激,直到此刻,这份感激仍是没消减半分。

为了报答当年那两句求情之言,他便是要送了自己性命,也

346

所甘愿。今日身处险地，心中反而高兴，因为当年受苦最深之时，曾有一位姑娘出言为他求情，到这时候，自己竟能在这位姑娘危难之际来尽心报答。

马春花听了那几句话，飞霞扑面，叫道："啊，你是阿斐，商家堡中的阿斐！"顿了一顿，又道："你是胡大侠胡一刀之子，胡斐胡兄弟。"

胡斐微笑着点了点头，但听她提到自己父亲的名字，又想起了幼年之事，心中不禁一酸。

马春花道："胡兄弟你……你……须得救我那两个孩子。"胡斐道："小弟自当竭力。"略一侧身，道："这是小弟的结义妹子，程灵素姑娘。"

马春花刚叫了一声"程姑娘"，突然砰的一声大响，石屋的板门被什么巨物一撞，屋顶泥灰扑簌簌直落。好在板门坚厚，门闩粗大，没给撞开。

胡斐在窗孔中向外张去，见四个大盗骑在马上，用绳索拖了一段树干，远远驰来，奔到离门丈许之处，四人同时放手一送，树干便砰的一声，又撞在门上。

胡斐心想："大门若是给撞开了，盗众一拥而入，那可抵挡不住。"当下手中暗扣一枚丧门钉，一枝甩手箭，待那四名大盗纵马远去后回头又来，大声喝道："老小子手下留情，射马不射人。"

眼看四骑马奔到三四丈开外，他右手连扬，两枚暗器电射而出，呼呼两响，分别钉入当先两匹马的顶门正中。两匹马叫也没叫一声，立时倒毙。马背上的两名大盗翻滚下鞍。后面两乘马给树干一绊，跟着摔倒。马上乘客纵身跃起，没给压着。

旁观的盗众齐声惊呼，奔上察看，只见两枚暗器深入马脑，射入处只余一孔，连箭尾也没留在外面，这一下手劲，当真是罕见罕闻。群盗个个都是好手，如何不知那小胡子确是手下留情，这两件暗器只要打中头胸腹任何一处，哪里还有命在？群盗一愕之下，嗖哨连连，退到了十余丈外，直至对方暗器决计打不到的处所，这才聚在一起，低声商议。

胡斐适才出其不意地忽发暗器，如果对准了人身，群盗中至

347

少也得死伤三四人，局势自可和缓，但胡斐不明对方来历，不愿贸然杀伤人命，以至结下了不可解的深仇，何况马春花二子落入敌手，徐铮下落不明，双方若能善罢，自是上策。

群盗一退，胡斐回过身来，见板门已给撞出了一条大裂缝，心想再撞得两下，便无法阻敌攻入了。

马春花道："胡兄弟，程家妹子，你们说怎么办？"胡斐皱眉道："这些盗伙你一个也不认识么？"马春花摇头道："不识。"胡斐道："若说是令尊当年结下的仇家，他们言语之中，对令尊却甚是敬重。如果有意和你为难，因而掳去两个孩子，一来你一个人也不识，二来他们对你并无半句不敬的言语。对徐大哥嘛，他们确是十分无礼，但要和徐大哥过不去，可用不着这般兴师动众啊。"

马春花道："不错。盗众之中，不论哪一个，武功都胜过我师哥。只要有一两人出马，便已足够了。"胡斐点头道："事情的确古怪，但马姑娘也不用太过担心，瞧他们的作为，并无伤人之意，倒似在跟徐大哥开玩笑似的。"马春花想到"一朵鲜花插在牛粪上"这些话，脸上又是一红。

两人在这边商议，程灵素已慰抚了石屋中的老妇，在铁锅中煮起饭来。

三人饱餐了一顿，从窗孔中望将出去，但见群盗来去忙碌，不知在干些什么，因被树木挡住了，瞧不清行动。

胡斐和程灵素低声谈论了一阵，都觉难以索解。程灵素道："这事跟义堂镇上的胡大财主可有干连么？"胡斐道："我是一点也不知道。"他顿了一顿，说道："与其老是闷在葫芦里，我们还不如现出真面目来，倘若两事有甚干连，我们也好打定主意应付，免得马姑娘的丈夫儿子受这无妄之灾。"程灵素点了点头。胡斐粘上了小胡子，与程灵素两人走到门边，打开了大门。

群盗见有人出来，怕他们突围，十余乘马四下散开，逼近屋前。

胡斐叫道："各位倘是冲着我姓胡的而来，我胡斐和义妹程灵素便在此处，不须牵连旁人！"说着啪的一声，把烟管一折两段，扯下唇上的小胡子，将脸上化装尽数抹去。程灵素也摘下了小帽,散开青丝,露出女孩儿家的面目。

群盗脸上均现惊异之色,万没想到此人武功如此了得,竟是个二十岁未满的少年。群盗你望我,我望你,一时打不定主意。

突有一人越众而出,面白身高,正是那使剑的姓聂大盗。他向胡斐一抱拳,说道:"尊驾还剑之德,在下没齿不忘。我们的事跟两位绝无关联,两位尽管请便,在下在这儿恭送。"说着翻身下马,在马臀上轻轻一拍,那马走到胡斐跟前停住,看来这大盗是连坐骑也奉送了。

胡斐抱拳还礼,说道:"马姑娘呢? 你们答应了不打这抱不平的。"那姓聂的答道:"抱不平是不敢打了。我兄弟们只邀请马姑娘北上一行,决不敢损伤马姑娘分毫。"

胡斐笑道:"若是好意邀客,何必如此大惊小怪。"转头叫道:"马姑娘,人家邀你去做客,你去是不去?"马春花走出门来,说道:"我和各位素不相识,邀我作甚?"

盗众中有人笑道:"我兄弟们自然不识马姑娘,可是有人识得你啊。"马春花大声道:"我的孩子呢? 快还我孩子来。"那姓聂的道:"两位令郎安好无恙,马姑娘尽可放心。我们出全力保护,尚恐有甚闪失,怎敢惊吓了两位万金之体的小公子?"

程灵素向胡斐瞧了一眼,心想:"这强盗说话越来越客气了。这徐铮左右不过是个镖头,他生的儿子是什么万金之体了?"只见马春花突然红晕满脸,说道:"我不去! 快还我孩子来!"也不等群盗回答,径自回进了石屋。

胡斐见马春花行动奇特,疑窦更增,说道:"马姑娘和在下交情非浅,不论为了何事,在下决不能袖手旁观。"

那姓聂的道:"尊驾武功虽强,但双拳难敌四手。我们弟兄一共有二十五人,待到晚间,另有强援到来。"

胡斐心想:"这人所说的人数,和我所猜的一点不错,总算没有骗我。管他强援是谁,我岂能舍马姑娘而去? 但二妹却不能平白无端地让她在此送了命。"于是低声道:"二妹,你先骑这马,突围出去,我一人照料马姑娘,那便容易得多。"

程灵素知他顾念自己,说道:"咱们结拜之时,说的是'有难共当'呢,还是'有难先逃'?"胡斐道:"你和马姑娘从不相识,何必为她犯险?至于我,那可不同。"程灵素的眼光始终没望他一眼,道:"不错,我何必为她犯险?可是我和你难道也是从不相识么?"

胡斐心中大是感激,自忖一生之中,甘愿和自己同死的,平四叔是会的,赵半山也会的(奇怪得很,一瞬之间,心中忽地掠过一个古怪的念头:苗人凤也会的),今日又有一位年轻姑娘安安静静地站在自己身旁,一点也不踌躇,只是这么说:"活着,咱们一起活,要死,便一起死!"

那姓聂的大盗等了片刻,又说道:"弟兄们决不敢有伤马姑娘半分,对两位却不存顾忌。两位又何必没来由地自处险地?尊驾行事光明磊落,在下佩服得紧。咱们后会有期,今日便此别过如何?"胡斐道:"你们放不放马姑娘走?"

那姓聂的摇了摇头,还待相劝,群盗中已有许多人呼喝起来:"这小子不识好歹,聂大哥不必再跟他多费唇舌!""这叫做天堂有路你不走,地狱无门自进来。""傻小子,凭你一人,当真有天大的本事么?"

突见白光一闪,一件暗器向胡斐疾射过来。那姓聂的大盗跃起身来一把抓住,却是一柄飞刀。

胡斐道:"尊驾好意,兄弟心领,从此刻起,咱们谁也不欠谁的情。"说着拉着程灵素的手,翻身进了石屋。

但听得背后风声呼呼,好几件暗器射来,他用力一推大门,托托托几声,几件暗器都钉上了门板。群盗大声嗯哨,冲近门前。

胡斐抢到窗孔,拾起桌上的钢镖,对准攻得最近的大盗掷了出去。他仍不愿就此而下杀手,这一镖对准了那大盗肩头。

那大盗"啊"的一声,肩头中镖。这人极是凶悍,竟自不退,叫道:"众兄弟,今日连这一个小子也收拾不下,咱们还有脸回去吗?"群盗连声吆喝,四面冲上。只听得东边和西边的石墙上同时发出撞击之声,显然这两面因无窗孔,盗众不怕胡斐发射暗器,正用重物撞击,要破壁而入。

350

胡斐连发暗器，南北两面的盗伙向后退却，东西面的撞击声却丝毫不停。

程灵素取出七心海棠所制蜡烛，又将解药分给胡斐、马春花和病倒在床的妇人，叫他们含在嘴里，一待敌人攻入，便点起蜡烛，熏倒敌人。

但程灵素的毒药对付少数敌人固然应验如神，敌人大举来攻，对之不免无济于事。预备这枝蜡烛，也只是尽力而为，能多伤得一人便减弱一分敌势，至于是否能冲出重围，实在毫无把握。

便在此时，秃的一响，西首的石壁已被攻破一洞，只见群盗害怕胡斐厉害，却无人胆敢孤身钻进，但破洞势将越凿越大，总能一拥而入。胡斐见情势紧迫，暗器又已使完，在石屋中四下打量，要找些什么重物来投掷伤敌。

程灵素叫道："大哥，这东西再妙不过。"说着俯身到那病妇的床边，伸手在地下一按，双手举起，两手掌上白白的都是石灰。原来乡人在此烧石灰，石屋中积有不少。

胡斐叫道："妙极！"嗤的一声，扯下长袍的一块衣襟，包了一大包石灰，猛地缩身一冲，竟从破孔中钻了出去，闭住眼睛，右手一扬，一包石灰撒出，立即钻回石屋。

群盗正自计议如何攻入石屋，如何从破孔中冲进而不致为胡斐所伤，哪料得到他反客为主，竟从破洞中攻将出来？这一大包石灰四散飞扬，白雾茫茫，站得最近的三名大盗眼中登时沾上，剧痛难当，一齐失声大叫。

胡斐突击成功，一转身，程灵素又递了两个石灰包给他。胡斐道："好！"从石灶上扳下一块大石，伸左手高高举起，飞身一跃，忽喇喇一声响，屋顶撞破了一个大洞。

他二次跃起时从屋顶中钻出，两个石灰包扬处，群盗中又有人失声惊呼。程灵素连包几个石灰包，放在铁锅中递上屋顶，胡斐东南西北一阵抛打，群盗又叫又骂，退入了林中。

这一股群盗七八人眼目受伤，一时不敢再逼近石屋。

如此相持了一个多时辰，群盗不敢过来，胡斐等却也不敢冲杀出去，一失石屋的凭藉，那便无法以少抗众。

　　胡斐和程灵素有说有笑，两人同处患难，比往日更增亲密。马春花却有点儿神不守舍，只是低头默默沉思，既不外望敌人，对胡程两人的说话也似听而不闻。

　　胡斐道："咱们守到晚间，或能乘黑逃走。今夜倘若走不脱，二妹，那要累得你送一条小命了，至于我歪拳有敌牛耕田这老小子的老命，嘿，嘿！"说着伸手指在上唇一摸，笑道："早知跟姓牛的无关，这撇胡子倒有点舍不得了。"

　　程灵素微微一笑，低声道："大哥，待会儿如果走不脱，你救我呢，还是救马姑娘？"

　　胡斐道："两个都救。"程灵素道："我是问你，倘若只能救出一个，另一个非死不可，你便救谁？"

　　胡斐微一沉吟，说道："我救马姑娘！我跟你同死。"

　　程灵素转过头来，低低叫了声："大哥！"伸手握住了他手。

　　胡斐心中一震，忽听得屋外脚步声响，往窗孔中一望，叫道："啊哟，不好！"

　　只见群盗纷纷从林中跃出，手上都拖着树枝柴草，不住往石屋周围掷来，瞧这情势，显是要行火攻。胡斐和程灵素手握着手，相互看了一眼，从对方的眼色之中，两人都瞧出处境已是无望。

　　马春花忽然站到窗口，叫道："喂，你们领头的人是谁？我有话跟他说。"

　　群盗中站出一个瘦瘦小小的老者，说道："马姑娘有话，请吩咐小人吧！"马春花道："我过来跟你说，你可不得拦着我不放。"那老道："谁有这么大胆，敢拦住马姑娘了？"

　　马春花脸上一红，低声道："胡兄弟，程家妹子，我出去跟他们说几句话再回来。"胡斐忙道："啊，使不得，强盗贼骨头，怎讲信义？马姑娘你这可不是自投虎口？"

　　马春花道："困在此处，事情总是不了。两位高义，我终生不忘。"

胡斐心想:"她是要将事情一个儿承当,好让我两人不受牵累。她孤身前往,自是凶多吉少,救人不救彻,岂是大丈夫所为?"眼看马春花甚是坚决,已伸手去拔门闩,说道:"那么我陪你去。"马春花脸上又是微微一红,道:"不用了。"

程灵素实在猜测不透,马春花何以会几次三番的脸红?难道她对胡大哥竟也有情?想到此处,不由得自己也脸红了。

胡斐道:"好,既是如此,我去擒一个人来,作为人质。"马春花道:"胡兄弟,不必……"话未说完,胡斐已右手提起单刀,左手一推大门,猛地冲了出去。群盗齐声大呼。

胡斐展开轻功,往斜刺里疾奔。群盗齐声呼叫:"小子要逃命啦!""石屋里还有人,四下里兜住。""小心,提防那小子使诡。"呼喝声中,胡斐的人影便如一溜灰烟般扑到了群盗之中。

两名盗伙握刀来拦,胡斐头一低,从两柄大刀下钻了过去,左手一勾,想拿左首那人手腕。岂知那人手脚甚是滑溜,单刀横扫,胡斐迫得举刀一封,竟没拿到。这么稍一耽搁,又有三名大盗扑了上来,两条钢鞭,一条链子枪,登时将胡斐围在垓心。

胡斐大声一喝,提刀猛劈,当当当三响过去,两条钢鞭落地,链子枪断为两截,这三刀使的是极刚极猛之力,虽打落了敌人三般兵刃,但他的单刀也是刃口卷边,难以再用。

盗众见他如此神勇,不自禁地向两旁让开。

那老者喝道:"让我来会会英雄好汉!"赤手空拳,猛身便上。胡斐一惊:"此人身手沉稳,大是劲敌。"左手一扬,叫道:"照镖!"

那老者住足凝神,待他钢镖掷来。哪知胡斐这一下却是虚招,左足一点,身子忽地飞起,越过两名大盗的头顶,右臂一长,已将一名大盗摔下马来。他抓住了这大盗的脉门,跟着翻身上马,从人丛中硬闯出来。

那马被胡斐一脚踢在肚腹,吃痛不过,向前急窜。盗众呼喝叫骂,有的乘马,有的步行,随后追赶。那马奔出数丈,胡斐只听得脑后风生,一低头,两枚铁锥从头顶飞过,去势奇劲,发锥的实是高手。

胡斐在马上转过身来,倒骑鞍上,将那大盗举在胸前,叫道:

"发暗器啊,越多越好!"那大盗给扣住脉门,全身酸软,动弹不得。胡斐哈哈大笑,伸脚反踢马腹,只踢了一脚,那马扑地倒了,原来当他转身之前,马臀上先已中了一枚铁锥,穿腹而入。胡斐一纵落地,横持大盗,一步步地退入石屋。

群盗怕他加害同伴,竟是不敢一拥而上。群盗枉自有二十余名好手,却给他一人倏来倏去,横冲直撞,不但没伤到他丝毫,反给他擒去一人。群盗相顾气沮,心下固自恼怒,却也不禁暗暗佩服。

马春花喝彩道:"好身手,好本事!"缓步出屋,向群盗中走去,竟是空手不持兵刃。

群盗见她走近,纷纷下马,让出一条路来。马春花不停步地向前,直到离石屋二十余丈之处的树林边,这才立定。

胡斐和程灵素在窗中遥遥相望,见马春花背向石屋,那老者站在她面前说话。程灵素道:"大哥,你说她为什么走得这么远?若有不测,岂不是相救不及?"胡斐"嗯"了一声,他知程灵素如此相问,其实心中早已有了答案。

果然,程灵素接着就把答案说了出来:"因为她和群盗说话,不愿给咱两个听见!"胡斐又是"嗯"的一声。他知道程灵素的猜测不错,可是,那又为什么?

胡斐和程灵素听不到马春花和群盗的说话,但自窗遥望,各人的神情隐约可见。

程灵素道:"大哥,这盗魁对马姑娘说话的模样,可恭敬得很那,竟没半点飞扬嚣张。"胡斐道:"不错,这盗魁很有涵养,确是个劲敌。"程灵素说道:"我瞧不是有涵养,倒像是仆人跟主妇禀报什么似的。"胡斐也已看出了这一节,心中隐隐觉得不对,但想这事甚为尴尬,不愿亲口说出。

程灵素瞧了一会,又道:"马姑娘在摇头,她定是不肯跟那盗魁去。可是她为什么……"突然侧过头来,瞧着胡斐的脸,心中若有所感,又回头望向窗外。

胡斐道:"你要说什么?你说她为什么……怎地不说了?"程灵素道:"我不知道该不该问你。问了出来,怕你生气。"胡斐道:

"二妹,你跟我在这儿同生共死,咱们之间还有什么不能说的?我什么都不会瞒你。"程灵素道:"好!马姑娘跟那盗魁说话,为什么不是发恼,却要脸红?这还不奇,为什么连你也要脸红?"

胡斐道:"我在疑心一件事,只是尚无佐证,现下还不便明言。二妹,你大哥光明磊落,决无不可对人言之事。你信得过我么?"程灵素见他神色恳切,心中很是高兴,微笑道:"那你是在代她脸红了。旁人的事,我管不着。只要你很好,那就好了。"胡斐道:"我初识马姑娘之时,是个十三四岁的拖鼻涕小厮。她见我可怜,这才给我求情……"说到这里,抬头出了会儿神,只见天边晚霞如火烧般红,轻轻说道:"该不该这样,我不知道。但我相信她是好人……她良心是挺好的。"

这时他身后那大盗突然一声低哼,显是穴道被点后酸痛难当。胡斐转身在他"章门穴"上一拍,又在他"天池穴"上推拿了几下,解开了他的穴道,说道:"事出无奈,多有得罪,请勿见怪。尊驾高姓大名。"

那大盗浓眉巨眼,身材魁梧,对胡斐怒目而视,大声道:"我学艺不精,给你擒来,要杀要剐,便可动手,多说些什么?"

胡斐见他硬气,倒钦服他是条汉子,笑道:"我跟尊驾从没会过,无冤无仇,岂有相害之意?只是今日之事处处透着奇怪,在下心中不明,老兄能不能略加点明?"那大盗厉声道:"你当我汪铁鹗是卑鄙小人么?凭你花言巧语,休想套问得出我半句口供。"

程灵素伸了伸舌头,笑道:"你不肯说姓名,这不是说了么?原来是汪铁鹗汪爷,久仰久仰。"汪铁鹗呸的一声,骂道:"黄毛小丫头,你懂得什么?"

程灵素不去理他,向胡斐道:"大哥,这是个浑人。不过他鹰抓雁行门的前辈武师,跟小妹颇有点交情。周铁鹪、曾铁鸥他们见了我很恭敬。你就不用难为他。"说着向胡斐眨了眨眼睛。

汪铁鹗大是奇怪,道:"你识得我大师兄、二师兄么?"语气登时变了。程灵素道:"怎么不识?我瞧你的鹰爪功和雁行刀都没学得到家。"汪铁鹗道："是!"低了头颇为惭愧。

原来鹰爪雁行门是北方武学中的一个大门派。门中大弟子周铁鹪、二弟子曾铁鸥在江湖上成名已久。程灵素曾听师父说起过,知道他们中这一代的弟子,取名第三字多用"鸟"旁,这时听汪铁鹗一报名,又见他使的是雁翎刀,自然一猜便中。至于汪铁鹗的武功没学到家,更是不用多说,他武功倘若学得好了,又怎会给胡斐擒来?但汪铁鹗脑筋不怎么灵,听程灵素说得头头是道,居然便深信不疑。

程灵素道："你两位师哥怎么没跟你一起来?我没见他们啊。"其实她并不识得周铁鹪、曾铁鸥,但想这两人威名不小,若在盗群之中,必是领头居首的人物,但那瘦老人和其余几个盗首都不使刀,想来周曾二人必不在内。这一下果然又猜中了。汪铁鹗道："周师哥和曾师哥都留在北京。干这些小事,怎能劳动他两位的大驾?"言下甚有得意之色。

程灵素心道："他二人留在北京,难道这伙盗党竟是从北京来的?我再诓他一诓。"于是轻描淡写地道："天下掌门人大会不久便要开啦。你们鹰爪雁行门定要在会里大大露一露脸。你总要回北京赶这个热闹吧?"汪铁鹗道："那还用说?差使一办妥,大伙全得回去。"

胡斐和程灵素心中都一怔："什么差使?"程灵素道："贵寨众位当家的受了招安,给皇上出力,那是光祖耀宗的事哪。"不料这一猜测可出了岔儿,程灵素只道他们都是盗伙,却在办差,那不是受了招安是什么?哪知汪铁鹗一对细细的眼睛一翻,说道："什么招安?你当我们真是盗贼么?"程灵素暗叫："不好!"微微一笑,说道："你们装作是黑道上的朋友,大家心照不宣,又何必点穿?"

她虽然掩饰得似乎丝毫没露痕迹,但汪铁鹗终于起了疑心,程灵素再用言语相诓,他只是瞪着眼睛,一言不发。

胡斐忽道："二妹,你既认得这位汪兄的师哥,咱们不便再行留难。汪兄,你请回吧!"汪铁鹗愕然站起。

胡斐打开石室的木门,说道："得罪莫怪,后会有期。"汪铁鹗不知他要使什么诡计,不敢跨步。程灵素拉拉胡斐的衣角,连使眼色。胡斐一笑道:"小弟胡斐,我义妹程灵素,多多拜上周曾两位武师。"说着轻轻往汪铁鹗身后一推,将他推出门外。汪铁鹗大惑不解,仍是迟疑着并不举步,回头一望,却见木门已然关上,这才向前走了几步,跟着又倒退几步,生怕胡斐在自己背后发射暗器,待退到五六丈外,见石室中始终没有动静,这才转身,飞也似地奔入树林。

程灵素道:"大哥,我是信口开河啊,谁识得他的周铁鸡、曾铁鸭了,你怎地信以为真,放了他去?"胡斐道:"我瞧这些人决不敢伤害马姑娘。再说,汪铁鹗是个浑人,这些盗伙未必看重他。他们真要对马姑娘有什么留难,也不会顾惜这个浑人。"程灵素赞道:"你想得极是……"话犹未了,窗孔中望见马春花缓步而回,群盗恭恭敬敬地送到林边,不再前行,任她独自回进石屋。

胡程二人眼中露出询问之色,但均不开口。马春花道:"他们都称赞胡兄弟武功既高,人又仁义,实是位少年英雄。"胡斐谦逊了几句,见她呆呆出神,没再接说下文,也不便再问。

隔了半晌,马春花道:"胡兄弟,程家妹子,你们走吧。我的事……你们两位帮不了忙。"胡斐道:"你未脱险境,我怎能舍你而去?"马春花道:"我在这里没有危险,他们不敢对我怎样。"胡斐心想:"这两句话多怕确是实情,但让她孤身留在这里,怎能安心?"

但见她脸上一阵红,一阵白,忽然泫然欲泣,忽而嘴角边露出微笑,胡斐和程灵素相顾发征。石室内外,一片寂静。

胡斐拉拉程灵素的衣角,两人走到窗边,向外观望。胡斐低声道:"二妹,你说怎么办?"程灵素低声道:"大仁大义的少年英雄说怎么办,黄毛丫头便也怎么办。"胡斐悄声道:"我疑心着一件事,可是无论如何不便亲口问她,这般僵持下去,终也不是了局。"程灵素道:"我猜上一猜。你说有个姓商的,当年对她颇有情意,是不是?"胡斐道:"是啊,你真聪明。我疑心这伙人都是受商宝震之托而来,因此对马姑娘甚是客气,对她丈夫却不断地讪

357

笑羞辱。"程灵素道："看来马姑娘对那姓商的还是未免有情。"胡斐道："因此我就不知道怎么办了。"

两人说话之时，没瞧着对方，只是口唇轻轻而动，马春花坐在屋角，不会听到。

眼见得晚霞渐淡，天色慢慢黑了下来，突然间西首连声唿哨，有几乘马奔来。程灵素道："又来了帮手。"胡斐侧耳一听，道："怎地有一人步行？"果然过不多时，一个人飞步奔近，后面四骑马成扇形散开着追赶。但马上四人似乎有心戏弄，并没催马，口中吆喝唿哨，始终离前面奔逃之人两三丈远。那人头发散乱，脚步踉跄，显已筋疲力尽。

胡斐看清了那人面目，叫道："徐大哥，到这里来！"说着打开木门，待要赶出去接应，但为时已然不及，四骑马从旁绕了上来，拦住徐铮的去路。林中盗众也一拥而出。

胡斐若是冲出，只怕群盗乘机抢入屋来，程灵素和马春花便要吃亏，只好眼睁睁瞧着徐铮给群盗围住。胡斐纵声叫道："倚多为胜，算什么英雄好汉？"纵马追来的四个汉子中一人叫道："不错，我正要单打独斗，会一会神拳无敌的高徒，斗一斗飞马镖局的徐大镖头。"胡斐听这声音好熟，凝目一望，失声叫道："是商宝震！"

程灵素道："这姓商的果真来了！"但见他身形挺拔，白净面皮，确是比满脸疤痕的徐铮俊雅十倍，又见他从马背上翻鞍而下，身法潇洒利落，心想："他和马姑娘才算是一对儿，无怪那人要打什么抱不平，说什么鲜花插在牛粪上。"她究竟是年轻姑娘，忍不住叫道："马家姊姊，那姓商的来啦！"马春花"嗯"的一声，似乎没懂得程灵素在说些什么。

这时群盗已围成了老大一个圈子，遮住了从石室窗中望出去的目光。程灵素道："大哥，这里瞧不见，咱们上屋顶去。"胡斐道："好！"

两人跃上屋顶，望见徐铮和商宝震怒目相向。商宝震手一柄厚背薄刃的单刀，徐铮却是空手。程灵素道："这可不公平。"胡斐尚未答话，只听得商宝震大声道："徐爷，商某跟你动手，用不着倚多为胜，也不能欺你空手。你用刀，我空手，这么着你总不吃亏了吧？"说着提刀一掷，竟把手中单刀柄前刃后的向徐铮掷去。

徐铮伸手接住，呼呼喘气，说道："在商家堡中，你对我师妹这般模样，你当我没生眼睛么？你今日空群而来，为的是什么，姓徐的不必多说。商宝震，你拿刀子吧！"商宝震高声说道："我便凭一双肉掌，斗你的单刀。众位大哥，如我伤在他的刀下，只怨我狂妄自大，任谁不得相助。"

程灵素道："他为什么这般大声？显是要说给马姑娘听了。他空手斗人家单刀，不但是在心上人面前逞能，还要打动她的心。"胡斐叹了一口气。程灵素道："大哥，你说马姑娘盼望谁胜？"胡斐摇头道："我不知道。"程灵素道："一个是丈夫，一个是外人，眼下正在为了她拚命，她却躲在屋里理也不理。我说马姑娘私心之中，只怕还在盼望这位商少爷得胜呢。"胡斐心中的想法也是如此，但仍是摇头道："我不知道。"

徐铮见商宝震定然不肯用兵刃，单刀一横，说道："反正姓徐的陷入重围，今日也不想活着回去了。"刷的一刀，往商宝震头顶砍落。商宝震武功本就高出他甚多，当年在商家堡向他讨教拳脚，只是装腔作势，这数年中跟着八卦门中的师伯师叔王氏兄弟痛下苦功，八卦刀和八卦掌的功夫更是精进。徐铮奔逃了半日，气力衰竭，手中虽然多了一口刀，但在商宝震八卦掌击、打、劈、拿之下，不数招便落下风。

胡斐皱眉道："这姓商的甚是狡猾……"程灵素道："你要不要出手？"胡斐道："我是为助马姑娘而来，但是……但是……，我可真不知她心意如何？"程灵素对马春花甚是不满，说道："马姑娘决无危险，你好心相助，她可未必领你这个情。咱们不如走吧！"胡斐见徐铮的单刀给商宝震掌力逼住了，砍出去时东倒西歪，已是全然不成章法，瞧着甚是凄惨，说道："二妹，你说的是，这件事咱们管不了。"

他跃下屋顶，回入石室，说道："马姑娘，徐大哥快支持不住了，那姓商的只怕要下毒手。"马春花呆呆出神，"嗯"了一声。胡斐怒火上冲，便不再说，向程灵素道："二妹，咱们走吧！"马春花似乎突然从梦中醒觉，问道："你们要走？上哪里去？"胡斐昂然道："马姑娘，你从前为我求情，我一直感激，但你对徐大哥这般……"

他话未说完，猛听得远处一声惨叫，正是徐铮的声音，跟着商宝震纵声长笑，笑声中充满了得意之情。群盗轰然喝彩："好八卦掌！"

马春花一惊，叫道："师哥！"向外冲出。胡斐恨恨地道："情人打死了丈夫，正合心意！"程灵素见他愤恨难当，柔声安慰道："这种事你便有天大的本事，也没法子管。"胡斐道："她若是不爱她师哥，又何必和他成亲？"程灵素道："那定是迫于父亲之命了。"胡斐摇头道："不，她父亲早烧死在商家堡中了。便算曾有婚约，也可毁了，总胜过落得这般下场。"

忽听得人丛中又传出徐铮的一声呻吟，胡斐喜道："徐大哥没死，瞧瞧去。"说着拉着程灵素的手走出石屋，急步挤入盗群之中。

说也奇怪，没多久之前，群盗和胡斐一攻一守，列阵对垒，但这时群盗只注视马春花、商宝震、徐铮三人，对胡程二人奔近竟都不以为意。

胡斐低头看徐铮时，只见他胸口一大滩鲜血，气息微弱，显是给商宝震掌力震伤了内脏，转眼便要断气。马春花呆呆站在他的身前，默不作声。

胡斐弯下腰去，俯身在徐铮耳边，低声道："徐大哥，你有什么未了之事，兄弟给你办去。"徐铮望望妻子，望望商宝震，苦笑了一下，低声道："没有。"胡斐道："我去找到你的两个孩子，抚养他们成人。"他和徐铮全无交情，只是眼见他落得这般下场，激于义愤，忍不住要挺身而出。

徐铮又苦笑了一下，低声说了一句话，只因气息太微，胡斐听不明白，于是把右耳凑到他的口边，只听他低声道："孩子……孩子……嫁过来之前……早就有了……不是我的……"一口气

360

呼出，不再吸进，便此气绝。

胡斐恍然大悟："怪不得马姑娘要和他成亲，原来火烧商家堡后，这姓商的不知去向，而她有了身孕，却不能不嫁。怪不得两个孩子玉雪可爱，与徐大哥的相貌半分也不像。"他伸腰站起，无话可说，耳听得马蹄声响，又有两乘马驰近。每匹马上坐着一个汉子，每人怀里安安稳稳地各抱一个马春花的孩子。

马春花瞧瞧徐铮，又瞧瞧商宝震，说道："商少爷，我当家的是你打死的么？"商宝震道："刀子还在他手里，我可没占他的便宜。"马春花点点头，从徐铮右手中取下单刀，说道："这是你家传的八卦刀，我在商家堡中见过的。"商宝震微微笑道："你好记性，多亏你还记得。"马春花道："我怎么不记得？商家堡的事，好像便都在眼前一般。"

程灵素侧目瞧着胡斐，只见他满脸通红，胸口不住起伏，强忍怒气，却不发作。

马春花提着八卦刀，赞道："好刀！"慢慢走到商宝震身前。商宝震嘴边含笑，目光中蕴着情意，伸手来接。马春花倒过刀锋，便似要将刀柄递给他，突然间白光一闪，刀头猛地转过，波的一声轻响，刺入了商宝震腰间。

商宝震一声大叫，一掌拍出，将马春花击得倒退数步，说道："你……你……你……为什么……"一句话没说完，向前一扑，便已毙命。

这一下人人出其不意，本来商宝震击死徐铮，马春花为夫报仇，谁都应该料想得到，但马春花对徐铮之死没显示半分伤心，和商宝震一问一答，又似是欢然叙旧，突然间刀光一闪，已是白刃刺破。

群盗一愕之间，尚未叫出声来，胡斐在程灵素背后轻轻一推，拉着马春花的手臂，急速退入了石屋。群盗一阵喧哗，待欲拦阻，已然慢了一步。适才之事实在太过突兀，群盗显然要计议一番，并不立时便向石屋进攻，反而退了开去。

胡斐向马春花叹道："先前我错怪你了，你原不是这样的人。"马春花不答，独自呆坐在屋角之中。程灵素对她自也全然改观,柔声安慰她几句。马春花双目向前直视,嗯也不嗯一声。

胡斐向程灵素使个眼色,两人又并肩站在窗前。胡斐道:"马姑娘为夫报仇,杀了敌人个措手不及,可是这么一来,我更加不懂了。"程灵素也是大惑不解,本来商宝震一到,一切都已真相大白,但现下许多事情立时又变得十分古怪。马春花竟会亲手将商宝震杀死,是不是她眼见丈夫惨死,突然天良发现?如果群盗确是商宝震邀来,那么他一死之后,盗众定要群相愤激,叫嚣攻来,但群盗除了惊奇之外,何以并无异举?

胡斐凝神思索了一会,说道:"二妹,这中间有很多难解之处,咱两人贸然插手,说不定反而害了好人。马姑娘是一定不肯说的了,我去问那盗魁去。"程灵素道:"他怎肯说?"胡斐道:"我去试试!"程灵素道:"千万得小心了!"胡斐道:"理会得。"开了屋门,缓步而出,向盗众走去。

群盗见他孤身出来,手中不携兵刃,脸上均有惊异之色。

胡斐走到离群盗六七丈远处,站定说道:"在下有一句机密之言,要和贵首领说。"说着在身上拍了拍,示意不带利器。

群盗中一条粗壮汉子喝道:"大伙儿都是好兄弟,有话尽说不妨,何必鬼鬼祟祟?"胡斐笑道:"各位都是英雄好汉,领头的自然更是一位了不起的人物,难道跟我说句话都不敢么?"

那瘦削老人右手摆了摆,说道:"'了不起的人物'这六个字,那可不敢当。我瞧你小兄弟倒是位少年英雄,后生可畏,后生可畏!"他话中称赞胡斐,但满脸是老气横秋之色。胡斐拱手道:"老爷子,请借一步说话。"说着向林中空旷之处走去。

那瘦老人斜眼微睨,适才马春花手刃商宝震之事,也太令人震惊,他心神兀自未宁,生怕胡斐也暗藏毒计,不敢便此跟随过去,但若不去,又未免过于示弱,当下全神戒备,一步步地走近。

胡斐抱拳道:"晚辈姓胡名斐,老爷子你尊姓大名。"那老者不答,道:"尊驾有何说话?"胡斐笑道:"没什么。我要跟老爷子讨教几路拳脚。"

那老者没想到他竟会说出这句话来,勃然变色,道:"好小子，你骗我过来，便要说这一句话吗？"胡斐笑道："老爷子且勿动怒，我是想跟你赌一个玩意儿。"

那老者哼的一声，转身便走。胡斐道："我早料你不敢！我便是站在原地不动，你也打我不过。"那老者怒道："你说什么？"胡斐道："我双脚钉在地下，半寸不得移动，你却可任意走动，咱们这般比比拳脚，你说谁赢谁输？"

那老者见他迭献身手，夺雷震挡，擒汪铁鹗，抢剑还剑，接发暗器，事事眩人耳目，若说单打独斗，还当真有点胆怯，但听他竟敢大言不惭，说双足不动而和自己相斗，这样的事江湖上可从未听见过。他是河南开封府八极拳的掌门人，人既稳练，武功又高，因此这次同来的三十余人之中以他为首，心想对方答允双足不动，自己已立于不败之地，这份便宜是稳稳占了，当下并不恼怒，反而高兴，笑道："小兄弟出了这个新花样来考较老头子，好，这几根老骨头便跟着你熬熬。咱们许不许用暗器哪？"胡斐微笑道："以武会友，用什么暗器？"那老者心想："我便打他不过，只须退开三步，他脚步不能移动，谅他手臂能有多长？最不济也是个平手。"说了声："好！"

胡斐道："晚辈与老爷子素不相识，这次多管闲事，实是胡闹。晚辈只要输了一招半式，我和义妹两人立刻便走。"那老者心想："他若一味护着马姑娘，此事终是不了。我们倘若恃众强攻，势必多伤人命，如伤着马姑娘，更是大大不妥，还是善罢为妙。"于是说道："是啊！这事原本跟旁人绝不相干。马姑娘此后富贵荣华，直上青云，你既跟她有交情，只有代她喜欢。"

胡斐搔了搔后脑，道："我便是不明白。老爷子倘若任让一招，晚辈要请老爷子说明其中的原委。"

那老者微一沉吟，说道："好，便是这样。"见胡斐双足一站，相距一尺八寸，岳峙渊渟，沉稳无比，不禁心中一动："说不定还真输与他了。"说道："咱们话说明在先，我若输了，只好对你说，但你决不能跟第二人说起。"胡斐道："我义妹可须跟她明言。"那老者心想："干柴烈火好煮饭，干妹干妹好做亲。你们干兄干妹，何等亲密？就算口中答应了不说，也岂有不说之理？"便道："第三人可决计不能说了。"胡斐道:"好!便是这样。我又怎知准能赢得你老人家?"

那老者身形一起,微笑道:"有僭了!"左手挥掌劈出,右拳成钩,正是八极拳中的"推山式"。胡斐顺手一带,觉他这一掌力道甚厚,说道:"老爷子好掌力!"

群盗见两人拉开架子动手,纷纷赶了过来,但见两人脸上各带微笑,当下站定了观斗。那八极拳的八极乃是"翻手、撵腕、寸恳、抖展",共分"搂、打、腾、封、踢、蹬、扫、挂"八式,讲究的是狠捷敏活。那老者施展开来,但见他翻手之灵、撵腕之巧、寸恳之精、抖展之速,的是名家高手的风范。群盗看得暗暗佩服,心想他以八极拳扬威大河南北,成名三十余载,果有真才实学,绝非浪得虚声。

只见那老者一步三环、三步九转、十二连环、大式变小式,小式变中盘,"骑马式"、"鱼鳞式"、"弓步式"、"磨膝式",在胡斐身旁腾挪跳跃,拳脚越来越快。

胡斐却只是一味稳守,见式化式,果然双足没移动分毫。斗到分际,那老者只感拳掌出去之时渐趋滞涩,似有一股粘力阻在他拳掌之间,心中暗叫:"不好!"待要后跃退开,对方不能追击,便算是没有输赢,哪知他左掌回抽,胡斐右手已抓住他的右掌,同时左手成拳,在他右肘底一下轻揉。

那老者大惊,运劲一挣没能挣脱,便知自己右臂非断不可,心中正自冰凉,胡斐突然松手跃开,脚步一个踉跄,说道:"老爷子掌力沉雄,佩服,佩服。"

那老者心中雪亮,好生感激,对方非但饶他一臂不断,还故意脚步踉跄,装得打成平手,使自己不致在众兄弟前失了面子,保全自己一生令名,实是恩德非浅,于是过去携了胡斐之手,笑道:"小兄弟英雄了得,咱们到这边说话。"

　　隔房一群武官在大赌牌九,听声音都是熟人。汪铁鹗笑道:"胡大哥,咱们过去瞧瞧。"引着胡斐和程灵素走向隔房。

第十三章　北京众武官

　　两人走到树林深处，胡斐眼见四下无人，只道他要说了，哪知那老者一跃上树，向他招手。胡斐跟着上去，坐在枝干之上。那老者道："在这里说清静些。"胡斐应道："是。"

　　那老者脸露微笑，说道："先前听得阁下自报尊姓大名，姓胡名斐。不知这个斐字，是斐然成章之'斐'呢，是一飞冲天之'飞'呢，还是是非分明之'非'？"胡斐听他吐属斯文，道："草字之斐，是一个'文'字上面加一个'非'字。"那老者道："在下姓秦，草字耐之，一生寄迹江湖，大英雄大豪杰会过不少，但如阁下这般年纪，武功造诣竟已到了这等地步，实是生平未见。"他顿了一顿，又道："阁下宅心忠厚，识见不凡，更是武林中极为希有。小兄弟，老汉算是服了你啦！"

　　胡斐道："秦爷，晚辈有一事请教。"秦耐之道："你不用太谦啦，这么着，我叨长你几岁，称你一声兄弟，你便叫我一声秦大哥。你既手下容情，顾全了我这老面子，那你问什么，我答什么便是。"

　　胡斐忙道："不敢不敢，兄弟见秦大哥有一招是身子向后微仰，上盘故示不稳，左臂置于右臂上交叉轮打，翻成阳掌，然后两手成阴拳打出。这一招变化极是精妙，做兄弟的险些便招架不住，心中甚是仰慕。"

　　秦耐之心中一喜，他拳脚上输了，依约便得将此行真情和盘托出，只道胡斐便要诘问此事，哪知他竟是请教自己的得意武功，对方所问，正是他赖以成名的八极拳中八大绝招之一，于是微微一笑，说道："那是敝派武功中比较有用的一招，叫做'双打

366

奇门'。"于是跟着解释这一招中的精微奥妙。胡斐本性好武，听得津津有味，接着又请教了几个不明的疑点。

武林中不论哪一门哪一派，既能授徒传技，卓然成家，总有其独到成就，那八极拳当有清雍乾年间，武林中名头甚响，声势也只稍逊于太极、八卦诸门。胡斐和秦耐之过招之时，留心他的拳招掌法，这时所问的全是八极拳中的高妙之作。秦耐之起初还恐本门秘奥泄露于人，解释时十分中只说七分，然听对方所问，每一句都搔着痒处，神态又极恭谨，叫他忍不住要倾囊吐露，又想，反正他武功强胜于我，学了我的拳法，也仍不过是强胜于我，又有什么大不了？而胡斐有时稍抒己见，又对八极拳的长处更有锦上添花之妙。

两人这么一谈论，竟说了足足半个时辰，群盗远远望着，但见秦耐之双手比划，使着他得意的拳招，胡斐有时也出手进招，两人有说有笑，甚是亲热，显是在钻研拳术武功。众人瞧了半天，听不见两人的说话，虽觉诧异，却也就不再瞧了。

又说了一阵，秦耐之道："胡兄弟，八极拳的拳招是很了不起的，只可惜我没学得到家，折在你的手下。"胡斐道："秦大哥说哪里话来？咱们当真再斗下去，也不知谁胜谁败。兄弟对贵派武功佩服得紧。今日天色已晚，一时之间也请教不了许多，日后兄弟到北京来，定当专诚拜访，长谈几日。此刻暂且别过。"说着双手一拱，便要下树。

秦耐之一征，心道："咱们有约在先，我须得说明此行的原委，但他只和我讲论一番武功，即便告辞，天下宁有是理？是了，这少年是给我面子，他既讲交情，我岂可过说的话不算？"当即说道："兄弟且慢。咱哥儿俩不打不成相识，这会子的事，乘这时说个明白，也好有个了断啊。"

胡斐道："不错，兄弟和那商宝震商大哥原也相识的，想不到马姑娘竟会突然出手，给丈夫报仇。"于是把在商家堡中如何结识马春花和商宝震之事，详详细细地说了一遍。

秦耐之心道："好啊，我还没说，你倒先说了。这少年行事，处处叫人心服。"说道："古人一饭之恩，千金以报。马姑娘于胡兄弟有代为求情之德，你不忘旧恩，正是大丈夫本色。你不明马姑娘何以毫不留情地杀了商宝震，难道那两个孩子，是商宝震生的么？"胡斐搔头道："我听徐铮临死之时，说这两个孩儿不是他的亲生儿子。"秦耐之一拍膝头，道："原来他倒也不是傻子。"

胡斐一时便如坠入五里雾中。秦耐之道："小兄弟，你在商家堡之时，可曾见到有一位贵公子么？"

胡斐一听，登时如梦初醒。只因那日晚间，他亲眼见到商宝震和马春花在树下手拉手地说话，一心以为两人互有情意，而马春花和那贵公子一见钟情、互缠痴恋这一场孽缘，他却全然不知。那日火烧商家堡后，他见到马春花和那贵公子在郊外偎倚说话，眉梢眼角之间互蕴深情，他虽瞧在眼里，却是丝毫不明其中含义，因此始终没想到那贵公子身上，这时经秦耐之一点明，才恍然大悟，说道："那八卦门的王氏兄弟……"秦耐之道："不错，那次是八卦门王氏兄弟跟随福公子去商家堡的。"

在胡斐心坎儿中，福公子是何等样人，早已甚为淡漠，但王氏兄弟的八卦刀和八卦掌，一招一式，却记得清清楚楚，说道："福公子，福公子……嗯，这位福公子相貌清雅，倒和那两个小孩儿有点相像。"

秦耐之叹了一口气，道："福公子荣华富贵，说权势，除了皇上便是他；说豪富，他要多少皇上便给多少。可是他人到中年，却有一件事大大不足，那便是膝下无儿。"

胡斐听他说得那福公子如此威势，心中一震，道："那福公子，便是福康安么？"秦耐之道："不是他是谁？那正是平金川大帅，做过正白旗满洲都统，盛京将军，云贵总督，四川总督，现任太子太保，兵部尚书，总管内务府大臣的福公子，福大帅！"

胡斐道："嗯，那两个小孩儿，便是这位福公子的亲生骨肉。他是差你们来接回去的了？"秦耐之道："福大帅此时还不知他有了这两个孩子。便是我们，也是适才听马姑娘说了才知。"

胡斐点了点头，心想："原来马姑娘跟他说话之时脸红，便是为此，她所以吐露真情，是要他们不得伤了孩子。她为了爱惜儿子，这件事虽不光彩，却也不得不说。"只听秦耐之又道："福大帅只是差我们来瞧瞧马姑娘的情形，但我们揣摩大帅之意，最好是迎接马姑娘赴京。马姑娘这时丈夫已经故世，无依无靠，何不就赴京去和福大帅相聚？她两个儿子父子相逢，从此青云直上，大富大贵，岂不强于在镖局子中低三下四的厮混？胡兄弟，你便劝劝马姑娘？"

胡斐心中混乱，听他之言，倒也有理，只是其中总觉有甚不妥，至于什么不妥，一时却又说不上来。

他沉吟半响，问道："那商宝震呢？怎么跟你们在一起了？"秦耐之道："商宝震得王氏兄弟的举荐，也在福大帅府中当差。因他识得马姑娘，是以一同南下。"胡斐脸色一沉，道："如此说来，他打死徐铮徐大哥，是出于福大帅的授意？"秦耐之忙道："那倒不是，福大帅贵人事忙，怎知马姑娘已和那姓徐的成婚？他只是心血来潮，想起了旧情，派几个当差的南来打探一下消息。此刻已有两个兄弟飞马赴京赶报喜讯，福大帅一知他竟有两位公子，这番高兴自是不用说的了。"

这么一说，胡斐心头许多疑团，一时尽解。只觉此事怨不得马春花，也怨不得福康安，商宝震杀徐铮固然不该，可是他已一命相偿，自也已无话可说，只是想到徐铮一生忠厚老实，明知二子非己亲生，始终隐忍不言，到最后却又落得如此下场，深为恻然，长长叹了口气，说道："秦大哥，此事已分剖明白，算是小弟多管闲事。"轻轻一纵，落在地下。

秦耐之见他落树之时，自己丝毫不觉树干摇动，竟是全没在树上借力，若不细想，那也罢了，略一寻思，只觉得这门轻功实是深邃难测，自己再练十年，也是决计不能达此境界，不知他小小年纪，何以竟能到此地步？他又是惊异，又感沮丧，待得跃落地下，见胡斐早已回进石屋去了。

程灵素在窗前久待胡斐不归，早已心焦万分，好容易盼得他归来，见他神色黯然，似乎十分难过，当下也不相询，只是和他说些闲话。

过不多时，汪铁鹗提了一大锅饭、一大锅红烧肉送来石屋，还有三瓶烧酒。胡斐将酒倒在碗里便喝。程灵素取出银针，要试酒菜中是否有毒。胡斐道："有马姑娘在此，他们怎敢下毒？"马春花脸上一红，竟不过来吃饭。胡斐也不相劝，闷声不响地将三瓶烧酒喝了个点滴不剩，吃了一大碗肉，却不吃饭，醉醺醺靠在桌上，纳头便睡。

胡斐次晨转醒，见自己背上披了一件长袍，想是程灵素在晚间所盖。她站在窗口，秀发被晨风一吹，微微飞扬。

胡斐望着她苗条背影，心中混合着感激和怜惜之意，叫了声："二妹！"程灵素"嗯"的一声，转过身来。胡斐见她睡眼惺忪，大有倦色，道："你一晚没睡吗？啊，我忘了跟你说，有马姑娘在此，他们不敢对咱们怎样。"程灵素道："马姑娘半夜里悄悄出屋，至今未回。她出去时轻手轻脚，怕惊醒了你，我也便假装睡着。"胡斐微微一惊，转过身来，果见马春花所坐之处只剩下一张空凳。

两人打开屋门，走了出去，树林中竟是寂然无人，数十乘人马，在黑夜中退得干干净净。树上缚着两匹坐骑，自是留给胡程二人的。

再走出数丈，只见林中堆着两个新坟，坟前并无标志，也不知哪一个是徐铮的，哪一个是商宝震的。胡斐心想："虽然一个是丈夫，一个是杀丈夫的仇人，但在马姑娘心中，恐怕两人也无多大差别，都是爱着她而她并不爱的人，都是为了她而送命的不幸之人。"想到此处，不由得喟然长叹，于是将秦耐之说的话都转述给程灵素听。

程灵素听了，也是黯然叹息，说道："原来那瘦老头儿是八极拳的掌门人秦耐之。他有个外号，叫做八臂哪吒。这种人在权贵门下作走狗，品格儿很低，咱们今后不用理他。"胡斐道："是啊。"

程灵素道："马姑娘心中喜欢福公子，徐铮便是活着，也只有徒增苦恼。他小小一个倒霉的镖师，怎能跟人家兵部尚书、统兵大元帅相争？"胡斐道："不错，倒还是死了干净。"于是在两座坟前拜了几拜，说道："徐大哥、商公子，你们生前不论和我有恩有怨,死后一笔勾销。马姑娘从此富贵不尽,你们两位死而有知,也不用再记着她了。"

二人牵了马匹,缓步出林。程灵素道:"大哥,咱们到哪儿去?"胡斐道:"先找到客店,让你安睡半日,再说别的,可别累坏了我的妹子!"程灵素听他说"我的妹子",心中说不出的喜欢,转头向他甜甜一笑。

在前途镇上客店之中,程灵素大睡半日,醒转时已是午后未刻。她独自出店,说要去买些物事,回来时手上捧了两个大纸包,笑道:"大哥,你猜我买了些什么?"胡斐见纸上印着"老九福衣庄"的店号,道:"咱们又来粘胡子乔装改扮么?"

程灵素打开纸包,每一包中都是一件崭新的衣衫,一男一女,男装淡青,女装嫩黄,均甚雅致。晚饭后程灵素叫胡斐试穿,衣袖长了两寸,腋底也显得太肥,于是取出剪刀针线,便在灯下给他修剪。

胡斐道:"二妹,我说咱们得上北京瞧瞧。"程灵素抿嘴一笑,道:"我早知道你要上北京啊,所以买两件好一点儿的衣衫,否则乡下大姑娘进京,不给人笑话么?"胡斐笑道:"你真想得周到。咱两个乡下人便要进京去会会天子脚底下的人物,瞧瞧福大帅的掌门人大会之中,到底有些什么英雄豪杰。"这两句话说得轻描淡写,语意之中,却自有一股豪气。

程灵素手中做着针线,说道:"你想福大帅开这个天下掌门人大会,安着什么心眼儿?"胡斐道:"那自是网罗人才之意了,他要天下英雄,都投到他的麾下。可是真正的大英雄大豪杰,却未必会去。"程灵素微笑道:"像你这等少年英雄,便不会去了。"胡斐道:"我算是哪一门子的英雄?我说的是苗人凤这一流的成名人物。"他忽地叹了口气,道:"倘若我爹爹在世,到这掌门人大会中去搅他个天翻地覆,那才叫人痛快呢。"

程灵素道:"你去跟这福大帅捣蛋,不也好吗?我瞧还有一个人是必定要去的。"胡斐道:"谁啊?"程灵素微笑道:"这叫做明知故问了。你还是给我爽爽快快地说出来的好。"

胡斐早已明白她的心意，也不再假装，说道："她也未必一定去。"顿了一顿，又道："这位袁姑娘是友是敌，我还弄不明白呢。"程灵素道："如果每个敌人都送我一只玉凤儿，我倒盼望遍天下都是敌人才好……"

忽听得窗外一个女子声音说道："好，我也送你一只！"声音甫毕，嗤的一响，一物射穿窗纸，向程灵素飞来。

胡斐拿起桌上程灵素裁衣的竹尺，向那物一敲，击落在桌，随手一掌拨去，烛光应风而灭。接着听得窗外那人说道："挑灯夜谈，美得紧哪！"

胡斐听话声依稀便是袁紫衣的口音，胸口一热，冲口而出："是袁姑娘么？"却听步声细碎，顷刻间已然远去。

胡斐打火重点蜡烛，只见程灵素脸色苍白，默不作声。胡斐道："咱们出去瞧瞧。"

程灵素道："你去瞧吧！"胡斐"嗯"了一声，却不出去，拿起桌上那物看时，却是一粒小小石子，心想："此人行事神出鬼没，不知何时跟上了我们，我竟是毫不知觉。"明知程灵素要心中不快，但忍不住推开窗子，跃出窗外一看，四下里自是早无人影。

他回进房来，搭讪着想说什么话。程灵素道："天色不早，大哥你回房安睡去吧！"胡斐道："我倒还不倦。"程灵素道："我却倦了，明日一早便得赶路呢。"胡斐道："是。"自行回房。

这一晚他翻来覆去，总是睡不安枕，一时想到袁紫衣，一时想到程灵素，一时却又想到马春花、徐铮和商宝震。直到四更时分，这才朦朦胧胧地睡去。

第二天还未起床，程灵素敲门进来，手中拿着那件新袍子，笑嘻嘻地道："快起来，外面有好东西等着你。"将袍子放在桌上，翩然出房。

胡斐翻身坐起，披上身子一试，大小长短，无不合适，心想昨晚我回房安睡之时，她一只袖子也没缝好，看来等我走后，她又缝了多时，于是穿了新衫，走出房来，向程灵素一揖，说道："多谢二妹。"程灵素道："多谢什么？人家还给你送了骏马来呢。"

胡斐一惊，道："什么骏马？"走到院子中一看，只见一匹遍身光洁如雪的白马系在马桩之上,正是昔年在商家堡见到赵半山所骑、后来袁紫衣乘坐的那匹白马。

程灵素道:"今儿一早我刚起身,店小二便大呼大叫,说大门给小偷儿半夜里打开了,不知给偷了什么东西。但前后一查,非但一物不少,院子里反而多了一匹马。这是缚在马鞍子上的。"说着递过一个小小绢包,上面写着:"胡相公程姑娘同拆。"字迹甚是娟秀。

胡斐打开绢包,不由得呆了,原来包里又是一只玉凤,竟和先前留赠自己的一模一样,心中立想:"难道我那只竟是失落了,还是给她盗了去?"伸手到怀中一摸,触手生温,那玉凤好端端的便在怀中,取出来一看,两只玉凤果然雕琢得全然相同,只是一只凤头向左,一只向右。

绢包中另有一张小小白纸,纸上写道:"马归原主,凤赠侠女。"胡斐又是一呆:"这马又不是我的,怎说得上'马归原主'?难道要我转还给赵三哥么?"于是将简帖和玉凤递给程灵素道:"袁姑娘也送了一只玉凤给你。"

程灵素一看简帖上的八字,说道:"我又是什么侠女了?不是给我的。"胡斐道:"包上不是明明写着'程姑娘'?她昨晚又说:'好,我也送你一只!'"程灵素淡然道:"既是如此,我便收下。这位袁姑娘如此厚爱,我可无以为报了。"

两人一路北行,途中再没遇上何等异事,袁紫衣也没再现身,但在胡斐和程灵素心中,何时何刻均有个袁紫衣在。窗下闲谈,窗外便似有袁紫衣在窃听;山道驰骑,山背后便似有袁紫衣躲着。两人都绝口不提她的名字,但口里越是回避,心中越是不自禁地要想到她。

两人均想:"到了北京,总要遇见她了。"有时,盼望快些和她相见;有时,却又盼望跟她越迟相见越好。

到北京的路本来很远,两人又是迟迟而行,长途跋涉,风霜交侵,程灵素显得更加憔悴了。

但是,北京终于到了,胡斐和程灵素并骑进了都门。

进城门时胡斐向程灵素望了一眼,隐隐约约间似乎看到一滴泪珠落在地上的尘土之中，只是她将头偏着，没能见到她的容色。

胡斐心头一震："这次到北京来，可来对了吗？"

其时正当乾隆中叶，四海升平。京都积储殷富，天下精华，尽汇于斯。

胡斐和程灵素自正阳门入城，在南城一家客店之中要了两间客房，午间用过面点，相借到街道各处闲逛，但见熙熙攘攘，瞧不尽的满眼繁华。两人不认得道路，只在街上随意乱走。

逛了个把时辰，胡斐买了几串冰糖葫芦，与程灵素各自拿在手中，边走边吃。忽听得路边小锣当当声响，有人大声吆喝，却是空地上有一伙人在演武卖艺。胡斐喜道："二妹，瞧瞧去。"

两人挤入人丛，只见一名粗壮汉子手持一柄单刀，抱拳说道："兄弟使一路四门刀法，要请各位大爷指教。有一首'刀诀'言道：'御侮摧锋决胜强，浅开深入敌人伤。胆欲大兮心欲细，筋须舒兮臂须长。彼高我矮堪常用，敌偶低时我即扬。敌锋未见休先进，虚刺伪扎引诱诓。引彼不来须卖破，眼明手快始为良。浅深老嫩皆磕打，进退飞腾即躲藏。功夫久练方云熟，熟能生巧大名扬。'"

胡斐听了，心想："这几句刀诀倒是不错，想来功夫也必是强的。"只见那个汉子摆个门户，单刀一起，展抹钩剁，劈打磕扎，使了起来，自"大鹏展翅"、"金鸡独立"，以至"独劈华山"、"分花拂柳"，一招一式，使得倒是有条不紊，但脚步虚浮，刀势斜晃，功夫实是不足一哂。

胡斐暗暗好笑，心道："早便听人说，京师之人大言浮夸的居多，这汉子吹得嘴响，使出来可全不是那会子事。"正要和程灵素离去，人群中突然一人哈哈大笑，喝道："兀那汉子，你使的是什么狗屁刀法？"

使刀的汉子大怒，收刀回视，说道："我这路是正宗四门刀，难道不对了么？倒要请教。"

人群中走出一条大汉，笑道："好，我来教你。"这人身穿武官服色，躯高声雄，甚是威武。他走上前去，接过那卖武汉子手中单刀，一瞥眼突然见到胡斐，呆了一呆，喜道："胡大哥，你也到了北京？哈哈，你是当今使刀的好手，就请你来露一露，让这小子开开眼界，叫他知道什么才是刀法。"当他从人圈中出来之时，胡斐和程灵素早已认出，此人正是鹰爪雁行门的汪铁鹗。他在围困马春花时假扮盗伙，原来却是现任有功名的武官。

胡斐知他心直口快，倒非奸滑之辈，微微一笑，道："小弟的玩意儿算得什么？汪大哥，还是你显一手。"

汪铁鹗知道自己的武功和胡斐可差得太远，有他在这里，哪里还有自己卖弄的份儿？将单刀往地下一掷，笑道："来来来，胡大哥，这位姑娘是姓……姓……姓程，对了，程姑娘，咱们同去痛饮三杯。两位到京师来，在下这个东道是非做不可的了。"说着拉了胡斐的手，便闯出人丛。

那卖武的汉子怎敢和做官的顶撞？讪讪地拾起单刀，待三人走远，又吹了起来。

汪铁鹗一面走，一面大声说道："胡大哥，咱们这叫做不打不成相识，你老哥的武艺，在下实在是佩服得紧。赶明儿我给你去跟福大帅说说，他老人家一见了你这等人才，必定欢喜重用，那时候啊，兄弟还得仰仗你照顾呢……"说到这里，忽然放低声音，道："那位马姑娘啊，我们接了她母子三人进京之后，现下住在福大帅府中，当真是享不尽的荣华富贵。福大帅什么都有了，就是没有儿子，这一下，那马姑娘说不定便扶正做了大帅夫人，哈哈，哈哈！你老哥早知今日，跟我们那一场架也不会打的了吧？"他越说越响，在大街上旁若无人地哈哈大笑。

胡斐听着心中却满不是味儿，暗想马春花在婚前和福康安早有私情，那两个孩子也确是福康安的亲骨肉，眼下她丈夫已故，再去和福康安相聚，也没什么不对，但一想到徐铮在树林中惨死的情状，总是不免黯然。

说话之间，三人来到一座大酒楼前。酒楼上悬着一块金字招牌，写着"聚英楼"三个大字。

酒保一见汪铁鹗，忙含笑上来招呼，说道："汪大人，今儿来得早，先在雅座喝几杯吧？"汪铁鹗道："好！今儿我请两位体面朋友，酒菜可得特别丰盛。"酒保笑道："那还用吩咐？"引着三人在雅座中安了个座儿，斟酒送菜，十分殷勤，显然汪铁鹗是这里常客。

胡斐瞧酒楼中的客人，十之六七都是穿武官服色，便不是军官打扮，也大都是雄赳赳的武林豪客模样，看来这酒楼是以做武人生意为大宗的了。

京师烹调，果然大胜别处，此时正当炎暑，酒保送上来的酒菜精美可口，却不肥腻。胡斐连声称好。汪铁鹗要挣面子，竟是叫了满桌的菜肴。

两人对饮了十几杯，忽听得隔房拥进一批人来，过不多时，便呼卢喝雉，大赌起来。一人大声喝道："九点天杠！通吃！"胡斐听那口音甚熟，微微一怔，汪铁鹗笑道："是熟朋友！"大声道："秦大哥，你猜是谁来了？"胡斐立时想起，那人正是八极拳的掌门人秦耐之，只听他隔着板壁叫道："谁知你带的是什么猪朋狗友？一块儿滚过来赌几手吧？"汪铁鹗笑道："你骂我不打紧，得罪了好朋友，可叫你吃不住兜着走呢！"站起身来，拉着胡斐的手说道："胡大哥，咱们过去瞧瞧。"

两人走到隔房，一掀门帘，只听秦耐之吆喝道："三点，梅花一对，吃天，赔上门！"他一抬头，猛然见到胡斐，呆了一呆，喜道："啊，是你，想不到，想不到！"将牌一推，站起身来，伸手在自己额角上打了几个爆栗，笑道："该死，该死！我胡说八道，谁知是胡大哥驾到，来来来，你来推庄。"

胡斐眼光一扫，只见房中聚着十来个武官，围了一桌在赌牌九，秦耐之正在做庄。这十来个人，倒有一大半是扮过拦劫飞马镖局的大盗而和自己交过手的，使雷震挡姓褚的，使闪电锥姓上官的，使剑姓聂的，都在其内。

众人见他突然到来，嘈成一片的房中霎时间寂静无声。

胡斐抱拳作个四方揖，笑道："多谢各位相赠坐骑。"众人谦逊几句。那姓聂的便道："胡大哥，你来推庄，你有没带银子来？

小弟今儿手气好,你先使着。"说着将三封银子推到他面前。

胡斐生性极爱结交朋友,对做官的虽无好感,但见这一干人对自己极是尊重,而他本来又喜欢赌钱,笑道:"还是秦大哥推庄,小弟来下注碰碰运气。聂大哥,你先收着,待会儿输干了再问你借。"转头问程灵素道:"二妹,你赌不赌?"程灵素抿嘴笑道:"我不赌,我帮你捧银子回家。"

秦耐之一坐回庄家,洗牌掷骰。胡斐和汪铁鹗便跟着下注。众武官初时见到胡斐,均不免颇为尴尬,但几副牌九一推,见他谈笑风生,绝口不提旧事,大伙儿也便各自凝神赌博,不再介意。

胡斐有输有赢,进出不大,心下盘算:"今日是八月初九,再过六天就是中秋,那天下掌门人大会是福大帅所召,定于中秋节大宴。凤天南这奸贼身为五虎门掌门人,他便是不来,在会中总也可探听到些这奸贼的讯息端倪。眼前这班人都是福大帅的得力下属,不妨跟他们结纳结纳。我不是什么掌门人,但只要他们带携,在会上陪那些掌门人喝一杯总是行的。"当下不计输赢,随意下注,牌风竟是甚顺,没多久已赢了三四百两银子。

赌了一个多时辰,天色已晚,各人下注也渐渐大了起来。忽听得靴声橐橐,门帘掀开,走进三个人来。汪铁鹗一见,立时站直身子,恭恭敬敬地叫道:"大师哥,二师哥,你两位都来啦。"围在桌前赌博的人也都纷纷招呼,有的叫"周大爷,曾二爷",有的叫"周大人,曾大人",神色之间都颇为恭谨。

胡斐和程灵素一听,心道:"原来是鹰爪雁行门的周铁鹪、曾铁鸥到了,这两人威风不小啊。"打量二人时,见那周铁鹪短小精悍,身长不过五尺,五十来岁年纪,却已满头白发。曾铁鸥年近五十,身子高瘦,手中拿着一个鼻烟壶,马褂上悬着一条金链,颇有些旗人贵族的气派。胡斐一看那第三个人,心中微微一怔,原来是当年在商家堡中会过面的天龙门殷仲翔,只见他两鬓斑白,已老了不少。殷仲翔的眼光在胡斐脸上掠过,见他只是个乡下人,毫没在意。要知当年两人相见之时,胡斐只是个十三四岁的孩子,这时身量一高,脸容也变了,哪里还认得出来?

秦耐之一站起身来,说道:"周大哥,曾二哥,我给你引见一位朋友,这位是胡大哥,挺俊的身手。为人又极够朋友,今儿刚上北京来。你们三位多亲近亲近。"周铁鹪向胡斐点了点头,曾铁鸥笑了笑,说声:"久仰!"两人武功卓绝,在京师享盛名已久,自不将这样一个乡下少年瞧在眼里。

汪铁鹗瞧着程灵素,心中大是奇怪:"你说跟我大师哥、二师哥相识,怎地不招呼啊?"他哪想到程灵素当日乃是信口胡吹。程灵素猜到他的心思,微微一笑,点了点头,眨眨眼睛。汪铁鹗只道其中必有缘故,当下也不敢多问。

秦耐之又推了两副庄,便将庄让给了周铁鹪。这时曾铁鸥、殷仲翔等一下场,落注更加大了。胡斐手气极旺,连落连中,不到半个时辰,已赢了近千两银子。周铁鹪这个庄却是极霉,将带来的银子和庄票输了十之七八,这时一把骰子掷下来,拿到四张牌竟是二三关,赔了一副通庄,将牌一推,说道:"我不成,二弟,你来推。"

曾铁鸥的庄输输赢赢,不旺也不霉,胡斐却又多赢了七八百两,只见他面前堆了好大一堆银子。曾铁鸥笑道:"乡下老弟,赌神菩萨跟你接风,你来做庄。"

胡斐道:"好!"洗了洗牌,掷过骰子,拿起牌来一配,头道八点,二道一对板凳,竟吃了两家。

周铁鹪输得不动声色,曾铁鸥更是潇洒自若,抽空便说几句俏皮话。殷仲翔发起毛来,不住地喃喃咒骂,后来输得急了,将剩下的二百来两银子孤注一掷,押在下门,一开牌出来,三点吃三点,九点吃九点,竟又输了。殷仲翔脸色铁青,伸掌在桌上一拍,砰的一声,满桌的骨牌、银两、骰子都跳了起来,破口骂道:"这乡下小子骰子里有鬼,哪里便有这等巧法,三点吃三点,九点吃九点? 便是牌旺,也不能旺得这样!"

秦耐之忙道:"殷大哥,你可别胡言乱语,这位胡大哥是好朋友!"

众人望望殷仲翔,望望胡斐,见过胡斐身手之人心中都想:殷仲翔说他赌牌欺诈,他决计不肯干休,这场架一打,殷仲翔准要倒大霉。

不料胡斐只笑了笑，道："赌钱总有输赢，殷大哥推庄罢。"殷仲翔霍地站起，从腰间解下佩剑，众人只道他要动手，却不劝阻。

要知武官们赌钱打架，实是稀松平常。哪知殷仲翔将佩剑往桌上一放，说道："我这口剑少说也值七八百两银子，便跟你赌五百两！"那佩剑的剑鞘金镶玉嵌，甚是华丽，单是瞧这剑鞘，便已价值不菲。

胡斐笑道："好！该赌八百两才公平。"殷仲翔拿过骨牌骰子，道："我只跟你这乡下小子赌，不受旁人落注，咱们一副牌决输赢！"胡斐从身前的银子堆中取过八百两，推了出去，道："你掷骰吧！"

殷仲翔双掌合住两粒骰了，摇了几摇，吹了一口气，掷了出来，一粒五，一粒四，共是九点。他拿起第一手的四张牌，一看之下，脸有喜色，喝道："乡下小子，这一次你弄不了鬼吧！"左手一翻，是副九点，右手砰的一翻，竟是一对天牌。

胡斐却不翻牌，用手指摸了摸牌底，配好了前后道，合扑着排在桌上。殷仲翔喝道："乡下小子，翻牌！"他只道已经赢定，一伸臂便将八百银子拢到身前。汪铁鹗叫道："别性急，瞧过牌再说。"胡斐伸出三根手指，在自己前两张牌上轻轻一拍，又在后两张牌上一拍，手掌一扫，便将四张合着的牌推入了乱牌之中，笑道："你赢啦！"殷仲翔大是得意，正要夸口，突然"咦"的一声惊叫，望着桌子，登时呆住了。

众人顺着他目光瞧去，只见朱红漆的桌面之上，清清楚楚地印着四张牌的阳纹，前两张是一对长三，后两张一张三点，一张六点，合起来竟是一对"至尊宝"，四张牌纹路分明，雕在桌上点子一粒粒的凸起，显是胡斐三根指头这么一拍，便以内力在红木桌上印了下来。聚赌之人个个都是会家，一见如此内力，不约而同地齐声喝彩。

殷仲翔满脸通红，连银子带剑，一齐掷到胡斐身前，站起身来，转头便走。胡斐拿起佩剑，说道："殷大哥，我又不会使剑，要你的剑何用？"双手递了过去。

殷仲翔却不接剑，说道："请教尊驾的万儿。"胡斐还未回答，

379

汪铁鹗抢着道："这位朋友姓胡名斐。"殷仲翔喃喃地道："胡斐，胡斐？"突然一惊，说道："啊，在山东商家堡中……"胡斐笑道："不错，在下曾和殷爷有过一面之缘，殷爷却不记得了。"殷仲翔脸如死灰，接过佩剑往桌上一掷，说道："怪不得，怪不得！"掀开门帘，大踏步走了出去。

一时房中众武官纷纷议论，称赞胡斐的内力了得，又说殷仲翔输钱输得寒蠢，太没风度。

周铁鹪缓缓站起身来，指着胡斐身前那一大堆银子道："胡兄弟，你这里一共有多少银子？"胡斐道："四五千两吧！"周铁鹪搓着骨牌，在桌上慢慢推动，慢慢砌成四条，然后从怀中摸出一个大封袋来，放在身前，道："来，我跟你赌一副牌。若是我赢，赢了你这四五千两银子和佩剑。若是你牌好，把这个拿去。"

众人见那封袋上什么字也没写，不知里面放着些什么，都想，他好容易赢了这许多银子，怎肯一副牌便输给你？又不知你这封袋里是什么东西，要是只有一张白纸，岂不是做了冤大头？哪知胡斐想也不想，将面前大堆银子尽数推了出去，也不问他封袋中放着什么，说道："赌了！"

周铁鹪和曾铁鸥对望一眼，各有嘉许之色，似乎说这少年潇洒豪爽，气派不凡。

周铁鹪拿起骰子，随手一掷，掷了个七点，让胡斐拿第一手牌，自己拿了第三手，轻描淡写地一看，翻过骨牌，啪啪两声，在桌上连击两下。众人呆了一呆，跟着欢呼叫好，原来四张牌分一前一后的两道，平平整整的嵌在桌中，牌面与桌面相齐，便是请木匠来在桌面上挖了洞，将骨牌镶嵌进去，也未必有这般平滑。但这一手牌点子却是平平，前五后六。

胡斐站起身来，笑道："周大爷，对不起，我可赢了你啦！"右手一挥，啪的一声响，四张牌同时从空中掷了下来，这四张牌竟然也是分成前后两道，平平整整地嵌入桌中，牌面与桌面相齐。周铁鹪以手劲直击，使的是他本门绝技鹰爪力，那是他数十年苦练的外门硬功，原已非同小可，岂知胡斐举牌凌空一掷，也能嵌牌入桌，这一手功夫更是远胜了，何况周铁鹪连击两下，胡斐却只凭一掷。

众人惊得呆了,连喝彩也都忘记。周铁鹪神色自若,将封袋推到胡斐面前,说道:"你今儿牌风真旺。"众人这时才瞧清楚了胡斐这一手牌,原来是八八关,前一道八点,后一道也是八点。

胡斐笑道:"一时闹玩,岂能作真!"随手将封袋推了回去。周铁鹪皱眉道:"胡兄弟,你倘若不收,那是损我姓周的赌钱没品啦!这一手牌如是我赢,我岂能跟你客气?这是我今儿在宣武门内买的一所宅子,也不算大,不过四亩来地。"说着从封袋中抽出一张黄澄澄的纸来,原来是一张屋契。旁观众人都吃了一惊,心想这一场赌博当真豪阔得可以,宣武门内一所大宅子,少说也值得六七千两银子。

周铁鹪将屋契推到胡斐身前,说道:"今儿赌神菩萨跟定了你,没得说的。牌局不如散了吧。这座宅子你要推辞,便是瞧我姓周的不起!"胡斐笑道:"既是如此,做兄弟的却之不恭。待收拾好了,请各位大哥过去大赌一场。"众人轰然答应。周铁鹪拱了拱手,径自与曾铁鸥走了。汪铁鹗见大师哥片刻之间将一座大宅输去,竟是面不改色,他一颗心反而扑通扑通地跳个不定。

当下胡斐向秦耐之、汪铁鹗等人作别,和程灵素回到客店。程灵素笑道:"你命中注定要作大财主,便推也推不掉,在义堂镇置下了良田美地,哪知道第一天到北京,又赢了一所大宅子。"胡斐道:"这姓周的倒也豪气,瞧他瘦瘦小小,貌不惊人,那一手鹰爪力着实不含糊,想不到官场之中还有这等人物。"程灵素道:"你赢的这所宅子拿来干么呀?自己住呢,还是卖了它?"胡斐道:"说不定明天一场大赌,又输了出去,难道赌神菩萨当真是随身带吗?"

次晨两人起身,刚用完早点,店伙带了一个中年汉子过来,道:"胡大爷,这位大爷有事找你。"胡斐见这人戴了一副墨镜,长袍马褂,衣服光鲜,指甲留得长长的,却不相识。

这人右腿半曲,请了个安,道:"胡大爷,周大人吩咐,问胡大爷什么时候有空,请过宣武门内瞧瞧那座宅子。小人姓全,是那宅子的管家。"胡斐好奇心起，向程灵素道："二妹，咱们这便瞧瞧去。"

那姓全的恭恭敬敬引着二人来到宣武门内。胡斐和程灵素见那宅子朱漆大门，黄铜大门钉，石库门墙，青石踏阶，着实齐整。一进大门，自前厅、后厅、偏厅，以至厢房、花园，无不陈设考究，用具毕备。那姓全的道："胡大爷倘若合意，便请搬过来。曾大人叫了一桌筵席，说今晚向胡大爷恭贺乔迁。周大人、汪大人他们都要来讨一杯酒喝。"

胡斐哈哈大笑，道："他们倒想得周到，那便一齐请吧！"全管家道："小人理会得。"躬身退了出去。

程灵素待他走远，道："大哥，这座宅子只怕二万两银子也不止。这件事大不寻常。"胡斐点头道："不错，你瞧这中间有什么蹊跷？"程灵素微笑道："我想总是有个人在暗暗喜欢你，所以故意接二连三，一份一份地送你大礼。"

胡斐知她在说袁紫衣，脸上一红，摇了摇头。程灵素笑道："我是跟你说笑呢。我大哥慷慨豪侠，也不会把这些田地房产放在心上。这送礼之人，决不是你的知己，否则的话，还不如送一只玉凤凰。这送礼的若不是怕你，便是想笼络你。嗯，谁能有这么大手笔啊？"胡斐凛然道："是福大帅？"

程灵素道："我瞧是有点儿像。他手下用了这许多人物，有哪一个及得上你？再说，马姑娘既然得他宠幸，也总得送你一份厚礼。他们知你性情耿直，不能轻易收受豪门的财物，于是派人在赌台上送给你。"

胡斐道："嗯。他们消息也真灵。我们第一天到北京，就立刻让我大赢一场。"程灵素道："我们又没乔装改扮，多半一切早就安排好了，只等我们到来。跟汪铁鹗相遇是碰巧，在聚英楼中一赌，讯息报了出去，周铁鹪拿了屋契就来了。"胡斐点头道："你猜得有理。昨晚周铁鹪只要有意输给我，那一注便算我输了，他再赌下去，总有法子叫我赢了这座宅子。"

程灵素道："那你怎生处置？"胡斐道："今晚我再跟他们赌一场，想法子把宅子输出去，瞧我有没有这个手段。"程灵素笑道：

"两家都要故意赌输,这一场交手,却也热闹得紧呢。"

当日午后申牌时分,曾铁鸥着人送了一席极丰盛的鱼翅燕窝席来。那姓全的管家率领仆役,在大厅上布置得灯烛辉煌,喜气洋洋。

汪铁鹗第一个到来。他在宅子前后左右走了一遭,不住口地称赞这宅子堂皇华美,又大赞胡斐昨晚赌运亨通,手气奇佳。胡斐心道:"这汪铁鹗性直,瞧来不明其中的过节,待会儿我将将这宅子输了给他,瞧他的两个师兄如何处置,那倒有一场好戏瞧呢。"

不久周铁鹪、曾铁鸥师兄弟俩到了,姓褚、姓上官、姓聂的三人到了。过不多时,秦耐之哈哈大笑地进来,说道:"胡兄弟,我给你带了两位老朋友来,你猜猜是谁?"

只见他身后走进三个人来。最后一人是昨天见过的殷仲翔,经了昨晚之事,他居然仍来,倒是颇出胡斐意料之外。其余两人容貌相似,都是精神矍铄的老者,看来甚是面善,胡斐微微一怔,待看到两人脚步落地时脚尖稍斜向里,正是八卦门功夫极其深厚之象,当即省悟,抢上行礼,说道:"王大爷、王二爷两位前辈驾到,真是想不到。商家堡一别,两位精神更加健旺了。"原来这两人正是八卦门王剑英、王剑杰兄弟。

十二人欢呼畅饮,席上说的都是江湖上英雄豪杰之事。殷仲翔提到当年在商家堡中,众人如何被困铁厅,身遭火灼之危,如何亏得胡斐智勇双全,奋身解围。秦耐之、周铁鹪等听了,更是大赞不已。程灵素目澄如水,脉脉地望着胡斐,心想这些英雄事迹,你自己从来不说。

筵席散后,眼见一轮明月涌将上来,这天是八月初十,虽已立秋,仍颇炎热,那是叫做"桂花蒸"。全管家在花园亭中摆设了瓜果,请众人乘凉消暑。胡斐道:"各位先喝杯清茶,咱们再来大赌一场。"众人轰然叫好,来到花园的凉亭中坐下。

没讲论得几句,忽听得廊上传来一阵喧哗,却是有人在与全管家大声吵嚷,接着全管家"啊哟"一声大叫,砰的一响,似乎被人踢了个筋斗。

只见一条铁塔似的大汉飞步闯进亭来,伸手在桌上一拍,咣啷啷一阵响亮,茶杯果盘等物,摔得一地。那大汉指着周铁鹪粗声道:"周大哥,这却是你的不是了。这座宅子我卖给你一万二千两银子,那可是半卖半送,冲着你周大哥的面子,做兄弟的还能计较么?不料一转眼间,你却拿去转送了别人,我这个亏可吃不起!大家来评评这个理,我姓德的能做这冤大头么?"

周铁鹪冷冷地道:"你钱不够使,好好地说便了。这里是好朋友家里,你来胡闹什么?"那黑大汉一张脸涨得黑中泛红,伸手又往桌上拍去。周铁鹪左手一勾一带,将他两只手腕都牢牢抓住了,别瞧周铁鹪身材矮小,站起来不过刚及那大汉的肩膀,但那大汉双手被他一抓,犹似给一个铁箍箍住了,竟是挣扎不脱。

周铁鹪拉着他走到亭外,低声跟他说了几句话。那大汉兀自不肯依从,唠唠不休。周铁鹪恼了起来,双臂运力往前一推,那大汉站立不定,向后跌出几步,撞在一株梅树之上,喀喇一声撞断了老大两根桠枝。周铁鹪喝道:"姓德的莽夫,给我在外边侍候着,不怕死的便来啰唆!"那大汉抚着背上的痛处,低头趋出。

曾铁鸥哈哈大笑,说道:"这莽夫惯常扫人清兴,大师哥早就该好好揍他一顿。"周铁鹪微笑道:"我就瞧着他心眼儿还好,也不跟他一般见识。胡大哥,倒叫你见笑了。"胡斐道:"好说,好说。既是这宅子他卖便宜了,兄弟再补他些银子便是。"周铁鹪忙道:"胡大哥说哪里话来?这件事兄弟自会料理,不用你操心。倒是那个莽撞之徒,无意中得罪了胡大哥,他原不知胡大哥如此英雄了得,既做下了事来,此刻实是后悔莫及。兄弟便叫他来向胡大哥敬酒赔礼,冲着兄弟和这里各位的面子,胡大哥便不计较这一遭如何?"

胡斐笑道:"赔礼两字,休要提起。既是周大哥的朋友,请一同来喝一杯吧!"周铁鹪站起身来,说道:"胡大哥是少年英雄,我们全都诚心结交你这位朋友。那莽夫做错了事,我们大伙儿全派他的不是。胡大哥大人大量,务请不要介怀。"胡斐道:"些些小事何必挂齿？周大哥说得太客气了。"周铁鹪一躬到地，说道："兄弟先行谢过。"曾铁鸥和秦耐之也同时起身作揖，说道："我们一齐多谢了。"胡斐忙站起还礼。周铁鹪道："我去叫那莽夫来，跟胡大哥赔罪。"说着转身出外。

胡斐和程灵素对望了一眼，均想："这莽夫虽然行为粗鲁了些，但周铁鹪这番赔礼的言语，却未免过于郑重。不知这黑大汉是何门道？"

过了片刻，只听得脚步声响，园中走进两个人来。周铁鹪携着一人之手，哈哈笑道："莽夫啊莽夫，快敬胡大哥三杯酒！你们这叫不打不成相识，胡大哥答应原谅你啦。他大丈夫一言既出，驷马难追。今日便宜了你这莽夫！"

胡斐霍地站起，飘身出亭，左足一点，先抢过去挡住了那人的退路，铁青着脸，厉声说道："姓周的，你闹什么玄虚？我若不手刃此人，我胡斐枉称顶天立地的男子汉！"

进园来这人，正是广东佛山镇上杀害钟阿四全家的五虎门掌门人凤天南！

胡斐此时已然心中雪亮，原来周铁鹪安排下圈套，命一个莽夫来胡闹一番，然后套得他的言语，要自己答应原谅一个莽夫。他想起钟阿四全家惨死的情状，热血上涌，目光中似要迸出火来。

周铁鹪道："胡大哥，我跟你直说了罢。义堂镇上的田地房产，全是这莽夫送的。这一座宅子和家具，也全是这莽夫买的。他跟你赔不是之心，说得上是诚恳之极了。大丈夫拿得起放得下，过去的小小怨仇，何必放在心上？凤老大，快给胡大哥赔礼吧！"

胡斐见凤天南双手抱拳，意欲行礼，双臂一张，说道："且慢！"向程灵素道："二妹，你过来！"程灵素快步走到他的身边，并肩站着。胡斐朗声说道："各位请了！姓胡的结交朋友，凭的是意气相投，是非分明。咱们吃喝赌博，那算不了什么，便是市井小人，也岂不相聚喝酒赌钱？大丈夫义气为先，以金银来讨好胡某,可把胡某人的人品瞧得一钱不值了!"

曾铁鸥笑道:"胡大哥可误会了。风老大赠送一点薄礼,也只是略表敬意,哪里敢看轻老兄了?"

胡斐右手一摆,说道:"这姓风的在广东作威作福,为了谋取邻舍一块地皮,将人家一家老小害得个个死于非命。我胡斐和钟家非亲非故,但既伸手管上了这件事,便跟这姓风的恶棍誓不并存于天地之间。倘若得罪朋友,那也是势非得已,要请各位见谅。周大哥,这张屋契请收下了。"从怀中摸出套着屋契的信封,轻轻一挥,那信封直飘到周铁鹪面前。

周铁鹪只得接住,待要交还给他,却想凭着自己手指上的功夫,难以这般平平稳稳地将信封送到他面前。

只听胡斐朗声道:"这里是京师重地,天子脚底下的地方,这姓风的又不知有多少好朋好友,但我胡斐今晚豁出了性命,定要动一动他。是姓胡的好朋友便不要拦阻,是姓风的好朋友,大伙儿一齐上吧!"说罢双手叉腰一站。他明知北京城中高手如云,这风天南既敢露面,自然是有备而来,别说另有帮手,单是王氏兄弟、周曾二人,那便极不好斗,但他心中愤慨已极,早将生死置之度外。

周铁鹪哈哈一笑,说道:"胡大哥既然不给面子,我们这和事佬是做不成啦。风老大你这便请罢,咱们还去喝酒赌钱呢。"

胡斐好容易见到风天南,哪里还容他脱身?双掌一错,便向风天南扑去。

周铁鹪眉头一皱,道:"这也未免太过分了吧!"左臂横伸拦阻,右手却翻成阴掌,暗伏了一招"倒曳九牛尾"的擒拿手,意欲抓住胡斐手腕,就势回拖。

胡斐既然出手,早把旁人的助拳打算在内,但心想:"你们面子上对我礼貌周到,我对你们也就决不先行出手。"眼见周铁鹪伸手抓来,更不还手,让他一把抓住腕骨,扣住了自己的脉门。

周铁鹪大喜,暗想:"秦耐之、风老大他们把这小子的本事夸上了天去,早知不过如此,何必跟他这般低声下气?"口中仍是说道:"不要动手!"运劲急突,突然间只觉胡斐的腕骨坚硬如铁,猛地里涌到一股反拖之力，以硬对硬，周铁鹪立足不定，立即松手，一个跟跄，向前跌出三步。

这擒拿手拖打，是鹰爪雁行门中最拿手得意的功夫，胡斐偏偏就在这功夫上，挫败了这一门的掌门大师兄。

两人交换这一招，只是瞬息间的事。凤天南已扭过身躯，向外便奔。胡斐扑过去疾劈一掌，凤天南回手抵住。

曾铁鸥道："好好儿的喝酒赌钱，何必伤了和气？"右手五根手指成鹰爪之势，抓向胡斐背心。他似乎是好意劝架，其实却是施了杀手。但见胡斐一意向凤天南进攻，对身后的袭击竟似不知，那姓聂的忍不住叫道："胡大哥，小心！"嚓的一响，曾铁鸥五指已落在胡斐身上，但着指之处，似是抓到了一块又韧又厚的牛筋。胡斐背上肌肉一弹，便将他五根手指弹开。

眼见周曾两人拦阻不住，殷仲翔从斜刺里窜到，更不假作劝架，挥拳向胡斐面门打去。胡斐头一低，左掌搭上了他的背心，吐气扬声，"嘿"的一声，殷仲翔的身子直飞出去，撞向凤天南背心。这一下胡斐原没想能撞到凤天南，但他只要闪身避开，殷仲翔的脑袋便撞上一座假山，势在非伸手相救不可，这么缓得一缓，便逃不脱了。岂知这凤天南实在老奸巨猾，眼见殷仲翔出力救援自己，却不顾他的死活，反而左足在他肩头一借力，跃向围墙。只听得砰的一响，殷仲翔撞上假山，满头鲜血，立时晕死过去。

旁观众人个个都是好手，凤天南这一下太过卑鄙，如何瞧不出来？王氏兄弟本欲出手，只是忌惮胡斐了得，未必讨得了好，正自迟疑，眼见凤天南只顾逃命，反害朋友，兄弟俩对望一眼，脸上各现鄙夷之色，便不肯再出手了。

胡斐心想："让这奸贼逃出了围墙之外，那便多了一番手脚。何况围墙外他定有援兵。"见他双足刚要站上墙头，立即纵身跃起，抢上拦截。

凤天南刚在墙头立定，突见身前多了一人，月光下看得明白，正是死对头胡斐，这一惊当真是非同小可，右腕翻处，一柄明晃晃的匕首自下撩上，向他小腹疾刺过去。

胡斐急起左腿，足尖踢中他的手腕，那匕首直飞起来，落到了墙外。凤天南出手也是狠辣异常，在这围墙顶上尺许之地近身肉搏，招数更是凌厉，一匕首没刺中，左拳跟着击出。胡斐更不回手，前胸一挺，运起内劲，硬挡了他这一拳，砰的一声，凤天南被自己的拳力震了回来，立足不定，摔下围墙。

胡斐跟着跃下，举足踏落。凤天南一个打滚避过，双足使劲，再度跃向墙头。胡斐这一次不容他再在墙头立足，双手一挥，"一鹤冲天"，跟着窜高，却比凤天南高了数尺，落下时正好骑在他的肩头，双腿挟住了他的头颈。凤天南呼吸闭塞，自知无幸，闭目待死。

胡斐叫道："奸贼！今日叫你恶贯满盈！"提起手掌，便往他天灵盖拍落。

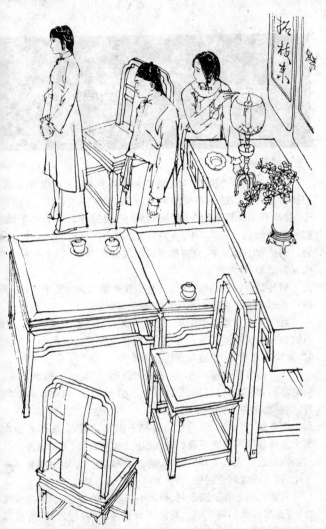

　　三人默默无言，各怀心事，但听得窗外雨点打在残荷竹叶之上，淅沥有声，烛泪缓缓垂下。程灵素拿起烛台旁的小银筷，夹下烛心。室中一片寂静。

第十四章　紫罗衫动红烛移

突觉背后金刃掠风，一人娇声喝道："手下留人！"喝声未歇，刀锋已及后颈。这一下来得好快，胡斐手掌不及拍下，急忙侧头，避开了背后刺来的一刀，回臂反手，去勾背后敌人的手腕。那人身手矫捷，一刺不中，立时变招，刷刷两匕首，分刺胡斐双胁。胡斐转不过身来，只得纵身离了凤天南肩头，向前一扑。那人如影随形，着着进逼。

胡斐怒道："袁姑娘，干么总是跟我为难？"回过头来，只见手持匕首那人紫衫雪肤，头包青巾，正是袁紫衣。

月光下但见她似嗔似笑，说道："我要领教胡大哥空手入白刃的功夫！"胡斐道："来日方长，不忙在此刻。"纵身扑向凤天南时，袁紫衣猱身而上，匕首直指他咽喉。

这一招攻其不得不救，胡斐只得沉肘反打，斜掌劈她肩头。霎时之间，两人以快打快，交换了十来招，但见刀光闪动，掌影飞舞，招招都瞧得人惊心动魄。

周铁鹪、曾铁鸥、王氏兄弟等都不识得袁紫衣，突然见她在凤天南命在顷刻之际现身相救，武功又如此高强，无不惊诧。

但见这两人出手奇快，众人瞧得眼都花了，猛听得胡斐一声呼叱，两人同时翻上围墙，跟着又同时跃到了墙外。

袁紫衣的匕首翻飞击刺，招招不离胡斐的要害，出手之狠辣凌厉，直如性命相搏一般。胡斐哪敢怠慢，凝神接战，耳听得凤天南纵声长笑，叫道："胡家小兄弟，老哥哥失陪了，咱们后会有期。"笑声愈去愈远，黑夜中遥遥听来，便似枭鸣。

胡斐大怒，急欲抢步去追，却给袁紫衣缠住了，脱身不得。

他心中越发恚怒，喝道："袁姑娘，在下跟你无怨无仇……"一言未毕，白光闪动，匕首已然及身。

高手过招，生死决于俄顷，万万急躁不得，胡斐的武功只比袁紫衣稍胜半筹，但一个空手，一个有刀，形势已然扯平，他眼睁睁地见仇人再次逃走，一分心，竟给刺中了左肩。

哧的一声，匕首划破肩衣，这时袁紫衣右手只须乘势一沉，胡斐肩头势须重伤筋骨，哪知她手腕斜翻，反向上挑。胡斐肩上只感微微一凉，丝毫未损，心中一怔："你又何必手下容情？"

袁紫衣格格娇笑，倒转匕首，向他掷了过去，跟着自腰间撤出软鞭，笑道："胡大哥，咱们真刀真枪的较量一场。"

胡斐正要伸手去接匕首，忽听墙头程灵素叫道："用单刀吧！"将他单刀掷下。原来程灵素见他赤手空拳，生怕失利，已奔进房去将他的兵刃拿了出来。

袁紫衣叫道："好体贴的妹子！"突然软鞭挥起，掠向高墙。程灵素纵身跃入，袁紫衣的软鞭在墙头搭住，一借力，便如一只大鸟般飞了进去，月光下衣袂飘飘，宛若仙子凌空。她身子尚未落地，呼的一鞭，向程灵素背心击了过去，叫道："程家妹子，接我三招。"

程灵素侧身低头，让过了一鞭，但袁紫衣变招奇快，左回右旋，登时将她裹在鞭影之中。

胡斐知道程灵素决不是她敌手，此刻若去追杀凤天南，生怕袁紫衣竟下杀手，纵然失去机缘，也只得罢了，当下跃进园中，挺刀叫道："你要较量，便较量！"袁紫衣道："好体贴的大哥！"回过软鞭，来卷胡斐的刀头。

两人各使称手的兵刃，这一搭上手，情势与适才又自不同。胡斐使的是家传胡家刀法，刚中有柔，柔中有刚，迅捷时似闪电奔雷，沉稳处如渊渟岳峙。袁紫衣的鞭法也是纵横灵动，大是名手风范。顷刻之间，两人已拆了三十余招，当真是鞭挥去如灵蛇矫夭，刀砍来若猛虎翻扑。

秦耐之、周铁鹪、王氏兄弟等瞧着无不骇然："这两人小小年纪，武功上竟有这等造诣！"其实两人这时比拚兵刃，都还只使出六七成功夫，胡斐见袁紫衣每每在要紧关头故意不下杀着，自己刀下也就容让几分，一面打，一面思量："她如此对我，到底是何用意？"

适才周铁鹪、曾铁鸥、殷仲翔三人出手对付胡斐，均没讨得了好去，众武官心知单打独斗，不是他对手，眼见袁紫衣缠住了他，正是下手的良机，各人使个眼色，装作凝目观战，却散在两人身周，慢慢逼近，便要合击胡斐。

凡是武学高手，出手时无不眼观六路，耳听八方，周铁鹪等这般神态，胡斐自都瞧在眼里，不禁暗暗焦急："这批人便要一拥而上，我脱身虽然不难，却分不出手来照顾二妹了。"一瞥之间，见程灵素站在一旁，倒是神色自若，心想："只有先将袁姑娘打退，再来对付旁人。"言念及此，刷刷连砍三刀，均是胡家刀法中的厉害家数。

袁紫衣一避二挡，喝彩道："好刀法！"突然回过长鞭，竟不抵挡胡斐刺向自己腰间的刀尖，一招"凤凰三点头"，向曾铁鸥、周铁鹪、秦耐之三人的面门各点一点。

这一招来得好不突兀，三人急忙后跃，曾铁鸥终于慢了一步，鞭端在额头擦过，带出了一条血痕。便在此时，胡斐的刀尖距她腰间也已不过尺许，眼见她忽然出鞭为自己退敌，当即右臂一稳，单刀不进不退，停住不动。在如此急遽之间，将兵刃稳得犹似在半空中钉住了一般，可比径刺敌人难上十倍。

袁紫衣一双妙目望定胡斐，说道："你怎么不刺？"忽听得曾铁鸥叫道："好体贴的哥哥妹妹啊！"学的是旗人恶少的贫嘴声调。

袁紫衣俏脸一沉，收鞭围腰，向胡斐道："胡大哥，这几位英雄好汉，你给我引见引见。"胡斐道："好！这位是八极拳的掌门人秦耐之秦大爷，这位是鹰爪雁行门的掌门人周铁鹪周大爷……"跟着将王剑英、王剑杰兄弟、曾铁鸥、汪铁鹗等一一引见了。这时王剑杰已将殷仲翔救醒，只听他不住口地咒骂凤天南，说什么"如此无耻卑鄙之徒，咱哥儿俩不能算完。"胡斐最后道：

"这位是袁姑娘。"心念一动,又道:"袁姑娘是少林韦陀门、广西八仙剑、湖南易家湾九龙鞭三派的总掌门。"

众人一听,都是耸然动容,虽想胡斐不会打诳,但脸上均有不信之色。

袁紫衣微笑道:"你没说得明白。邯郸府昆仑刀、彰德府天罡剑、保定府哪吒拳这三门,也请区区做了掌门人。"胡斐道:"哦,原来姑娘又荣任了三家掌门,恭喜恭喜。"

袁紫衣笑道:"多谢!这一次我上北京来,原是想做十家总掌门,但湖北武当山的无青子道长我打他不过,河南少林寺的大智禅师我不敢去招惹。刚好这里有三位掌门人在此。喂,褚老师,你塞北雷电门的掌门老师麻老夫子到了北京么?"

那使雷震挡的姓褚武师单名一个轰字,听她问到师父,说道:"家师向来不来内地走动,有什么事,都交给弟子们办。"袁紫衣道:"好,你是大师兄,可算得上是半个掌门人。这么着,今晚我就夺三个半掌门人。十家总掌门做不成,九家半也将就着对付了。"

此言一出,周铁鹪等无不变色。秦耐之抱拳一拱,哈哈大笑,说道:"少林韦陀门的掌门万鹤声万大哥,跟在下有数十年的交情,却不知如何将掌门之位传给姑娘了?"袁紫衣道:"万大爷死啦,他师弟刘鹤真打不过我,三个徒弟更是脓包。咱们拳脚刀枪上分高下,这掌门之位不让也得让。秦老师,我先领教你的八极拳功夫,再跟周老师、王老师、褚老师他们三位过过招。我当上了九家半总掌门,也好到那天下掌门人大会中去风光风光。"

这几句话,竟是毫没将周、秦、王、褚众高手瞧在眼里。她这么一叫阵,周铁鹪、王剑英等都是天下闻名的武学好手,纵然命丧当场,也决不能退缩。

周铁鹪道:"我们鹰爪雁行门自先师谢世,徒弟们个个不成器,先师的功夫十成中学不到一成。姑娘肯赐教海,敝派上下哪一个不感光宠?只是师兄弟们都是蠢材,只练了些先师传下的功夫,别派的功夫却不会练。"袁紫衣笑道:"这个自然。我若不会鹰爪雁行门的功夫,怎能当得鹰爪雁行门的掌门?周老师大可放心。"

周铁鹪和曾铁鸥都是气黄了脸，师兄弟对望一眼，均想："使是再强的高手，也从没敢轻视鹰爪雁行门了。你仗着谁的势头到北京城来撒野？"

他们收了凤天南的重礼，为他出头排解，没能办成，也不过扫兴而已，毕竟事不干己，并不怎么放在心上。可是这姑娘竟取来硬抢掌门之位，如此欺上头来，岂可不认真对付？

秦耐之知道今晚已非动手不可，适才见袁紫衣的功夫和胡斐是在伯仲之间，自己却曾败在胡斐手下，要想讨一个巧，让她先斗周王诸人，耗尽了力气，自己再来捡便宜，当下说道："周老师、王老师的功夫比兄弟深得多，兄弟躲在后面吧！"

袁紫衣笑道："你不说我也知道，你的功夫不如他们，我要拣弱的先打，好留下力气，对付强的。外边草地上滑脚，咱们到亭中过招。上来吧！"身形一晃，进了亭子，双足并立，沉肩塌胯，五指并拢，手心向上，在小腹前虚虚托住，正是"八极拳"的起手式"怀中抱月"。

秦耐之吃了一惊："本派武功向来流传不广，但这一招'怀中抱月'，左肩低，右肩高，左手斜，右手正，显是已得本派的心传，她却从何学来？"向胡斐斜睨一眼，又想："那日我跟他动手，当然不使起手式，后来和他讲论本门拳法，这一招也未提到。自是他传给这女子了。"心中惊疑，脸上却不动声色，说道："既是如此，待小老儿搬开桌子凳子，免得碍手碍脚。"

袁紫衣道："秦老师这话差了。本门拳法'翻手、揉腕、寸悬、抖展'八极，'搂、打、腾、封、踢、蹬、扫、卦'八式，变化为'闪、长、跃、躲、拗、切、闭、拨'八法，四十九路八极拳，讲究的是小巧腾挪，若是嫌这桌子凳子碍事，当真与敌人性命相搏之时，难道也叫敌人先搬开桌椅吗？"她这番话宛然是掌门人教训本门小辈的口吻，而八极拳的诸种法诀，却又说得一字不错。

秦耐之脸上一红，更不答话，弯腰跃进亭中，一招"推山式"，左掌推了出去。

袁紫衣摇了摇头，说道："这招不好！"更不招架，只是向左踏

394

了一步，秦耐之身前便是桌子挡住，这一掌推不到她身上。他变招却也迅速，"抽步翻面锤"、"鹞子翻身"、"劈挂掌"，连使三记绝招。袁紫衣右足微提，左臂置于右臂上交叉轮打，翻成阳拳，跟着便快如电闪般以阴拳打出，正是八极拳中的第四十四式"双打奇门"，这原是秦耐之的得意招数，可是袁紫衣这一招得快极，秦耐之猝不及防，急忙斜身闪避，砰的一下，撞到了桌上，桌上茶碗登时打翻了三只。袁紫衣笑道："小心！"左缠身、右缠身、左双撞、右双撞、一步三环、三步九转，那八极拳的招数便如雨点般打了过去。

秦耐之奋力招架，眼看她使的招数固是本门拳法，但忽快忽慢、偏左偏右，却又与本门功夫大不相同。袁紫衣道："你怎地只招架，不还手？你使的是八极拳，可不是挨揍拳！"秦耐之骂道："小贱人！"一招"青龙出水"，左拳成钩，右拳呼地一声打了出去。袁紫衣应以一招"锁手攒拳"，突然右肘一摆，翻手抓住了他的右腕，向他背上扭转，左手同时上前，四指前、拇指后，已拿住了他的"肩贞穴"，顺势向前一送，将他按到了桌上，正好将他嘴巴按到了茶碗上，喝道："吃茶！"

她使这一手"分筋错骨手"本来平平无奇，几乎不论哪一门哪一派都会练到，只是出手奇速，秦耐之手腕刚一碰到她的手指，全身已被制住，不禁又惊又怒，又骂道："小贱人！"

袁紫衣双手使个冷劲，喀喇一声，秦耐之右肩关节立时脱臼。袁紫衣放开他手腕，坐在圆凳上微微冷笑，说道："这掌门人之位你让是不让？"秦耐之只疼得满额都是冷汗，一言不发，快步出亭。

王剑英上前左手托住他右臂，右手抓住他头颈，一推一送，将他肩头关节还入臼窝，转头说道："袁姑娘的八极拳功夫果然神妙，我领教领教你的八卦掌。"说着踏步进亭。

袁紫衣见他步履凝稳，心知是个劲敌。本来凡是练"游身八卦掌"之人，必定步法飘逸，行路犹如足不点地一般，但他脚步落地极重，尘土飞扬，那是"自重至轻、至轻返重"，根基坚实无比，他数十年的功力，决非自己所能望其项背。

胡斐快步走到亭中，拿起茶杯喝了一口，低声道："此人厉害，不可轻敌。"袁紫衣眼皮低垂，细声道："我多次坏你大事，你不怪我吗？"这一句话胡斐却答不上来，说是不怪，是她接连三次将凤天南从自己手底下救出；说是怪她罢，瞧着她若有情、若无情的眼波，却又怎能怪得？

袁紫衣见胡斐走入亭来叫自己提防，早是芳心大慰，她本心存惊疑，生怕斗不过这位八卦门的高手，这时精神一振，勇气倍增，低声道："你放心！"足尖一蹬，跃上一张圆凳，说道："王老师，八卦门的功夫，讲究足踏八卦方位，乾、坤、巽、坎、震、兑、离、艮，咱们便在这些凳上过过招。"王剑英道："好！"慢慢踏上圆凳，双手互圈，一掌领前，一掌居后。胡斐又向袁紫衣瞧了一眼，退出亭子。

袁紫衣道："素闻八卦门中王氏兄弟英杰齐名，待会王老师败了之后，令弟还打不打呢？"

王剑英生性凝重，听了这话却也忍不住气往上冲，依她说来，似乎还没动手，自己已然败定。他本就不善言辞，盛怒之下，更是结结巴巴地说不出话。王剑杰怒道："小丫头胡说八道，你只须在我大哥手下接得一百招，咱兄弟俩从此不使八卦掌。"须知王氏兄弟望重武林，寻常武师连他们的十招八招也接不住。王剑杰一出口竟说到一百招，却也是丝毫没小觑了她。

袁紫衣斜眼相睨，冷冷地道："我击败令兄之后，算不算八卦门的掌门？你还打不打？"王剑杰道："你先吹什么？打得赢我哥哥再说不迟。"袁紫衣道："我便是要问一个明白。"

王剑杰尚未答话，王剑英问道："尊师是谁？"袁紫衣道："你问我师承干么？"她乌溜溜的眼珠骨碌一转，已明其意，说道："嗯，王老师是动了真怒，要下杀手，所以先问一问我师父。我师父名头太响，说出来吓坏了你。我不抬师父出来。你尽管使八卦门的绝招。常言道不知者不罪，你便打死了我，我师父也不怪你。"

这几句话正说中了王剑英的心事，他见袁紫衣先和胡斐相斗，跟着制住秦耐之，出手着实不俗，定是大有来头，若是下重手伤了她，她师父日后找场，多半极难应付，听她这般说，便道："这里各位都是见证。"呼的一掌，迎面击出，掌力未施，身随掌起，踏坤奔离，足下已移动了方位。别瞧他身躯肥大，八卦门轻功一使出，竟如飞燕掠波一般。

袁紫衣斜掌卸力，自艮追震，手上使的固是八卦掌，脚下踏的也是八卦方位。王剑英连劈数掌，都给她一一卸开。两人绕着圆桌，在十二只石凳上奔驰旋转，倒似小儿捉迷藏一般，但越转越快，衣襟生风。

王剑英心想："这丫头心思灵巧，诱得我在石凳上跟她隔桌换掌。她掌力原本不能跟我相比，但中间挡着一张圆桌，便不怕我沉猛的掌力。"又想："这丫头武功甚杂，居然将我门中的八卦掌使得头头是道，我何必用寻常掌法跟她纠缠？"猛地里一声长啸，脚步错乱，手掌歪斜，竟使出了他父亲威震河朔王维扬的家传绝技"八阵八卦掌"来。

这一路掌法王维扬只传两个儿子，连外姓的弟子如商剑鸣等也均不传，那是在八卦掌中夹了八阵图之法：天阵居乾为天门，地阵居坤为地门，风阵居巽为风门，云阵居震为云门，飞龙居坎为飞龙门，武翼居兑为武翼门，鸟翔居离为鸟翔门，蜿盘居艮为蜿盘门；天地风云为四正门，龙虎鸟蜿为四奇门；乾坤艮巽为阖门，坎离震兑为开门。这四正四奇，四开四阖，用到武学之上，霎时之间变化奇幻，虽是在小小一个凉亭之中，隐隐有布阵而战之意。

这八阵八卦掌袁紫衣别说没有学过，连听也没有听过，只因这是王维扬的不传之秘，以她师父武学之渊博当世无双，却也是有所未知。袁紫衣只接得数掌，登时眼花缭乱，暗暗叫苦。胡斐站在亭外掠阵，也知情势不妙，只是袁紫衣大言在先，说要夺八卦门掌门，自己决不能插手相助，眼见王剑英越打越占上风，正没做理会处，忽见袁紫衣左足一蹬，跃上桌面，说道："凳子上施展不开，咱们在桌上斗斗。王老师，可不许踏碎了茶碗果碟。"

王剑英一言不发，跟着上了桌面，这时两人相距近了，袁紫衣无可取巧，对方拍击过来的掌拳，势须硬接硬架，但脚下却占了便宜。原来桌上放着十二只茶碗，四盘果子，全是散落乱置，这可不同梅花桩、青竹阵每一处落足点均有规律，王剑英的八阵八卦掌在平地上施展威力最强，一上梅花桩，变化既受限制，威力便已相应减弱。这时在这桌面之上，更生怕不小心踏碎了茶碗果盘，为这刁钻的丫头所笑，当下尽量不移脚步，一味催动掌力，自忖不凭脚步掌法之妙，单靠深厚的内功，就能将她毁在一双肉掌之下。

但听得掌风呼呼，亭畔的花朵为他掌力所激，片片落英，飞舞而下。

当袁紫衣跃上桌面之时，早已计及利害，眼见对方一掌掌如疾风骤雨般击到，她只是足不停步地前审后跃，并不和他对掌拆解，知道只要和对方雄浑的掌力一粘住，那便脱不了身，只见王剑英右掌虚晃，左掌斜引，右掌正要劈出，她左足尖轻轻一挑，一只茶碗向他扑面飞去。王剑英吃了一惊，闪身避开，袁紫衣料到他趋避的方位，双足连挑，七八只茶碗接二连三地飞将过去。王剑英避开了三只，终于避不开第四、五只，啪啪两声，打中了他肩头。他出掌劈开第七、八只，碗中的茶水茶叶却淋了他满头满脸，跟着第九、十只茶碗又击中胸口。

王剑英、王剑杰齐声怒吼，旁观的汪铁鹗、褚裹、殷仲翔等也忍不住惊呼，只见最后两只茶碗直奔王剑英双眼。他愤怒已极，猛力一掌击出。袁紫衣踢茶碗扰敌，原本是等他这一掌，这良机如何肯予错过？当下身躯一闪，已伸手抓住他的右腕，左手在他的臂弯里"曲池穴"一拿，一扭一推，喀的一响，王剑杰大叫"啊哟"声中，王剑英臂骱已脱。

这一手仍只是寻常"分筋错骨手"，说不上什么奇妙的家数，只是她出手如电，王剑英竟是闪避不了，致贻终身之羞。

王剑杰双手一拍，和身向袁紫衣背后扑去。胡斐推出一掌，将他震退三步，说道："王兄且慢！说好是一个斗一个。"

王剑英面色惨白，僵在桌上。袁紫衣心想："若是轻易放了他，他兄弟回头找场，我可斗他们不过！"竟是下手不容情，乘着他无力抗御之时，喀喇一声，将他左臂的关节也卸脱了，一指点在他太阳穴上，喝道："你这八卦门的掌门让是不让？"

王剑英闭目待死，更不说话。王剑杰喝道："快放我兄长，你要做掌门，做你的便是。"袁紫衣道："说话可要算数？"王剑杰道："算数，算数。"袁紫衣这才微微一笑，跃下桌子。王剑杰负起兄长，头也不回地快步走出。

周铁鹪道："姑娘连夺两家掌门，果然是聪明伶俐，却不知留下什么妙计，要施在我姓周的身上？"这话明明说她不过是使诡计取胜，说不上是真实本领。袁紫衣道："对付你鹰爪雁行门，还用得着智计？你师兄弟三个人是一齐上呢，还是周老师一个人跟我过招？"周铁鹪淡淡一笑，说道："袁姑娘此言，真是门缝里看人，把北京城里的武师们全都瞧得扁了。周某打从十三岁上起，从来便是单打独斗"。袁紫衣道："嗯，那你十三岁前，便不是英雄好汉，专爱两个打一个。"周铁鹪道："嘿，我自十三岁起始学艺。"袁紫衣道："是英雄好汉，生来便是英雄好汉，有的人武艺再高，始终不过是窝囊废。周老师，我可不是说你。"不知怎的，她对于王剑英、王剑杰兄弟，心中还存着三分佩服，见了周铁鹪大剌剌地自视极高的神气，却是说不出的讨厌。

周铁鹪几时受过旁人这等羞辱？心中狂怒，嘴里却只哼了一声。汪铁鹗叫了起来："小丫头，跟我大师哥说话，可得客气些。"

袁紫衣知他是个浑人，也不理睬，对周铁鹪道："拿出来，放在桌上。"周铁鹪愕然道："什么？"袁紫衣道："铜鹰铁雁牌。"

一听到"铜鹰铁雁牌"五字，周铁鹪涵养功夫再高，也已不能装作神色自若，大声道："啊哈！我们中的事，你倒真知道得不少。"伸手从腰带上解下一个锦囊，放在桌上，喝道："铜鹰铁雁牌便在这里，你今日先取我姓周的性命，再取此牌。"袁紫衣道："拿出来瞧瞧，谁知道是真是假。"

周铁鹪双手微微发颤，解开锦囊，取出一块四寸长、两寸宽的金牌来，牌上镶着一只探爪铜鹰，一只斜飞铁雁，正是鹰爪雁行门中世代相传的掌门信牌，凡是本门弟子，见此牌如见掌门人。

原来鹰爪雁行门在明末天启，崇祯年间，原是武林中一大门派，几代掌门人都是武功卓绝，门规也极严谨。但传到周铁鹪、曾铁鸥等人手里时，诸弟子为满清权贵所用，染上了京中豪奢的习气，武功已远不如前人。后来直到嘉庆年间，鹰爪雁行门中出了几个了不起的人物，该门方始中兴。

袁紫衣道："看来像是真的，不过也说不定。"原来她适才和王剑英一番剧斗，虽然侥幸反败为胜，内力却已大耗，这时故意扯淡，一来要激怒对手，二来也是歇力养气。

周铁鹪见多识广，如何不知她的心意？当下更不多言，双手一振一压，突然跃上凉亭之顶，说道："咱们越打越高，我便在这亭子顶上领教高招。"须知他的门派以鹰爪雁行为名，自是一擅鹰爪擒拿，二擅雁行轻功。他跃上亭顶，存心故居险地，便于施展轻功，与对手作一番生死搏击，同时令她无法取巧行诡，更有一着是要胡斐不能在危急中出手相助。在周铁鹪心中，袁紫衣武功虽高，终不过是女流之辈，真正的劲敌却是胡斐。

他哪知擒拿和轻功这两门，也正是袁紫衣的专长绝技，他若是见过她和易吉在高桅顶上斗鞭时那一路惊世骇俗的轻功，也不会跃上这凉亭之顶了。

胡斐见了他这一纵一跃，虽然轻捷，却决不能和袁紫衣的身手相比，登时便宽了心，转过头来，两人相视一笑。

袁紫衣故意并不炫示，老老实实地跃上亭顶，说道："看招！"双手十指拿成鹰爪之式，斜身扑击。

拳术的爪法，大路分为龙爪、虎爪、鹰爪三种。龙爪是四指并拢，拇指伸展，腕节屈向手心；虎爪是五指各自分开，第二、第三指骨向手心弯曲；鹰爪是四指并拢，拇指张开，五指的第二、第三指骨向手心弯曲。三种爪法各有所长，以龙爪功最为深奥难练。

周铁鹪见她所使果然是本门家数，心想："你若用古怪武功，我尚有所忌，你真的使鹰爪雁行功，那可是自寻死路了。"当下双手也成鹰爪，反手钩打。

众人仰首而观，只见两人轻身纵跃，接近时擒拿拆打数招，立即退开。这一晚四场激斗，以这一场最为好看，但也以这一场最为凶险。月光之下，亭檐亭角，两人真如一双大鸟一般，翻飞搏击。

蓦地里两人欺近身处，喀喀数响，袁紫衣一声呼叱，周铁鹪长声大叫，跌下亭来。

周铁鹪如何跌下，只因两人手脚太快，旁观众人之中，只有胡斐和曾铁鸥看清楚了。周铁鹪激斗中使出绝招"四雁南飞"，以连环腿连踢对手四脚，踢到第二腿时被袁紫衣以"分筋错骨手"抢过去卸脱了左腿关节。他这一招双腿卸起彼落，中途无法收势，左腿虽已受伤，右腿仍然踢出，袁紫衣对准他膝盖踹了一脚，右腿受伤更重。旁人却只见他摔下时肩背着地，落下后竟不再站起。这凉亭并不甚高，以周铁鹪的轻身功夫，纵然失手，跃下后决不致便不能起身，难道是已受致命重伤？

汪铁鹗素来敬爱大师兄，大叫："师哥！"奔近前去，语声中已带着哭音。他俯身扶起周铁鹪，让他站稳。但周铁鹪两腿脱臼，哪里还能站立？汪铁鹗扶起他后双手放开。周铁鹪呻吟一声，又要摔倒。曾铁鸥低声骂道："蠢材！"抢前扶起。他武功在鹰爪雁行门中也算是顶尖儿的好手，只是不会推拿接骨之术，抱起周铁鹪，便要奔出。

周铁鹪喝道："取了鹰雁牌。"曾铁鸥登时省悟，抢进凉亭，伸手往圆桌上去取金牌，突然头顶风声飒然，掌力已然及首。曾铁鸥右手抱着师兄，左手不及取牌，只得反掌上迎，哪知这一架却架了个空。眼前黑影一晃，一人从凉亭顶上翻身而下，已将桌上金牌抓在手中，喝道："打输了想赖么？"正是袁紫衣。

曾铁鸥又惊又怒，抱着周铁鹪，僵在亭中，不知该当和袁紫衣拼命，还是先请人去治大师兄再说？

胡斐上前一步，说道："周兄双腿脱了臼，若不立刻推上，只怕伤了筋骨。"也不等周曾两人答话，伸手拉住周铁鹪的左腿，一推一送，喀的一声，接上了臼，跟着又接上了右腿关节，再在他腰侧穴道中推拿数下。周铁鹪登时疼痛大减。

胡斐向袁紫衣伸出手掌，笑道："这铜鹰铁雁牌也没什么好玩，你还了周大哥吧！"袁紫衣听他说到"也没什么好玩"六字，嫣然一笑，将金牌放在他掌心。

胡斐双手捧牌，恭恭敬敬地递到周铁鹪面前。周铁鹪伸手抓起，说道："两位的好处，姓周的但叫有一口气在，终有报答之时。"说着向袁紫衣和胡斐各望一眼，扶着曾铁鸥转身便走。向袁紫衣所望的那一眼，目光中充满了怨毒，瞧向胡斐的那一眼，却显示了感激之情。

袁紫衣毫没在意，小嘴一扁，秀眉微扬，向着使雷震挡的褚轰说道："褚大爷，你这半个掌门人，咱们还比不比划？"

到了此时，褚轰再笨也该有三分自知之明，领会得凭着自己这几手功夫，决不能是她敌手，抱拳说道："敝派雷电门由家师执掌，区区何敢自居掌门？姑娘但肯赐教，便请驾临塞北，家师定是欢迎得紧。"他这几句话不亢不卑，却把担子都推到了师父肩上。

袁紫衣"嘿嘿"一笑，左手摆了几摆，道："还有哪一位要赐教？"

殷仲翔等一齐抱拳，说道："胡大爷，再见了。"转身出外，各存满腹疑团，不知这武功如此高强的少女到底是什么路道。

胡斐亲自送到大门口，回到花园来时，忽听得半空中打了个霹雳，抬头一看，只见乌云满天，早将明月掩没。

袁紫衣道："当真是天有不测风云，人有旦夕祸福。想不到胡大哥游侠风尘，一到京师，却面团团做起富家翁来。"

听她一提起此事，不由得胡斐气往上冲，说道："袁姑娘，这宅第是那姓凤奸人的产业，我便是在这屋中多待一刻，也是玷辱了，告辞！"回头向程灵素道："二妹，咱们走！"

袁紫衣道："这三更半夜，你们却到哪里去？你不见变了天，转眼便是一场大雨么？"她刚说了这句话，黄豆般的雨点便已洒将下来。

402

胡斐怒道："便是露宿街头，也胜于在奸贼的屋檐下躲雨。"说着头也不回地往外便走。程灵素跟着走了出去。

忽听袁紫衣在背后恨恨地道："凤天南这奸人，原本是死有余辜。我恨不得亲手割他几刀！"

胡斐站定身子，回头怒道："你这时却又来说风凉话？"袁紫衣道："我心中对这凤天南的怨毒，胜你百倍！"顿了一顿，咬牙切齿地道："你只不过恨了他几个月，我却已恨了他一辈子！"说到最后这几个字时，语音竟是有些哽咽。

胡斐听她说得悲切，丝毫不似作伪，不禁大奇，问道："既是如此，我几回要杀他，何以你又三番四次地相救？"袁紫衣道："是三次！决不能有第四次。"胡斐道："不错，是三次，那又怎地？"

两人说话之际，大雨已倾盆而下，将三人身上衣服都淋得湿了。

袁紫衣道："你难道要我在大雨中细细解释？你便是不怕雨，你妹子娇怯怯的身子，难道也不怕么？"胡斐道："好，二妹，咱们进去说话。"

当下三人走到书房之中，书童点了蜡烛，送上香茗细点，退了出去。这书房陈设甚是精雅。东壁两列书架，放满了图书。西边一排长窗，茜纱窗间绿竹掩映，隐隐送来桂花香气。南边墙上挂着一幅董其昌的仕女图；一副对联，是祝枝山的行书，写着白乐天的两句诗："红蜡烛移桃叶起，紫罗衫动柘枝来。"

胡斐心中琢磨着袁紫衣那几句奇怪的言语，哪里去留心什么书画？何况他读书甚少，就算看了也是不懂。程灵素却在心中默默念了两遍，瞧了一眼桌上的红烛，又望了一眼袁紫衣身上的紫罗衫，暗想："对联上这两句话，倒似为此情此景而设。可是我混在这中间，却又算什么？"

三人默默无言，各怀心事，但听得窗外雨点打在残荷竹叶之上，淅沥有声，烛泪缓缓垂下。程灵素拿起烛台旁的小银筷，挟下烛心，室中一片寂静。

胡斐自幼飘泊江湖，如此伴着两个红妆娇女，静坐书斋，却是生平第一次。

过了良久，袁紫衣望着窗外雨点，缓缓说道：

"十九年前，也是这么一个下雨天的晚上，在广东省佛山镇，一个少妇抱着一个女娃娃，冒雨在路上奔跑。她不知道到什么地方去好，因为她已给人逼得走投无路。她的亲人，都给人害死了，她自己又受了难当的羞辱。如果不是为了怀中这个小女儿，她早就跳在河里自尽了。

"这少妇姓袁，名叫银姑。这名字很乡下气，因为她本来是个乡下姑娘。她长得很美，虽然有点黑，然而眉清目秀，又俏又丽，佛山镇上的青年子弟给她取了个外号，叫做'黑牡丹'。她家里是打渔人家，每天清早，她便挑了鱼从乡下送到佛山的鱼行里来。有一天，佛山镇的凤大财主凤天南摆酒请客，银姑挑了一担鱼送到凤府里去。这真叫做天有不测风云，人有旦夕祸福，这个鲜花一般的大姑娘偏生给凤天南瞧见了。

"姓凤的妻妾满堂，但心犹未足，强逼着玷污了她。银姑心慌意乱，鱼钱也没收，便逃回了家里。谁知便是这么一回孽缘，她就此怀了孕，她父亲问明情由，赶到凤府去理论。凤老爷反而大发脾气，叫人打了他一顿，说他胡言乱语，撒赖讹诈。银姑的爹憋了一肚气回得家来，就此一病不起，拖了几个月，终于死了。银姑的伯伯叔叔说她害死了亲生父亲，不许她戴孝，不许她向棺材磕头，还说要将她装在猪笼里，浸在河里淹死。

"银姑连夜逃到佛山镇上，挨了几个月，生下了一个小女孩。母女俩过不了日子，只好在镇上乞讨。镇上的人可怜她，有的就施舍些银米周济，背后自不免说凤老爷的闲话，说他作孽害人。只是他势力大，谁也不敢当着他面提起此事。

"镇上鱼行中有一个伙计向来和银姑很说得来，心中一直在偷偷地喜欢她，于是他托人去跟银姑说要娶她为妻，还愿意认她女儿当做自己女儿。银姑自然很高兴，两人便拜堂成亲。哪知有人讨好凤老爷，去禀告了他。

"凤老爷大怒，说道：'什么鱼行的伙计那么大胆，连我要过的女人他也敢要？'当下派了十多个徒弟到那鱼行伙计家里，将

404

正在喝喜酒的客人赶个精光,把台椅床灶捣得稀烂,还把那鱼行伙计赶出佛山镇,说从此不许他回来。"

硼的一响,胡斐伸手在桌上用力一拍,只震得烛火乱晃,喝道:"这奸贼恁地作恶多端!"

袁紫衣一眼也没望他,泪光莹莹,向着窗外,沉浸在自己所说的故事之中,轻轻叹了口气,说道:

"银姑换下了新娘衣服,抱了女儿,当即追出佛山镇去。那晚天下大雨,把母女俩全身都打湿了。她在雨中又跌又奔地走出十来里地,忽见大路上有一个人俯伏在地。她只道是个醉汉,好心要扶他起来,哪知低头一看,这人满脸血污,早已死了,竟便是那个跟她拜了堂的鱼行伙计。原来凤老爷命人候在镇外,下手害死了他。

"银姑伤心苦楚,真的不想再活了。她用手挖了个坑,埋了丈夫,当时便想往河里跳去,但怀中的女娃子却一声声哭得可怜。带着她一起跳吧,怎忍心害死亲生女儿?撇下她吧,这样一个婴儿留在大雨之中,也是死路一条。她思前想后,咬了咬牙,终于抱了女儿向前走去,说什么也得把女儿养大。"

程灵素听到这里,泪水一滴滴的流了下来,听袁紫衣住口不说了,问道:"袁姊姊,后来怎样了?"

袁紫衣取手帕抹了抹眼角,微微一笑,道:"你叫我姊姊,该当把解药给我服吧?"程灵素苍白的脸一红,低声道:"原来你早知道了。"斟过一杯清茶,随手从指甲中弹了一些淡黄色的粉末在茶里。

袁紫衣道:"妹子的心地倒好,早便在指甲中预备了解药,想神不知鬼不觉地便给我服下。"说着端过茶来,一饮而尽。程灵素道:"你中的也不是什么致命的毒药,只是要大病一场,委顿几个月,使得胡大哥去杀那凤天南时,你不能再出手相救。"袁紫衣淡淡一笑,道:"我早知中了你的毒手,只是你如何下的毒,我始终想不起来。进这屋子之后,我可没喝过一口茶,吃过半片点心。"

胡斐心头暗惊："原来袁姑娘虽然极意提防,终究还是着了二妹的道儿。"

程灵素道:"你和胡大哥在墙外相斗,我掷刀给大哥。那口刀的刀刃上有一层薄薄毒粉,你的软鞭上便沾着了,你手上也沾着了。待会得把单刀软鞭都在清水中冲洗干净。"袁紫衣和胡斐对望一眼,均想:"如此下毒,真是教人防不胜防。"

程灵素站起身来,敛衽行礼,说道:"袁姊姊,妹子跟你赔不是啦。我实不知中间有这许多原委曲折。"袁紫衣起身还礼,道:"不用客气,多蒙你手下留情,下的不是到命毒药。"两人相对一笑,各自就坐。

胡斐道:"如此说来,那凤天南便是你……你的……"

袁紫衣道:"不错,那银姑是我妈妈,凤天南便是我的亲生之父。他虽害得我娘儿俩如此惨法,但我师父言道:'人无父母,何有此身?'我拜别师父、东来中原之时,师父吩咐我说:'你父亲作恶多端,此生必遭横祸。你可救他三次性命,以了父女之情。自此你是你,他是他,不再相干。'胡大哥,在佛山镇北帝庙中我救了他一次,那晚湘妃庙中救了他一次,今晚又救了他一次。下回若再撞在我手里,我先要杀了他,给我死了的苦命妈妈报仇雪恨。"说着神色凛然,眼光中满是恨意。

程灵素道:"令堂过世了么?"袁紫衣道:"我妈妈逃出佛山镇后,一路乞食向北。她只想离开佛山越远越好,永不要再见凤老爷的面,永不再听到他的名字。在道上流落了几个月,后来到了江西省南昌府,投入了一家姓汤的府中去做女佣……"胡斐"哦"了一声,道:"江西南昌府汤家,不知和那甘霖惠七省汤大侠有干系没有?"

袁紫衣听到"甘霖惠七省汤大侠"八字,嘴边肌肉微微一动,道:"我妈便是死在汤……汤大侠府上的。我妈死后第三天,我师父便接了我去,带我到回疆,隔了一十八年,这才回来中原。"

胡斐道:"不知尊师的上下怎生称呼?袁姑娘各家各派的武功无所不会,无所不精,尊师必是一位旷世难逢的奇人。那苗大侠号称'打遍天下无敌手',也不见得有这等本事!"

袁紫衣道:"家师的名讳因未得她老人家允可,暂且不能告知,还请原谅。再说,我自己的名字也不是真的,不久胡大哥和程家妹子自会知道。至于那位苗大侠,我们在回疆也曾听到过他的名头。当时红花会的无尘道长很不服气,定要到中原来跟他较量较量,但赵半山赵三叔……"她说到"赵三叔"三字时,向胡斐抿嘴一笑,意思说:"又给你讨了便宜去啦!"续道:"赵半山知道其中原委,说苗大侠所以用这外号,并非狂妄自大,却是另有苦衷,听说他是为报父仇,故意激使辽东的一位高手前来找他。后来江湖上纷纷传言,他父仇已报,曾数次当众宣称,决不敢用这个名号,说道:'什么打遍天下无敌手,这外号儿狗屁不通。大侠胡一刀的武功,就比我高强得多了!'"

胡斐心头一凛,问道:"苗人凤当真说过这句话?"

袁紫衣道:"我自然没亲耳听到,那是赵……赵半山说的。无尘道长听了这话,雄心大起,却又要来跟那位胡一刀比划比划。后来打听不到这位胡大侠身在何方,也只得罢了。那一年赵半山来到中原,遇见了你,回到回疆后,好生称赞你英雄了得。只是那时我年纪还小,他们说什么我也不懂。这次小妹东来,文四婶便要我骑了她的白马来,她说倘若遇到'那位姓胡的少年豪杰,便把我这匹坐骑赠了与他。'"

胡斐奇道:"这位文四婶是谁?她跟我素不相识,何以赠我这等重礼?"

袁紫衣道:"说起文四婶来,当年江湖上大大有名。她便是奔雷手文泰来文四叔的娘子,姓骆名冰,人称'鸳鸯刀'的便是。她听赵半山说及你在商家堡大破铁厅之事,又听说你很喜欢这匹白马,当时便埋怨他道:'三哥,既有这等人物,你何不便将这匹马赠了与他?难道你赵三爷结交得少年英雄,我文四娘子结交不得?'"

胡斐听了,这才明白袁紫衣那日在客店中留下束帖,说什么"马归原主",原来乃是为此,心中对骆冰好生感激,暗想:"如此宝马,万金难求。这位文四娘子和我相隔万里,只凭他人片言称许，便即割爱相赠，这番隆情高义，我胡斐当真是难以为报了。"又问："赵三哥想必安好。此间事了之后，我便想赴回疆一行，一来探访赵三哥，二来前去拜见众位前辈英雄。"

袁紫衣道："那倒不用。他们都要来啦。"

胡斐一听大喜，伸手在桌上一拍，站起身来，说不出的心痒难搔。程灵素知他心意，道："我给你取酒去。"出房吩咐书童，送了七八瓶酒来。胡斐连尽两瓶，想到不久便可和众位英雄相见，豪气横生，连问："赵三哥他们何时到来？"

袁紫衣脸色郑重，说道："再隔四天，便是中秋，那是天下掌门人大会的正日。这个大会是福康安召集的。他官居兵部尚书，总管内务府大臣，执掌天下兵马大权，皇亲国戚个个该属他管，却何以要来和江湖上的豪客打交道？"

胡斐道："我也一直在琢磨此事，想来他是要网罗普天下英雄好汉，供朝廷驱使，便像是皇帝用考状元、考进士的法子来笼络读书人一般。"袁紫衣道："不错，当年唐太宗见应试举子从考场中鱼贯而出，喜道：'天下英雄，入我彀中矣。'福康安开这个大会，自也想以功名利禄来引诱天下英雄。可是他另有一件切肤之痛，却是外人所不知的。福康安曾经给赵半山、文四叔、无尘道长他们逮去过，这件事你可知道么？"

胡斐又惊又喜，仰脖子喝了一大碗酒，说道："痛快，痛快！我却没听说过，无尘道长、文四爷他们如此英雄了得，当真令人倾倒。"

袁紫衣抿嘴笑道："古人以汉书下酒，你却以英雄豪杰大快人心之事下酒。若是说起文四叔他们的作为，你便是千杯不醉，也要叫你醉卧三日。"胡斐倒了一碗酒，说道："那便请说。"

袁紫衣道："这些事儿说来话长，一时之间也说不了。大略而言，文四叔他们知道福康安很得当今皇帝乾隆的宠爱，因此上将他捉了去，胁迫皇帝重建福建少林寺，又答应不害红花会散在各省的好汉朋友，这才放了他出来。"

胡斐一拍大腿，说道："福康安自然以为是奇耻大辱。他招集天下武林各家各派的掌门人，想是要和文四爷他们再决雌雄了?"袁紫衣道:"对了! 此事你猜中了一大半。今年秋冬之交,福康安料得文四叔他们要上北京来,是以先行招集各省武林好手。他自在十年前吃了那个大苦头之后,才知他手下兵马虽多,却不足以与武林豪杰为敌。"胡斐鼓掌笑道:"你夺了这九家半掌门,原来是要先杀他一个下马威。"

袁紫衣道:"我师父和文四叔他们交情很深。但小妹这次回到中原,却是为了自己的私事。我先到广东佛山,要瞧瞧凤老爷到底是怎样一个人物,也是机缘巧合,不但救了他的性命,还探听到了天下掌门人大会的讯息。我有事未了,不能赶去回疆报讯,于是也不怕胡大哥见笑,一路从南到北,胡闹到了北京,也好让福康安知晓,他的什么劳什子掌门人大会,未必能管什么事。"

胡斐心念一动:"想是赵三哥在人前把我夸得太过了,这位姑娘不服气,以致一路上尽是跟我较量。"向袁紫衣瞪了一眼,说道:"还有,也好让赵半山他们知道,那个姓胡的少年,未必真有什么本事。"

袁紫衣格格而笑,说道:"咱们从广东较量到北京,我也没能占了你的上风。胡大哥,日后我见到赵半山时,你猜我要跟他说什么话?"胡斐摇头:"我不知道。"袁紫衣正色道:"我说:'赵三叔,你的小义弟名不虚传,果然是一位英雄好汉!'"

胡斐万万料想不到,这个一直跟自己作对为难的姑娘,竟会当面称赞起自己来,不由得满脸通红,大是发窘,心中却甚感甜美舒畅。从广东直到北京,风尘行旅,间关千里,他脑海之中无日不有袁紫衣的影子在,只是每想到这位又美丽动人又刁钻古怪的姑娘,七分欢喜之中,不免带着两分困惑,一分着恼。今夜一夕长谈,嫌隙尽去,原来中间竟有这许多原委,怎不令他在三分酒醉之中,再加上了三分心醉?

这时窗外雨声已细,一枝蜡烛也渐渐点到了尽头。胡斐又喝了一大碗酒,说道:"袁姑娘,你说有事未了,不知有用得着我的地方吗?"袁紫衣摇头道:"多谢了,我想不用请你帮忙。"她见胡斐脸上微有失望之色,又道:"若是我料理不了,自当再向你和程家妹子求救。胡大哥,再过四天,便是掌门人大会之期,咱三个到会中去扰他一个落花流水,演一出'三英大闹北京城',你说好是不好?"

胡斐豪气勃发,叫道:"妙极,妙极! 若不挑了这掌门人大会,赵三哥、文四爷、文四奶奶他们结交我这小子又有什么用?"

程灵素一直在旁听着,默不作声,这时终于插口道:"'双英闹北京',也已够了,怎地拉扯上我这个不中用的家伙?"

袁紫衣搂着她娇怯怯的肩头,说道:"程家妹子,快别这么说。你的本事胜我十倍。我只敢讨好你,不敢得罪你。"

程灵素从怀中取出那只玉凤,说道:"袁姊姊,你和我大哥之间的误会也说明白啦,这只玉凤还是你拿着。要不然,两只凤凰都给了我大哥。"

袁紫衣一怔,低声道:"要不然,两只凤凰都给了我大哥!"

程灵素说这两句话时原无别意,但觉袁紫衣品貌武功,都是头挑人才,一路上听胡斐言下之意,早已情不自禁地对她十分倾心,只是为了她数度相救凤天南,这才心存芥蒂,今日不但前嫌尽释,而且双方说来更是大有渊源,那还有什么阻碍? 但听袁紫衣将自己这句话重说了一遍,倒似是自己语带双关,有"二女共事一夫"之意,不由得红晕双颊,忙道:"不,不,我不是这个意思。"袁紫衣道:"不是什么意思?"程灵素如何能够解释,窘得几乎要掉下泪来。

袁紫衣道:"程家妹子,你在那单刀之上,为何不下致命的毒药?"程灵素目中含泪,愤然道:"我虽是毒手药王的弟子,但生平从未杀过一个人。难道我就能随随便便地害你么? 何况……何况你是他的心上人,他整天除了吃饭睡觉,念念不忘,便是在想着你。我怎会当真害你?"说到这里,泪珠儿终于夺眶而出。

袁紫衣一愕,站起身来,飞快的向胡斐掠了一眼,只见他脸上显得甚是忸怩尴尬。程灵素这一番话,突然吐露了他的心事,实是大出他意料之外,不免甚是狼狈,但目光之中,却是满含款柔情。

袁紫衣上排牙齿一咬下唇,向程灵素柔声道:"你放心! 终不能两只凤凰都给了他!"蓦地里纤手一扬,噗的一声,扇灭了烛火,穿窗而出,登高越房而去。

　　胡斐和程灵素都是一惊,奔到窗边去看时,但见宿雨初晴,银光泻地,早已不见袁紫衣的人影。

　　两人心头,都在咀嚼她临去时那一句话:"你放心,终不能两只凤凰都给了他!"

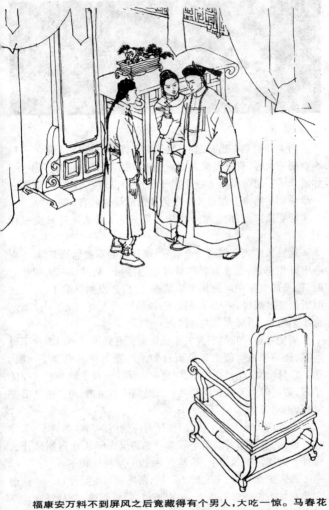

　　福康安万料不到屏风之后竟藏得有个男人，大吃一惊。马春花笑道："这位兄弟姓胡，单名一个斐字。他年纪虽轻，却是武功卓绝，你手下那些武士，没一个及得上他。"

第十五章　华拳四十八

　　两人并肩站在黑暗之中，默然良久，忽听得屋瓦上喀的一声响。胡斐大喜，只道袁紫衣去而复回，情不自禁地叫道："你……你回来了！"忽听得屋上一个男子的声音说道："胡大爷，请你借一步说话。"听声音却是那个爱剑如命的聂姓武官。

　　胡斐道："此间除我义妹外并无旁人，聂兄请进来喝一杯酒。"

　　这姓聂的武官单名一个钺字，那日胡斐不毁他的宝剑，一直心中好生感激，当袁紫衣和秦耐之、王剑英、周铁鹪三人相斗之时，他见胡斐暗中颇有偏袒袁紫衣之意，是以始终默不作声，这时听胡斐这般说，便从屋顶跃下，说道："胡大哥，你的一位旧友命小弟前来，请胡大哥大驾过去一谈。"

　　胡斐奇道："我的旧友？那是谁啊？"聂钺道："小弟奉命不得泄露，还请原谅。胡大哥见面自知。"胡斐向程灵素望了一眼，道："二妹，你在此稍待，我天明之前必回。"程灵素转身取过他的单刀，道："带兵刃么？"胡斐见聂钺腰间未系宝剑，道："既是旧友见招，不用带了。"

　　当下两人从大门出去，门外停着一辆两匹马拉的马车，车身金漆纱围，甚是华贵。胡斐寻思："难道又是凤天南这厮施什么诡计？这次再叫我撞上，纵是空手，也一掌将他毙了。"

　　两人进车坐好，车夫鞭子一扬，两匹骏马发足便行。马蹄击在北京城大街的青石板上，响声得得，静夜听来，分外清晰。京城之中，宵间本来不许行车驰马，但巡夜兵丁见到马车前的红色无字灯笼，侧身让在街边，便让车子过去了。

414

约莫行了半个时辰，马车在一堵大白粉墙前停住。聂钺先跳下车，引着胡斐走进一道小门，沿着一排鹅卵石铺的花径，走进一座花园。这园子规模好大，花木繁茂，亭阁、回廊、假山、池沼，一处处观之不尽，亭阁之间往往点着纱灯。

胡斐暗暗称奇："凤天南这厮也真神通广大，这园子不是一二百万两银子，休想买得到手。他在佛山积聚的造孽钱，当真不少。"但转念又想："只怕未必便是姓凤的奸贼。他再强也不过是广东一个土豪恶霸，怎能差遣得动聂钺这般有功名的武官？"

寻思之际，聂钺引他转过一座假山堆成的石障，过了一道木桥，走进一座水阁，阁中点着两枝红烛，桌上摆列着茶碗细点。聂钺道："贵友这便就来，小弟在门外相候。"说时转身出门。

胡斐看这阁中陈设时，但见精致雅洁，满眼富贵之气，宣武门外的那所宅第本也算得上华丽，但和这小阁相比，却又是相差不可以道里计了。西首墙上悬了一个条幅，正楷书着一篇庄子的《说剑》，下面署名的竟是当今乾隆皇帝之子成亲王。这篇文字是后人伪作，并非庄子所撰，胡斐自也不知，坐了一会儿觉得无聊，便从头默默诵读，好在文句浅显，倒能明白："昔赵文王喜剑，剑士夹门而客三千余人，日夜相击于前，死伤者岁百余人，好之不厌……"心想："福大帅召集天下掌门人大会，不知是否在学这赵文王的榜样？"待读到："……臣之剑，十步杀一人，千里不留行。王大说之曰：天下无敌矣。庄子曰：夫为剑者示之以虚，开之以利，后之以发，先之以至……"他心道："庄子自称能十步杀一人，千里不留行，那自是天下无敌了，看来这庄子是在吹牛。至于'示虚开利，后发先至'那几句话，确是武学中的精义，不但剑术是这样，刀法拳法又何尝不是？"

忽听得背后脚步之声细碎，隐隐香风扑鼻，他回过身来，见是一个美貌少妇，身穿淡绿纱衫，含笑而立，正是马春花。

胡斐恍然大悟："原来这里是福康安的府第，我怎会想不到？"只见马春花上前道个万福，笑道："胡兄弟，想不到咱们又在京中相见，请坐请坐。"说着亲手捧茶，从果盒中拿了几件细点，放在他的身前，又道："我听说胡兄弟到了北京，好生想念，急着要见见你，要多谢你那一番相护的恩德。"

胡斐见她发边插着一朵小小白绒花，算是给徐铮戴孝，但衣饰华贵，神色间喜溢眉梢，哪里是新丧丈夫的寡妇模样？于是淡淡地道："其实都是小弟多事，早知是福大帅派人来相迎徐大嫂，也用不着在石屋中这么一番担惊了。"

马春花听他口称"徐大嫂"，脸上微微一红，道："不管怎么，胡兄弟义气深重，我总是十分感激的。奶妈，奶妈，带公子爷出来。"

东首门中应声进来两个仆妇，携着两个孩儿。两孩向马春花叫了声："妈！"靠在她的身旁。两个孩儿面貌一模一样，本就玉雪可爱，这一衣锦着缎，挂珠戴玉，更加显得娇贵了。马春花笑道："你们还认得胡叔叔么？胡叔叔在道上一直帮着咱们，快向胡叔叔磕头啊。"二孩上前拜倒，叫了声："胡叔叔！"

胡斐伸手扶起，心想："今日你们还叫我一声叔叔，过不多时，你们便是威风赫赫的皇亲国戚，哪里还认得我这草莽之士？"

马春花道："胡兄弟，我有一事相求，不知你能答么？"胡斐道："大嫂，当日在商家堡中，小弟被商宝震吊打，蒙你出力相救，此恩小弟深记心中，终不敢忘。日前在石屋中小弟替你抗拒群盗，虽则是多管闲事，瞎起忙头，不免叫人好笑，但在小弟心中，总算是报答了你昔日的一番恩德。今日若知是你见招，小弟原也不会到来。从今而后，咱们贵贱有别，再也没什么相干了。"这一番话侃侃而言，显是对她颇为不满。

马春花叹道："胡兄弟，我虽然不好，却也不是趋炎附势之人。所谓'一见钟情'，总是前生的孽缘……"她越说声音越低，慢慢低下了头去。

胡斐听她说到"一见钟情"四字，触动了自己的心事，登时对她不满之情大减，说道："你要我做什么事？其实，福大帅还有什么事不能办到，你却来求我？"马春花道："我是为这两个孩儿求你，请你收了他们为徒，传他们一点武艺。"胡斐哈哈一笑，道："两位公子爷尊荣富贵，又何必学什么武艺？"马春花道："强身健体，那也是好的。"

正说到此处，忽听得阁外一个男人声音说道："春妹，这当儿还没睡么？"马春花脸色微变，向门边的一座屏风指了指，胡斐当即隐身在屏风之后。只听得靴声橐橐，一人走了进来。

马春花道："怎么你自己还不睡？不去陪伴夫人，却到这里做什么？"那人伸手握住了她手，笑道："皇上召见商议军务，到这时方退。你怪我今晚来得太迟了么？"

胡斐一听，便知这是福康安了，心想自己躲在这里，好不尴尬，他二人的情话势必传入耳中，欲不听而不可得，何况眼前情势似是来和马春花私相幽会，若是给他发觉，于马春花和自己都大大不妥，察看周围情势，欲谋脱身之计。

忽听得马春花道："康哥，我给你引见一个人。这人你也曾见过，只是想必早已忘了。"跟着提高声音叫道："胡兄弟，你来见过福大帅。"

胡斐只得转了出来，向福康安一揖。福康安万料不到屏风之后竟藏得有个男人，大吃一惊，道："这……这……"

马春花笑道："这位兄弟姓胡，单名一个斐字，他年纪虽轻，却是武功卓绝，你手下那些武士，没一个及得上他。这次你派人接我来京时，这位胡兄弟帮了我不少忙，因此我请了他来。你怎生重重酬谢他啊？"

福康安脸上变色，听她说完，这才宁定，道："嗯，那是该谢的，那是该谢的。"左手向胡斐一挥道："你先出去吧，过几日我自会传见。"语气之间，微现不悦，若不是碍着马春花的面子，早已直斥他擅闯府第、见面不跪的无礼了。马春花道："胡兄弟……"

胡斐憋了一肚子气，转身便出，心想："好没来由，半夜三更的来受这番羞辱。"聂钺在阁门外相候，伸了伸舌头，低声道："福大帅刚才进去，见着了么？"胡斐道："马姑娘给我引见了，说要福大帅酬谢我什么。"聂钺喜道："只须得马姑娘一言，福大帅岂有不另眼相看的？日后小弟追随胡大哥之后，那真是再好不过。"他佩服胡斐武功和为人，这几句话倒是衷心之言。

当下两人从原路出去，来到一座荷花池之旁，离大门已近，忽听得脚步声响，有几人快步追了上来，叫道："胡大爷请留步。"

417

胡斐愕然停步，见是四名武官，当先一人手中捧着一只锦盒。那人道："马姑娘有几件礼物赠给胡大爷，请你赐收。"胡斐正没好气，说道："小人无功不受禄，不敢拜领。"那人道："马姑娘一番盛意，胡大爷不必客气。"胡斐道："请你转告马姑娘，便说她的隆情厚意，姓胡的心领了。"说着转身便走。

那武官赶上前来，神色甚是焦急，道："胡大爷，你若必不肯受，马姑娘定要怪罪小人。聂大哥，你……你便劝劝胡大爷。我实在是奉命差遣……"胡斐心道："瞧你步履矫捷，身法稳凝，也是一把好手，何苦为了功名利禄，却去做人家低三下四的奴才。"

聂钺接过锦盒，只觉盒子甚是沉重，想来所盛礼品必是贵重之物。那武官赔笑道："请胡大爷打开瞧瞧，就是只收一件，小人也感恩不浅。"聂钺道："胡大哥，这位兄弟所言也是实情，倘若马姑娘因此怪责，这位兄弟的前程就此毁了。你就胡乱收受一件，也好让他有个交代。"

胡斐心道："冲着你的面子，我便收一件拿去周济穷人也是好的。"于是伸手揭开锦盒之盖，只见盒里一张红缎包着四四方方的一块东西，缎子的四角折拢来打了两个结。胡斐皱着眉头，道："那是什么？"那武官道："小人不知。"胡斐心想："这礼物不知是否是整块的？"伸手便去解那缎子的结。

刚解开了一个结，突然间盒盖一弹，啪的一响，盒盖猛地合拢，将他双手牢牢挟住，霎时间但觉剧痛彻骨，腕骨几乎折断，原来这盒子竟是精钢所铸，中间藏着极精巧极强力的机括，盒外包以锦缎，是以瞧不出来。

盒盖一合上，登时越收越紧，胡斐急忙气运双腕与抗，若是他内力稍差，只怕双腕已断，饶是如此，一口气也是丝毫松懈不得。四个武官见他中计，立时拔出匕首，二前二后，抵在他的前胸后背。

聂钺惊得呆了，忙道："干……干什么？"那领头的武官道："福大帅有令，捕拿刁徒胡斐。"聂钺道："胡大爷是马姑娘请来的客人，怎能如此相待？"那武官冷笑道："聂大哥，你便问福大帅去。咱们当差的怎知道这许多？"

聂钺一怔,道:"胡大哥你放心,其中必有误会。我便去报知马姑娘,她定能设法救你。"那武官喝道:"站住!福大帅密令,决不能泄漏风声,让马姑娘知道。你有几颗脑袋?"聂钺满头都是黄豆大的汗珠,心想:"这盒子是我亲手递给胡大哥的,我岂不是成了奸诈小人?但福大帅既有密令,又怎能抗命?"

那武官将匕首轻轻往前一送,刀尖割破胡斐衣服,刺到肌肤,喝道:"快走吧!"

那钢盒是西洋巧手匠人所制,弹簧机括极是霸道,上下盒边的锦缎一破,便露出锋利的刃口,原来盒盖的两边,竟是两把利刃。

聂钺见胡斐手腕上鲜血迸流,即将伤到筋骨,心想:"胡大哥便是犯了弥天大罪,也不能以此卑鄙手段对付。"他对胡斐一直敬仰,这时见此惨状,又自愧祸出于己,突然伸手抓住钢盒,手指插入盒缝,用力一扳,盒盖张开,胡斐双手得自由。

便在此时,那为首武官一匕首刺了过去。聂钺的武功本在此人之上,只是双手尚在钢盒之中,竟然无法闪避,"啊"的一声惨呼,匕首入胸,立时毙命。

在这电光石火般的一瞬之间,胡斐吐一口气,胸背间登时缩入数寸,立即纵身而起,三柄匕首直刺下来,两柄落空,另一柄却在他右腿上划了一道血痕。胡斐双足齐飞,此时性命在呼吸之间,哪里还能容情?右足足尖前踢,左足足跟后撞,人在半空之中,已将两名武官踢毙。

刺死聂钺的那武官不等胡斐落地,一招"荆轲献图",径向胡斐小腹上刺来,这一下势挟劲风,甚是凌厉。胡斐左足自后翻上,腾的一下,踹在他的胸口。那武官扑通一声,跌入了荷池,十余根肋骨齐断,眼见是不活的了。

另一名武官见势头不好,"啊哟"一声,转头便走。胡斐纵身过去,夹颈提将起来,一掌便要往他天灵盖击落,月光下只见他眼中满是哀求之色,心肠一软:"他和我无冤无仇,不过是受福康安的差遣,何必伤他性命。"

当下提着他走到假山之后,低声喝问:"福康安何以要拿我?"那武官道:"实……实在不知道。"胡斐道:"这时他在哪里?"那武官道:"福大帅……福大帅从马姑娘的阁子中出来,嘱咐了我们,又……又回进去了。"胡斐伸手点了他的哑穴,说道:"命便饶你,明日有人问起,你便说这姓聂的也是我杀的。倘若你走漏消息,他家小有甚风吹草动,我将你全家杀得干干净净。"那武官说不出话,只是点头。

胡斐抱过聂钺的尸身,藏在假山窟里,跪下拜了四拜,再将其余两具尸身踢在草丛之中,然后撕下衣襟,裹了两腕的伤口,腿上的刀伤虽不厉害,口子却长,这时忍不住怒火填膺,拾起一把匕首,便往水阁而来。

胡斐知道福康安府中卫士必众,不敢稍有轻忽,在大树、假山、花丛之后瞧清楚前面无人,这才闪身而前。将近水阁的桥边,只见两盏灯笼前导,八名卫士引着福康安过来。幸好花园中极富丘壑之胜,到处都可藏身,胡斐身子一缩,隐在一株石笋之后,只听福康安道:"你去审问那姓胡的刁徒,细细问他跟马姑娘怎生相识,是什么交情,半夜里到我府中,是为了什么。这件事不许泄漏半点风声。审问明白之后,速来回报。至于那刁徒呢,嗯,乘着今晚便毙了他,此事以后不可再提。"

他身后一人连声答应,道:"小人理会得。"福康安又道:"若是马姑娘问起,便说我送了他三千两银子,遣他回家里去了。"那人又道:"是,是!"胡斐越听越怒,心想原来福康安只不过疑心我和马姑娘有甚私情,竟然便下毒手,终于害了聂钺的性命。

这时候胡斐若是纵将出去,立时便可将福康安毙于匕首之下,但他心中虽怒,行事却不莽撞,自忖初到京师,诸事未明,而福康安手掌天下兵马大权,声威赫赫,究是不敢贸然便出手行刺,于是伏在石笋之后,待福康安一行去远。

那受命去拷问胡斐之人口中轻轻哼着小曲,施施然地过来。胡斐探身长臂,陡地在他胁下一点。那人也没瞧清敌人是谁,身子一软,扑地倒了。胡斐再在他两处膝弯里点了穴道,然后快步向福康安跟去,远远听得他说道:"这深更半夜的,老太太叫我有什么事?是谁跟她老人家在一起?"一名侍从道:"公主今日进宫,回府后一直和老太太在一起。"福康安"嗯"了一声,不再言语。

胡斐跟着他穿庭绕廊,见他进了一间青松环绕的屋子。众侍从远远地守在屋外。胡斐绕到屋后,钻过树丛,只见北边窗中透出灯光。他悄悄走到窗下,见窗子是绿色细纱所糊,心念一动,悄没声地折了一条松枝,挡在面前,然后隔着松针从窗纱中向屋内望去。

只见屋内居中坐着两个三十来岁的贵妇,下首坐着一个六十来岁的老妇。那老妇的左侧,又坐着两个妇人。五个女子都是满身纱罗绸缎,珠光宝气。福康安先屈膝向中间两个贵妇请安,再向老妇请安,叫了声:"娘!"另外两个妇人见他进来,早便站起。

原来福康安的父亲傅恒,是当今乾隆之后孝贤皇后的亲弟。傅恒的妻子是满洲出名的美人,入宫朝见之时给乾隆看中了,两人有了私情,生下的孩子便是福康安。傅恒由于姊姊、妻子、儿子三重关系,深得乾隆的宠幸,出将入相,一共做了二十三年的太平宰相,此时已经逝世。

傅恒共有四子。长子福灵安,封多罗额驸,曾随兆惠出征回疆有功,升为正白旗满洲副都统,已死。次子福隆安,封和硕额驸,做过兵部尚书和工部尚书,封公爵。第三子便是福康安。他两个哥哥都做驸马,他最得乾隆恩遇,反而不尚公主,不知内情的人便引以为奇,其实他是乾隆的亲生骨肉,怎能再做皇帝的女婿?这时他身任兵部尚书,总管内务府大臣,加太子太保衔。傅恒第四子福长安任户部尚书,后来封到侯爵。当时满门富贵极品,举朝莫及。

屋内居中而坐的贵妇便是福康安的两个公主嫂嫂。二嫂和嘉公主能说会道,善伺人意,是乾隆的第四女,自幼便极得乾隆的宠爱,没隔数日,乾隆便要招她进宫,说话解闷。她和福康安实虽兄妹,名属君臣,因此福康安见了她也须请安行礼。其余两个妇人一个是福康安的妻子海兰氏,一个是福长安的妻子。

福康安在西首的椅上坐下，说道："两位公主和娘这么夜深了，怎地还不安息？"老夫人道："两位公主听说你有了孩儿，喜欢得了不得，急着要见见。"福康安向海兰氏望了一眼，微微一笑，说道："那女子是汉人，还没学会礼仪，因此没敢让她来叩见公主和娘。"

和嘉公主笑道："康老三看中的，那还差得了么？我们也不要见那女子，你快叫人领那两个孩儿来瞧瞧。父皇说，过几日叫嫂子带了进宫朝见呢。"

福康安暗自得意，心想这两个粉妆玉琢的孩儿，皇上见了定然喜爱，于是命丫鬟出去吩咐侍从，立即抱两位小公子来见。

和嘉公主又道："今儿我进宫去，母后说康老三做事鬼鬼祟祟，在外边生下了孩儿，几年也不去找回来，把大家瞒得好紧，小心父皇剥你的皮。"福康安笑道："这两个孩儿的事，也是直到上个月才知道的。"

说了一会子话，两名奶妈抱了那对双生孩儿进来。福康安命弟兄俩向公主、老太太、太太、婶婶磕头。两个孩儿很是听话，虽然睡眼惺忪，还是依言行礼。

众人见这对孩子的模样儿长得竟无半点分别，一般的圆圆脸蛋，眉目清秀，和嘉公主拍手笑道："康老三，这对孩儿跟你是一个印模子里出来的。你便是想赖了不认帐，可也赖不掉。"海兰氏对这件事本来心中不悦，但见这对双生孩儿实在可爱，忍不住搂在怀里，着实亲热。老夫人和公主们各有见面礼品。两个奶妈扶着孩儿，不住地磕头谢赏。

两位公主和海兰氏等谈了一会子话，一齐退出。老夫人和福康安带领双生孩儿送公主出门，回来又自坐下。

老夫人叫过身后的丫鬟，说道："你去跟那马姑娘说，老太太很喜欢这对孩儿，今晚便留他们伴老太太睡，叫马姑娘不用等他两兄弟啦。"那丫鬟答应了。老夫人拉开桌边的抽屉，取出一把镶满了宝石的金壶，放在桌上，说道："拿这壶参汤去赏给马姑娘，说老太太一定好好照看她的孩子，叫他放心！"福康安手中正捧着一碗茶，一听此言，脸色大变，双手一颤，一大片茶水泼了出来,溅在袍上,怔怔地拿着茶碗良久不语。只见那丫鬟捧了金壶,放在一只金漆提盒之中,提着去了。

这时两个孩儿倦得要睡,不住口的叫:"妈妈,妈妈,要妈妈。"老夫人道:"好孩子别吵,乖乖地跟着奶奶。奶奶给糖糖糕糕吃。"两个孩儿哭叫:"不要糖糖糕糕!不要奶奶!要妈妈!"老夫人脸一沉,挥手命奶妈将孩子带了下去,又使个眼色,众丫鬟也都退出,屋内只剩下福康安母子二人。

隔了好一会,母子俩始终没交谈半句,老夫人凝望儿子。福康安却望着别处,不敢和母亲的目光相接。

过了良久,福康安叹了口长气,说道:"娘,你为什么容不得她?"老夫人道:"那还用问么,这女子是汉人,居心便就叵测。何况又是镖局子出身,使刀抢枪,一身的武功。咱们府中有两位公主,怎能和这样的人共居?十年前皇上身历大险,也便是为了一个异族的美女,难道你便忘了?让这种毒蛇一般的女子处在肘腋之间,咱们都要寝食不安。"

福康安道:"娘的话自然不错。孩儿初时也没想要接她进府,只是派人去瞧瞧,送些银两。哪知她竟生下了两个儿子,这是孩儿的亲骨血,那便又不同了。"

老夫人点头道:"你年近四旬,尚无所出,有这两个孩子自然很好。咱们好好抚养两个孩儿长大,日后他们封侯袭爵,一生荣华富贵,他们的母亲也可安心了。"

福康安沉吟半响,低声道:"孩儿之意,将那女子送往边郡远地,从此不再见面,那也是了,想不到母亲……"老夫人脸色一沉,说道:"枉为你身居高官,连这中间的利害也没想到?她的亲生孩儿在咱们府中,她岂有不生事端的?这种江湖女子把心一横,什么事也做得出来。"福康安点了点头。老夫人道:"你命人将她厚于葬殓,也算是尽了一番心意……"福康安又点了点头,应道:"是!"

胡斐在窗外越听越是心惊,初时尚不明他母子二人话中之意,待听到"厚于葬殓"四字,这一惊当真是非同小可,心道:"原

423

来他二人怎地歹毒,定下阴谋毒计,夺了孩子,竟然还要谋死马姑娘。此事十分紧急,片刻延挨不得,乘着他二人毒计尚未发动,须得立即去告知马姑娘,连夜救她出府。"当下悄悄走出,循原路回向水阁,幸喜夜静人定,园中无人行走,杀死点倒的卫士也尚未给人发觉。胡斐心中焦急,走得极快,心中却自踌躇:"马姑娘对这福康安一见钟情,他二人久别重逢,正自情热,怎肯听了我这一番话,便此逃出府去?要怎生说得她相信才好?"

心中计较未定,已到水阁之前,但见门外已多了四名卫士,心想:"哼,他们已先伏下了人,怕她逃走!"当下不敢惊动,绕到阁后,轻身一纵,跃过水阁外的一片池水,只见阁中灯火兀自未熄,凑眼过去往缝中一望,不由得呆了。

只见马春花倒在地下,抱着肚子不住呻吟,头发散乱,脸上已全无血色,服侍她的丫鬟仆妇却一个也不在身边。

胡斐见了这情景,登时醒悟:"啊哟,不好!终究还是来迟了一步。"急忙推窗而入,俯身看时,只见她气喘甚急,脸色铁青,眼睛通红,如要滴出血来。

马春花见胡斐过来,断断续续地道:"我……我……肚子痛……胡兄弟……你……"说到一个"你"字,再也无力说下去。胡斐在她耳边低声道:"刚才你吃了什么东西?"马春花眼望茶几上的一把镶满了红蓝宝石的金壶,却说不出话。

胡斐认得这把金壶,正是福康安的母亲装了参汤,命丫鬟给她喝的,心道:"这老妇人心计好毒,她要害死马姑娘,却要留下那两个孩子,是以先将孩子叫去,这才送参汤来。否则马姑娘拿到参汤,知是极滋补的物品,定会给儿子喝上几口。"又想:"嗯,福康安一见送出参汤,脸色立变,茶水泼在衣襟之上,他当时显然已知参汤之中下了毒,居然并不设法阻止,事后又不来救。他虽非亲手下毒,却也和亲手下毒一般无异。"不禁喃喃地道:"好毒辣的心肠!"

马春花挣扎着道:"你你……快去报知……福大帅,请大夫,请大夫瞧瞧……"胡斐心道:"要福大帅请大夫,只有再请你多吃些毒药。眼下只有要二妹设法解救。"于是揭起一块椅披,将那

424

盛过参汤的金壶包了，揣在怀中，听水阁外并无动静，抱起马春花，轻轻从窗中跳了出去。

马春花吃了一惊，叫道："胡……"胡斐忙伸手按住她嘴，低声道："别做声，我带你去看医生。"马春花道："我的孩子……"

胡斐不及细说，抱着她跃过池塘，正要觅路奔出，忽听得身后衣襟带风，两个人奔了过来，喝道："什么人？"胡斐向前疾奔，那两人也提气急追。

胡斐跑得甚快，突然间收住脚步。那两人没料到他会忽地停步，一冲便过了他的身前。胡斐窜起半空，双腿齐飞，两只脚足尖同时分别踢中两人背心"神堂穴"。两人哼都没哼一声，扑地便倒。看这两人身上的服色，正是守在水阁外的府中卫士。

胡斐心想这么一来，形迹已露，顾不到再行掩饰行藏，向府门外直冲出去。但听得府中传呼之声此伏彼起，众卫士大叫："有刺客，有刺客！"

他进来之时沿路留心，认明途径，当下仍从鹅卵石的花径奔向小门，翻过粉墙，那辆马车倒仍是候在门外。他将马春花放入车中，喝道："回去。"那车夫已听到府中吵嚷，见胡斐神色有异，待要问个明白，胡斐砰的一掌，将他从座位上击了下来。

便在此时，府中已有四五名卫士追到，胡斐提起缰绳，得儿一声，赶车便跑，几名卫士追了十余丈没追上，纷纷叫道："带马，带马。"

胡斐催马疾驰，奔出里许，但听得蹄声急促，二十余骑马先后追来。追兵骑的都是好马，越追越近。胡斐暗暗焦急："这是天子脚底下的京城，可不比寻常，再一闹便有巡城兵马出动围捕，就算我能脱身，马姑娘却又如何能救？"

黑暗之中，见追来的人手中都拿着火把，车中马春花初时尚有呻吟之声，这时却已没了声息，胡斐好生记挂，问道："马姑娘，肚痛好些了么？"连问数声，马春花都没回答。一回头，只见火炬照耀，追兵又近了些。忽听得嗖的一声响，有人掷了一枚飞蝗石过来，要打他后心。胡斐左手一抄接住，回手掷去，但听得一人"啊哟"一声呼叫，摔下马来。

这一下倒将胡斐提醒了,最好是发暗器以退追兵,可是身边没携带暗器,追来的福府卫士又学了乖,不再发射暗器。他好生焦急:"回到宣武门外路程尚远,半夜里一干人如此大呼小叫,如何不惊动官兵?"情急智生,忽然想起怀中的金壶,伸手隔着椅披使劲连揿数下,金壶上镶嵌的宝石登时跌落了八九块,他将宝石取在手中,火把照耀下瞧得分明,右手连扬,宝石一颗颗飞出,八颗宝石打中了五名卫士,宝石虽小,胡斐的手劲却大,打中头脸眼目,疼痛非常。这么一来,众卫士便不敢太过逼近。

胡斐透了一口长气,伸手到车中一探马春花的鼻息,幸喜尚有呼吸,只听得她低声呻吟一声,脸颊上却是甚为冰冷,眼见离住所已不在远,当下挥鞭连催,驰到一条岔路之上。住所在东,他却将马车赶着向西,转过一个弯,立时回身抱起马春花,挥马鞭连抽数鞭,身子离车纵起,伏在一间屋子顶上。只见马车向西直驰,众卫士追了下去。

胡斐待众人走远,这才从屋顶回入宅中,刚越过围墙,只听程灵素道:"大哥,你回来了!有人追你么?"胡斐道:"马姑娘中了剧毒,快给瞧瞧。"他抱着马春花,抢先进了厅中。

程灵素点起蜡烛,见马春花脸上灰扑扑的全无血色,再捏了捏她的手指,见陷下之后不再弹起,轻轻摇了摇头,问道:"中的什么毒?"胡斐从怀中取出金壶,道:"在参汤里下的毒。这是盛参汤的壶。"程灵素揭开壶盖,嗅了几下,说道:"好厉害,是鹤顶红。"

胡斐道:"能救不能?"程灵素不答,探了探马春花的心跳,说道:"若不是大富大贵之家,也不能有这般珍贵的金壶。"胡斐恨恨地道:"不错,下毒的是宰相夫人,兵部尚书的母亲。"程灵素道:"啊,我们这一行人中,竟出了如此富贵的人物。"

胡斐见她不动声色,似乎马春花中毒虽深,尚有可救,心下稍宽。程灵素翻开马春花的眼皮瞧了瞧,突然低声"啊"的一声。胡斐忙问:"怎么?"程灵素道:"参汤中除了鹤顶红,还有番木鳖。"胡斐不敢问"还有救没有?"却问:"怎生救法?"

程灵素皱眉道："两样毒药夹攻，这一来便大费手脚。"返身入室，从药箱中取出两颗白色药丸，给马春花服下，说道："须得找个清静的密室，用金针刺她十三处穴道，解药从穴道中送入体内，若能马上施针，定可解救。只是十二个时辰之内，不得移动她身子。"

胡斐道："福康安的卫士转眼便会寻来，不能在这里用针。咱们得去乡下找个荒僻所在。"程灵素道："那便得赶快动身，那两粒药丸只能延得她一个时辰的性命。"说着叹了口气，又道："我这位同行宰相夫人的心肠虽毒，下毒的手段却低。这两样毒药混用，又和在汤药之中，毒性发作便慢了，若是单用一样，马姑娘这时哪里还有命在？"胡斐匆匆忙忙地收拾物件，说道："当今之世，还有谁能胜得过咱们药王姑娘的神技？"

程灵素微微一笑，正要回答，忽听得马蹄声自远而近，奔到了宅外。胡斐抽出单刀，说道："说不得，只好厮杀一场。"心中暗自焦急："敌人定然愈杀愈多，危急中我只能顾了二妹，可救不了马姑娘。"

程灵素道："京师之中，只怕动不得蛮。大哥，你把桌子椅子堆得高高的搭一个高台。"胡斐不明其意，但想她智计多端，这时情势急迫，不及细问，于是依言将桌子椅子都叠了起来。

程灵素指着窗外那株大树道："你带马姑娘上树去。"胡斐还刀入鞘，抱着马春花，走到窗树下，纵身跃上树干，将马春花藏在枝叶掩映的暗处。

但听得脚步声响，数名卫士越墙而入，渐渐走近，又听得那姓全的管家出去查问，众卫士厉声呼叱。

程灵素吹熄烛火，另行取出一枚蜡烛，点燃了插在烛台之上，关上了窗子，这才带上门走出，在地下拾了一块石块，跃上树干，坐在胡斐身旁。胡斐低声道："共有十七个！"程灵素道："药力够用！"

只听得众卫士四下搜查，其中有一人的口音正是殷仲翔。众卫士忌惮胡斐了得，又道袁紫衣仍在宅中，不敢到处乱闯，也不敢落单，三个一群、四个一队地搜来。

程灵素将石块递给胡斐,低声道:"将桌椅打下来!"胡斐笑道:"妙计!"石块飞入,击中中间的一张桌子上。那桌椅堆成的高台登时倒塌,砰嘭之声,响成一片。

众卫士叫道:"在这里,在这里!"大伙倚仗人多,争先恐后地一拥入厅,只见厅上桌椅乱成一团,便似有人曾经在此激烈斗殴,但不见半个人影。众人正错愕间,突然头脑晕眩,立足不定,一齐摔倒。胡斐道:"七心海棠,又奏奇功!"

程灵素悄步入厅,吹灭烛火,将蜡烛收入怀中,向胡斐招手道:"快走吧!"胡斐负起马春花,越墙而出,只转出一个胡同,不由得叫一声苦,但见前面街头灯笼火把照耀如同白昼,一队官兵正在巡查。

胡斐忙折向南行,走不到半里,又见一队官兵迎面巡来。他心想:"福大帅府有刺客之事,想已传遍九城,这时到处巡查严密,要混到郊外荒僻的处所,倒是着实不易。"但听得背后人声喧哗,又是一队官兵巡来。

胡斐见前后有敌,无地可退,向程灵素打个手势,纵身越墙,翻进身旁的一所大宅子。程灵素跟着跳了进去。

落脚处甚是柔软,却是一片草地,眼前灯火明亮,人头汹涌。两人都吃了一惊:"料不到这里也有官兵。"听得墙外脚步声响,两队官兵聚在一起,在势已不能再跃出墙去,只见左首有座假山,假山前花丛遮掩,胡斐负着马春花抢了过去,往假山后一躲。

突然间假山后一人长身站起,白光闪动,一柄匕首当胸扎到。

胡斐万料不到这假山后面竟有敌人埋伏,如此悄没声地猛施袭击,仓促之间只得摔下背上的马春花,伸左手往敌人肘底一托,右手便即递拳。这人手脚竟是十分了得,回肘斜避,匕首横扎,左手施出擒拿手法,反勾胡斐的手腕,化解了他这一拳。最奇的是他脸上蒙了一块黄巾,始终一言不发。

胡斐心想:"你不出声,那是最妙不过。"耳听得官兵便在墙外,他只须张口一呼,那便大事不妙。

两个人近身肉搏,各施杀手。胡斐瞧出他的武功是长拳一路,出招既狠且猛,武功造诣竟不在秦耐之、周铁鹪一流之下,何况手中多了兵刃,更占便宜。直拆到第九招上,胡斐才欺进他怀中,伸指点了他胸口的"鸠尾穴"。那人极是悍勇,虽然穴道被点,仍飞右足来踢,胡斐又伸指点了他足胫的"中都穴",这才摔倒在地,动弹不得。

程灵素碰了碰胡斐的肩头,向灯光处一指,低声道:"像是在做戏。"胡斐抬头看去,但见空旷处搭了老大一个戏台,台下一排排的坐满了人,灯光辉煌,台上的戏子却尚未出场。其时正当乾隆鼎盛之世,北京城中官宦人家有什么喜庆宴会,往往接连唱戏数日,通宵达旦,亦非异事。

胡斐吁了口气,拉下那汉子脸上蒙着的黄巾,隐约可见他面目粗豪,四十来岁年纪,低声道:"这汉子想是乘着人家有喜事,抽空子偷鸡摸狗来着,所以一声也不敢出。"程灵素点了点头,悄声道:"只怕不是小贼。"胡斐微笑道:"京师之中,连小贼也这般了得。"心中暗自嘀咕:"瞧这人身手,决非寻常的鼠窃狗盗,若不是存心做一件大案,便是来寻仇杀人,也是他活该倒霉,却给我无意之间擒住了。"程灵素低声道:"咱们不如便在这大户人家寻一处空僻柴房或是阁楼,躲他十二个时辰。"胡斐道:"我看也只有如此。外边查得这般紧,如何能够出去?"

便在此时,戏台上门帘一掀,走出一个人来。那人穿着寻常的葛纱大褂,也没勾脸,走到台口一站,抱拳施礼,朗声说道:"各位师伯师叔、师兄弟姊妹请了!"胡斐听他说话声音洪亮,瞧这神情,似乎不是唱戏。又听他道:"此刻天将黎明,转眼又是一日,再过三天,便是天下掌门人大会的会期。可是咱们西岳华拳门,直到此刻,还是没推出掌门人来。这一件事可实在不能再拖。如何办理,请各支派的前辈们示下。"

台下人丛中站起一个身穿黑色马褂的老者,咳嗽了几声,说道:"华拳四十八,艺成行天涯。咱们西岳华拳门三百年来,一直分为艺字、成字、行字、天字、涯字五个支派,已有三百年没总掌门了。虽说五派都是好生兴旺,但师兄弟们总是各存门户之见,人人都说:'我是艺字派的,我是成字派的。'从不说我是西岳华拳门的。没想到别派的武师们,却从不理会你是艺字派还是成字派,总当咱们是西岳华拳门的门下。咱们这一门人数众多,打从老祖宗手上传下来的玩艺儿也真不含糊,可是干么远远不及少林、武当、太极、八卦这些门派名声响亮呢? 还不是因为咱们分成了五个支派,力分则弱,那有什么说的。"

那老者满口都是陕北的土腔,说到这里,咳嗽几声,叹了一口长声,又道:"若不是福大帅召开这个天下掌门人大会,咱们西岳华拳门不知要到哪一年哪一月,才有掌门人出来呢。幸好有这件盛举,总算把这位掌门人给逼出来了。我老朽今日要说一句话:咱们推举这位掌门人,不单是要他到大会之中给西岳华拳门争光,还要他将本门好好整顿一番。从此五支归宗,大伙儿齐心合力,使得华拳门在武林中抖一抖威风,吐一吐豪气。"台下众人齐声喝彩,更有许多人劈劈啪啪地鼓起掌来。

胡斐心想:"原来是西岳华拳门在这里聚会。"他张目四望,想要找个隐僻的所在,但各处通道均在灯火照耀之下,园中聚着的总有二百来人,只要一出去,定会给人发现,低声道:"只盼他们快些举了掌门人出来,西岳华拳也好,东岳泰拳也好,越早散场越好。"

只听得台上那人说道:"蔡师伯的话,句句是金石良言。晚辈忝为艺字派之长,胆敢代本派的全体师兄弟们说一句,待会推举了掌门人出来,我们艺字派全心全意听从掌门人的言语。他老人家说什么便是什么,艺字派决无一句异言。"台下一人高声叫道:"好!"声音拖得长长的,便如台上的人唱了一句好戏,台下看客叫好一般,其中讥嘲之意,却也甚是明显。

台上那人微微一笑,说道:"其余各派怎么说?"只见台下一个个人站起,说道:"咱们成字派决不敢违背掌门人的话。""他老人家吩咐什么,咱们行字派一定照办。""天字派遵从号令,不敢有违。""涯字派是小弟弟,大哥哥们带头干,小弟弟决不能有第二句话。"

台上那人道:"好! 各支派齐心一致,那真是再好也没有了。"

430

眼下各支派的支长，各位前辈师伯师叔，都已到齐，只有天字派姬师伯没来。他老人家捎了信来，说派他令郎姬师兄赴会。但等到此刻，姬师兄还是没到。这位师兄行事来神出鬼没，说不定这当儿早已到了，也不知躲在什么地方……"说到这里，台上台下一齐笑了起来。

胡斐俯到那汉子耳边，低声道："你姓姬，是不是？"那汉子点了点头，眼中充满了迷惘之色，实不知这一男二女是什么路道。

台上那人说道："姬师兄一人没到，咱们足足等了他一天半夜，总也对得住了，日后姬师伯也不能怪责咱们。现下要请各位前辈师伯师叔们指点，本门这位掌门人是如何推法。"

众人等了一晚，为的便是要瞧这一出推举掌门人的好戏，听到这里，都是兴高采烈，台下各人也不依次序，纷纷叫嚷："凭功夫比试啊！""谁也不服谁，不凭拳脚器械，那凭什么？""真刀真脚，打得人人心服，自然是掌门人了。"

那姓蔡的老者站起身来，咳嗽一声，朗声道："本来嘛，掌门人凭德不凭力，后生小子玩艺儿再高明，也不能越过德高望重的前辈去。"他顿了一顿，眼光向众人一扫，又道："可是这一次情形不同啦。在天下掌门人大会之中，既是英雄聚会，自然要各显神通。咱们西岳华拳门倘是举了个糟老头儿出去，人家能不能喝一句彩，赞一句：'好，华拳门的糟老头儿德高望重，老而不死'？"众人听得哈哈大笑。程灵素也禁不住抿住了嘴，心道："这糟老头儿倒会说笑话。"

那姓蔡的老者大声道："华拳四十八，艺成行天涯。可是几百年来，华拳门这四十八路拳脚器械，没一个人能练得上路路精通。今日之事，哪一位玩艺儿最高，那一位便执掌本门。"众人刚喝得一声彩，忽然后门上擂鼓般地敲起门来。

众人一愕，有人说道："是姬师兄到了！"有人便去开门。灯笼火把照耀，拥进来一队官兵。

胡斐右手按定刀柄，左手握住了程灵素的手，两人相视一笑，虽是危机当前，两人反而更加心意相通。

但当相互再望一眼时，程灵素却黯然低下了头去，原来她这时忽然想到了袁紫衣："我和大哥一同死在这里，不知袁姑娘便会怎样？"她心知胡斐这时也一定想到了袁紫衣："我和二妹一同死在这里，不知袁姑娘便会怎样？"

领队的武官走到人丛之中，查问了几句，听说是西岳华拳门在此推举掌门人，那武官的神态登时变得十分客气，但还是提着灯笼，到各人脸上照看一遍，又在园子前后左右巡查。

胡斐和程灵素缩在假山之中，眼见那灯笼渐渐照近，心想："不知这武官的运气如何？若是他将灯笼到假山中来一照，说不得，只好请他当头吃上一刀。"

忽听得台上那人说道："哪一位武功最高，哪一位便执掌本门。这句话谁都听见了。众位师伯师叔、师兄姊妹，便请一一上台来显显绝艺。"他这句话刚说完，众人眼前一亮，便有一个身穿淡红衫子的少妇跳到台上，说道："行字派弟子高云，向各位前辈师伯师兄们讨教。"众人见她露的这一手轻功姿势美妙，兼之衣衫翩翩，相貌又好，不禁都喝了一声彩。那武官瞧得呆了，哪里还想到去搜查刺客？

台下跟着便有一个少年跳上，说道："艺字派弟子张复龙，请高师姊指教。"高云道："张师兄不必客气。"右腿半蹲，左腿前伸，右手横掌，左手反钩，正是华拳中出手第一招"出势跨虎西岳传"。张复龙提膝回环亮掌，应以一招"商羊登枝脚独悬"。两人各出本门拳招，斗了起来。二十余合后，高云使招"回头望月凤展翅"，扑步亮掌，一掌将张复龙击下台去。

那武官大声叫好，连说："了不起，了不起！"只见台下又有一名壮汉跃上，说了几句客气话，便和高云动手。这一次却是高云一个失足，给那壮汉推得摔个筋斗。那武官说道："可惜，可惜！"没兴致再瞧，率领众官兵出门又搜查去了。

程灵素见官兵出门，松了口气，但见戏台上一个上，一个下，斗之不已，不知闹到什么时候，才选得掌门人出来。看胡斐时，却见他全神贯注地凝望台上两人相斗，程灵素心想："这两人的拳脚打得虽狠，也不见得有多高明，大哥为什么瞧得这么出神？"低声道："大哥，过了大半个时辰啦，得赶快想个法儿才好。再不

432

施针用药，便要耽误了。"胡斐"嗯"了一声，仍是目不转瞬地望着台上。

不久一人败退下台，另一人上去和胜者比试。说是同门较艺，然而相斗的两人定是不同支派的门徒，虽非性命相搏，但胜负关系支派的荣辱，各人都是全力以赴。这时门中高手尚未上场，眼前这些人也不是真的想能当上掌门人，只是华拳门五个支派向来明争暗斗，乘此机会，以往相互有过节的便在台上好好打上一架，因此拳来脚去，倒是着实热闹。

程灵素见胡斐似乎看得呆了，心想："大哥天性爱武，一见别人比试便什么都忘了。"伸手在他背上轻轻一推，低声道："眼下情势紧迫，咱们闯出去再说。这些人都是武林中的好汉，动以江湖义气，他们未必便会去禀报官府。"胡斐摇了摇头，低声道："别的事也还罢了，福大帅的事，他们怎能不说？那正是立功的良机。"程灵素道："要不，咱们冒上一个险，便在这儿给马姑娘用药，只是天光白日的耽在这儿，非给人瞧见不可。"说到后来，语音中已是十分焦急。她平素甚是安详，这时若非当真紧迫，决不致这般不住口地催促。

胡斐"嗯"了一声，仍是目不转睛地瞧着台上两人比武。程灵素轻轻叹了口气，低声道："待会儿救不了马姑娘，可别怪我。"胡斐忽道："好，虽然瞧不全，也只得冒险试上一试。"程灵素一怔，问道："什么？"胡斐道："我去夺那西岳华拳的掌门人。老天爷保佑，若能成功，他们便会听我号令。"

程灵素大喜，连连摇晃他的手臂，说道："大哥，这些人如何能是你对手？一定成功，一定成功！"胡斐道："只是苦在我须得使他们的拳法，一时三刻之间，哪里记得了这许多？对付庸手也还罢了，少时高手上台，这几下拳法定不管使，非露出马脚不可。他们若知我不是本门弟子，纵然得胜，也不肯推我做掌门人。"说到这里，不禁又想起了袁紫衣。她各家各派的武功似乎无一不精，倘若她在此处，由她出马，定比自己有把握得多。其实，他心中若不是念兹在兹的有个袁紫衣，又怎想得到要去夺华拳门的掌门？

但听得"啊哟"一声大叫,一人摔下台来。台下有人骂道:"他妈的,下手这么重!"另一人反唇相讥:"动上了手,还管什么轻重?你有本事,上去找场子啊。"那人粗声道:"好,咱哥儿俩便比划比划。"另一人却只管出言阴损:"我不是你十八代候补掌门人的对手,不敢跟您老人家过招。"

胡斐站起身来,说道:"倘若到了时辰,我还没能夺得掌门人,你便在这儿给马姑娘施针用药,咱们走一步瞧一步。"拿起那姓姬汉子蒙脸的黄巾,蒙在自己脸上。

程灵素"嗯"了一声,微笑道:"人家是九家半总掌门,难道你便连一家也当不上?"她这句话一出口,立即好生后悔:"为什么总是念念不忘地想着袁姑娘,又不断提醒大哥,叫他也是念念不忘?"只见胡斐昂然走出假山,瞧着他的背影,又想:"我便是不提醒,他难道便有一刻忘了?"但见他大踏步走向戏台,不禁又是甜蜜,又是心酸。

胡斐刚走到台边,却见一人抢先跳了上去,正是刚才跟人吵嘴的那个大汉。胡斐心想:"待这两人分出胜败,又得耗上许多功夫,多耽搁一刻,马姑娘便多一刻危险。"当下跟着纵起,半空中抓住那汉子的背心,说道:"师兄且慢,让我先来。"

胡斐这一抓施展了家传大擒拿手,大拇指扣住那大汉背心第九椎节下的"筋缩穴",小指扣住了他第五椎下的"神道穴"。这大汉虽然身躯粗壮,却哪里还能动弹?胡斐乘着那一纵之势,站到了台口,顺手一挥,将那大汉掷了下去,刚好令他安安稳稳地坐入一张空椅之中。

他这一下突如其来地显示了一手上乘武功,台下众人无不惊奇,倒有一半人站起身来。但见他脸上蒙了一块黄巾,面目看不清楚,也不知是老是少,只是背后拖着一条油光乌亮的大辫,显是年纪不大。这般年纪而有如此功力,台下愈是见多识广的高手,愈是诧异。

胡斐向台上那人一抱拳,说道:"天字派弟子程灵胡,请师兄指教。"

程灵素在假山背后听得清楚,听他自称"程灵胡",不禁微笑,但心中随即一酸:"倘若他真当是我的亲兄长,倒是免却了不少烦恼。"

　　台上那人见胡斐这等声势,心下先自怯了,恭恭敬敬地还礼道:"小弟学艺不精,还请程师兄手下留情。"胡斐道:"好说,好说!"当下更不客套,右腿半蹲,左腿前伸,右手横掌,左手反钩,正是华拳中出手第一招"出势跨虎西岳传"。那人转身提膝伸掌,应以一招"白猿偷桃拜天庭",这一招守多于攻,全是自保之意。胡斐扑步劈掌,出一招"吴王试剑劈玉砖"。那人仍是不敢硬接,使一招"撤身倒步一溜烟"。胡斐不愿跟他多耗,便使"斜身拦门插铁闩",这是一招拗势弓步冲拳,左掌变拳,伸直了猛击下去,右拳跟着冲击而出。那人见他拳势沉猛,随手一架。胡斐手臂上内力一收一放,将他轻轻推下台去。

　　只听得台下一声大吼,先前被胡斐掷下的那名大汉又跳了上来,喝道:"奶奶的,你算是什么东西……"胡斐抢上一步,使招"金鹏展翅庭中站"双臂横开伸展。那大汉竟是无法在台口站立,被胡斐的臂力一逼,又摔了下去。这一次胡斐恼他出言无礼,使了三分劲力,但听得喀喇一响,那大汉压烂了台前的两张椅子。

　　他连败二人之后,台下众人纷纷交头接耳,都向天字派的弟子探询这人是谁的门下,但天字派的众弟子却无一人得知。艺字派的一个前辈道:"这人本门的武功不纯,显是带艺投师的,十之八九,是姬老三新收的门徒。"成字派的一个老者道:"那便是姬老三的不是了,他派带艺投师的门徒来争夺掌门人之位,岂不是反把本门武功比了下去?"

　　原来所谓"姬老三",便是天字派的支长。他武功在西岳华拳门中算得第一,只是十年前两腿瘫了,现下虽然不良于行,但威名仍是极大,同门师兄弟对他都是忌惮三分。众人见这个"天字派的程灵胡"武功了得,而姬老三派来的儿子姬晓峰始终未露面,都道他便是姬老三的门徒,却哪知姬晓峰早给胡斐点中了穴道,躺在假山后面动弹不得。那姬老三武功一强,为人不免骄傲，对同门谁也没瞧在眼中，双腿瘫痪后闭门谢客，将一身武功都传给了儿子。这一次华拳门五个支派的好手群聚北京，凭武功以定掌门，姬晓峰对这掌门之位志在必得。他武功已赶得上父亲的九成，但性格却远不及父亲的光明磊落。他悄悄地躲在假山之后，要瞧明白了对手各人的虚实，然后出来一击而中，不料阴错阳差，却给胡斐制住，他只道是别个支派的阴谋，暗中伏下高手来对付自己。适才他和对手只拆得数招，即被点中穴道，一身武功全没机会施展，父亲和自己的全盘计较，霎时间付于流水，心下恚怒之极，只盼能上台去再和胡斐拚个你死我活。但听得胡斐在台上将各支派好手一个个打了下来，看来再也无人能将他制服，于是加紧运气急冲穴道，要手足速得自由。

但胡斐的点穴功夫是祖传绝技，姬晓峰所学与之截然不同。他平心静气地潜运内力，也决不能自解被闭住的穴道，何况这般狂怒忧急，蛮冲急攻？一轮强运内力之后，突然间气入岔道，登时晕了过去。要知姬老三所练的功夫过于刚狠，兼之躐等求进，终于在坐功时走火入魔，以致双足瘫痪。姬晓峰这时重蹈乃父覆辙，凶险犹有过之。

程灵素全神贯注地瞧着胡斐在戏台上与人比拳，但见他一招一式，果然全是新学来的"西岳华拳"，心道："大哥于武学一门，似乎天生便会的。这西岳华拳招式繁复，他只在片刻之间瞧人拆解招式，便都学会了。"

便在此时，忽听得身旁那大汉低哼一声，声音甚是异样。程灵素转头看时，只见他双目紧闭，舌头伸在嘴外，已被牙齿咬得鲜血直流，全身不住颤抖，犹似发疟一般。程灵素知他是急引内力强冲穴道，以致走火岔气，此时若不救治，重则心神错乱，疯癫发狂，轻则肢体残废，武功全失。她心想："我们和他无冤无仇，何必为了救一人而反害一人？"于是取出金针，在他阴维脉的廉泉、天突、期门、大横四处穴道中各施针刺。

过了一会，姬晓峰悠悠醒转，见程灵素正在替自己施针，低声道："多谢姑娘。"程灵素做个手势，叫他不可作声。

只听得胡斐在台上朗声说道："掌门之位，务须早定，这般斗将下去，何时方是了局？各位师伯师叔、师兄师弟，愿意指教的可请三四位同时上台。弟子若是输了，决无怨言。"众人一听，都想这小子好狂，本来一个人不敢上台的，这时纷纷连手上台邀斗。其实胡斐新学的招数究属有限，再斗下去势必露出破绽，群殴合斗却可取巧，混乱中旁人不易看出，再则如此车轮战的斗将下去，自己纵然内力充沛，终须力尽，而施救马春花却是刻不容缓，是以非速战速决不可。

他催动掌力，转眼又击了几人下台。西岳华拳门的五派弟子之中，天字派弟子都道他是奉了姬支长之命而来，因此无人上台与他交手，其余四个支派中的少壮强手，尽已败在他的拳脚之下。至于一般名宿高手，自忖实无取胜把握，为了顾全数十年的令名，谁也不肯上去挑战。后来艺字派、成字派、行字派三派中各出一名拳术最精的壮年好手，联手上台，但十余合后还是尽数败了下来。这一来，四派前辈名宿，青年弟子，尽皆面面相觑，谁也不敢挺身上台。

却见那身穿黑马褂的姓蔡老者站了起来，说道："程师兄，你武功高强，果然令人佩服。但老朽瞧你的拳招，与本门所传却有点儿似是而非，嗯嗯，可说是形似而神非，这个……这个味道大大不同。"

胡斐心中一凛，暗想："这老儿的眼光果然厉害，我所用拳招虽是西岳华拳，但震人下台、摔人倒地的内劲，自然跟他们华拳全不相干。"要知西岳华拳是天下著名的外门武功，其中精微奥妙之处，岂是胡斐瞧几个人对拆过招便能领会？何况他所见到的又不是该门高手，自不免学得形似而神非。这时实逼处此，只得硬了头皮说道："华拳四十八，艺行成天涯。若不是各人所悟不同，本门何以会分成五个支派？武学之道，原无定法。我天字派悟到的拳理略略与众不同，也是有的。"他想倘能将天字派拉得来支持自己，便不至孤立无援。果然天字派的众弟子听他言语中抬高本派，心中都很舒服，便有人在台下大声附和。

那姓蔡老者摇头道："程师兄，你是姬老三门下不是？是带艺投师的不是？老朽眼睛没有花，瞧你的功夫，十成之中倒有九成不是本门的。"胡斐道："蔡师伯，你这话弟子可不敢苟同。本门若要在天下掌门人大会之中，与少林、武当、太极、八卦那些大派争雄，一显西岳华拳门的威风，便须融会贯通，推陈出新，弟子所学的内劲，一大半是我师父这十几年来闭门苦思、别出心裁所创，的确颇有独到之处。蔡师伯若是认为弟子不成，便请上台来指点一招。"

那姓蔡的老者有些犹豫，说道："本门有你老弟这般杰出的人材，原是大伙的光彩，老朽欢喜也还来不及，还能有什么话说？只是老朽心中存着一个疑团，不能不说。这样罢，请程老弟在台上练一套一路华拳，这是本门的基本功夫，这里十几位老兄弟个个目光如炬，是便是，不是便不是，谁也不能诬说。你老弟只要真的精熟本门武功，老朽第一个便欢天喜地地拥你为掌门。"

果然姜是老的辣，胡斐和人动手过招，尚能借着似是而非的华拳施展本身武功，但要他空手练一路拳法，抬手踢腿之际，真伪立判，再也无所假借。何况他偷学来的拳招只是一鳞半爪，并非成套，如何能从头至尾地使一路拳法？

胡斐虽是饶有智计，听了他这番话竟是做声不得，正想出言推辞，忽听假山后一人叫道："蔡师伯，你何以总是跟我们天字派为难？这位程师兄是我爹爹的得意弟子，他进我们门已有一十二年，难道连这套一路华拳也不会练？"只见一人迈步走到台前，正是天字派中的头挑脚色姬晓峰。凡是天字派有事，他总代父亲出面处理接头，隐然已是该派的支长，因此没一个不认得。

姬晓峰跃上台去，抱拳说道："家父闭门隐居，将一身本事都传给了这位程师兄，一十二年来为的便是今日。这位程师哥武功胜我十倍，各位有目共睹，还有什么话说？"众人一听，再无怀疑，人人均知姬老三怪僻好胜，悄悄调教了一个好徒弟，待得艺成之后，突然显示于众人之前，原和他的脾气相合。再说姬晓峰素来剽悍雄强，连他也对胡斐心服，哪里还有什么假的？

那姓蔡的老者还待再问，姬晓峰朗声道："蔡师伯既要考较我天字派的功夫，弟子便代程师哥练一套，请蔡师伯指点。"也不待蔡老者回答，双腿一并，使出“晓星当头即走拳”，跟着“出势跨虎西岳传”、“金鹏展翅庭中站”、“韦陀献抱在胸前”、“把臂拦门横铁闩”、“魁鬼仰斗撩绿栏”，一招招地练了起来。但见他上肢是拳、掌、钩、爪回旋变化，冲、推、栽、切、劈、挑、顶、架、撑、撩、穿、摇十二般手法伸屈回环，下肢自弓箭步、马步、仆步、虚步、丁步五项步根变出行步、倒步、迈步、偷步、踏步、击步、跃步七般步法，沉稳处似象止虎踞，迅捷时如鹰搏兔脱。台下人人是本门弟子，无不熟习这路拳法，但见他造诣如此深厚，尽皆叹服。连各支派的名宿前辈，也是不住价地点头。只见他一直练到“凤凰旋窝回身转”、“腿登九天冲铁拳”、“英雄打虎收招势”，最后是“拳罢庭前五更天”，招招法度严密，的是好拳！

他双手一收，台下震天价喝起一声彩来。

自姬晓峰一上台，胡斐心中便自奇怪，不知程灵素用什么法子，逼得他来跟自己解围，待见他练了这路拳法，心中也赞：“西岳华拳非同小可，此人只要能辅以内劲，便成名家。”可是见他拳法一练完，登时气息粗重，全身微微发颤，竟似大病未愈，或是身受重伤一般。台下众人未曾发觉，胡斐便站在他的身后，却看得清清楚楚，又见他背上汗透衣衫，实非武功高强之人所应为，心中更增了一层奇怪。

姬晓峰定了定神，说道：“还有哪一位师伯师叔、师兄师弟，愿和程师哥比试的，便请上台。”他连问三声，无人应声。天字派的一群弟子都大声叫了起来：“恭喜程师哥荣任西岳华拳门的掌门人！”众人跟着欢呼。胡斐执掌华拳门一事便成定局。

姬晓峰向胡斐一抱拳，说道：“恭喜，恭喜！”胡斐抱拳还礼，只见他眼中充满了怨毒之情，但记挂着马春花的病情，也没心绪去理会，说道：“姬师弟，你快找间静室，领咱们两位师妹去休息。”姬晓峰点点头，跃下台来，但双足着地时，一个踉跄，险险摔倒。

胡斐走到台口，说道：“各位辛苦了一晚，请各自回去休息。明日晚间，咱们再商大计，总须在天下掌门人大会之中，让华拳门扬眉吐气。”他这句话倒非虚言，心中对华拳门实是存了几分感激。在众官兵围捕之下，若不是机缘凑巧，越墙而入时他们正在推举掌门，多半马春花便免不了毒发身死，倒毙长街之上。如有机缘能替华拳门争些光彩，他也真愿意出力。

众人闻言，纷纷站起身来，口中都在议论胡斐的功夫。有的更说姬老三深谋远虑，一鸣惊人；有的赞扬姬晓峰这一路拳使得实是高明。天字派的众弟子更是兴高采烈，得意非凡。有几个前辈名宿想过来跟胡斐攀谈，胡斐却双手一拱，跟着姬晓峰直入内堂。程灵素扶了马春花混在人丛之中，跟了进去。

这座大宅子是华拳门中一位居官的旗人所有。胡斐既为掌门，本宅主人自是对他招待得十分殷勤。胡斐始终不揭开蒙在脸上的黄巾，直到与程灵素、马春花、姬晓峰三人进了内室，才除下黄巾，说道："姬大哥，多谢你啦！这掌门人之位，我定会让给你。"姬晓峰哼了一声，却不答话。胡斐去看马春花时，只见她黑气满脸，早已人事不知，鼻孔中出气多进气少，当真是命若游丝。

程灵素抱出马春花平卧床上，取出金针，隔着衣服替她在十三处穴道中都打上了，每枝金针尾上都围上了一团棉花。她手脚极快，却毫不忙乱。胡斐见她神色沉静平和，这才放了一半心。

过了一盏茶功夫，金针尾上缓缓流出黑血，沾在棉花之上，原来金针中空，以此拔出毒质。程灵素舒了一口气，微微一笑，从药瓶中取出一粒碧绿的丸药递给姬晓峰，说道："姬大哥，你到自己房里休息吧。这药丸连服十粒，你身体内的毒质便会去尽。"姬晓峰接过了药丸，一声不响地出房而去。

胡斐这才明白，原来程灵素是以她看家本领，逼得姬晓峰不得不听号令，笑道："药王姑娘无往而不利。你用毒药做好事，尊师当年只怕也有所不及。"

程灵素微笑不答，其实这一次她倒不是用药硬逼，那是先助姬晓峰通解穴道，去了走火入魔的危难，再在他身上施一点药物。这药物一上身后麻痒难当，于身子却无多大损害，所谓连服十粒的解药，也只是治金创外伤的止血生肌丸，姬晓峰并无外伤,服了等于不服。但姬晓峰哪里知道?听她说得毒性厉害无比,自不敢不俯首听令,即令有所疑心,也不能以自己的性命来试一试真假。程灵素心中在说:"我向师父发过誓,这一生之中,决不用毒药害一个无辜之人,好叫人知道毒手药王手段虽辣,却不做半件坏事。"

她拿了一柄镊子,换过沾了毒血的棉花,低声道:"大哥,你累了一夜,便在这榻上歇歇,养一会儿神。有我照料着马姑娘,你放心便是。"胡斐也真倦了,斜身倚在榻上。程灵素道:"你这位掌门老师傅有件事可得小心在意。这十二个时辰之中,不能有人进来滋扰马姑娘,也不许她开口说话,否则她内气一岔,毒质不能拔净,只要留下少许,那便是前功尽弃。"

胡斐笑道:"西岳华拳掌门人程灵胡,谨奉太上掌门人程灵素号令,一切凛遵,不敢有违。"程灵素笑道:"我能是你的太上掌门人吗?那位……"说到这里,突然住口,俯身去看马春花的伤势。

过了半晌,她回过头来,见胡斐并未闭目入睡,呆呆地望着窗外出神,问道:"你在想什么?"胡斐道:"我想他们明日见了我的真面目,一看年纪不对,不知有什么话说?好在只须换过十二个时辰,咱们拍手便去,虽然对不起他们,心中不安,但事出无奈,那也只好……只好……"程灵素笑道:"也只好狗急跳墙了。"胡斐笑道:"是啊!跳墙而入,想不到竟碰上了这么一回奇事。"

程灵素凝目向胡斐望了一会,说道:"好!便是这样。"胡斐奇道:"什么便是这样?"程灵素道:"咱们在路上扮过小胡子,这一次你便扮个大胡子。再给你胡子上染上一点颜色,包管你大上二十岁年纪。你要当姬晓峰的师兄,总得年近四十才行啊。"

胡斐拍掌大喜,说道:"我正发愁,和福康安这么正面一闹,再也不能去瞧瞧那个天下掌门人大会。你若能给我装上一部天衣无缝的大胡子,我程灵胡便堂堂正正,以西岳华拳掌门人的身份,到会中去见识见识。"程灵素叹道:"掌门人大会是不用去了,混得过明天,让马姑娘太平无事,也就是啦。到会中涉险,那可犯不着。"

胡斐豪气勃发，说道："二妹，我只问你：这部胡子能不能装得像？"

程灵素微微一笑，道："要扮年老之人，装部胡子有何难处？难是难在举手投足，说话神情，无一不是老年而非少年。纵是精神矍铄、身负武功的老英雄，却也和年轻力壮之人不同。"胡斐道："你大哥尽力而为。只须瞒得过一时，也就是了。"程灵素道："好，咱们便试一试。这一次我却扮个老婆婆，跟着你到掌门人大会之中瞧瞧热闹。"

胡斐哈哈大笑，逸兴横飞，说道："二妹，咱老兄妹俩活了这一大把年纪，行将就木，这场热闹可不能不赶。"程灵素低声喝道："声音轻些！"但见马春花在床上动了一下，幸好没有惊醒。胡斐伸了伸舌头，弯起食指，在自己额上轻击一下，说道："该死！"

程灵素取出针线包来，拿出一把小剪刀，剪下自己鬓边几缕秀发，再从药箱中取出些药料，在茶碗中用清水调匀，将头发浸在药里，说道："你歇一会儿，待软头发变成硬胡子，我便叫你。"

胡斐便在榻上合眼，心中对这位义妹的聪明机智，说不出的欢喜赞叹。睡梦之中，一会儿见马春花毒发身死，形状可怖；一会儿自己抓住福康安，狠狠地责备他心肠毒辣；又一会儿自己给众卫士擒住了，拚命挣扎，却不能脱身。

忽听得一个声音在耳边柔声道："大哥，你在做什么梦？"胡斐一跃而起，揉了揉眼睛，微一凝神，说道："我来照料马姑娘，该当由你睡一会儿了。"程灵素道："先给你装上胡子，这才放心。"拿起浆硬了的一条条头发，用胶水给他粘在颔下和腮边。这一番功夫好不费时，直粘了将近一个时辰，眼见红日当窗，方才粘完。

胡斐揽镜一照，不由得哑然失笑，只见自己脸上一络腮胡子，虬髯戟张，不但面目全非，而且大增威武，心中很是高兴，笑道："二妹，我这模样儿挺美啊，日后我真的便留上这么一部大胡子。"

程灵素想说："只怕你心上人未必答应。"但话到口边，终于忍住了。她忙了一晚,到这时心力交困,眼见马春花睡得安稳,再也支持不住,伏在桌上便睡着了。

十年之后,胡斐念着此日之情,果真留了一部络腮大胡子,那自不是程灵素这时所能料到了。

胡斐从榻上取过一张薄被,裹住了她身子,轻轻抱着她横卧榻上,拉薄被替她盖好,再将黄巾蒙住了脸,走到姬晓峰房外,叫道:"姬兄,在屋里么?"

姬晓峰哼了一声,道:"是哪一位? 有什么事?"胡斐推门进去。姬晓峰一见是他,"啊"的一声低呼,从椅中跃起身来。

胡斐道:"姬兄,我这是跟你赔不是来啦。"姬晓峰木然不答,眼光中显得敌意极深。胡斐道:"有一件事我得跟姬兄说个明白,小弟决计无意做贵派的掌门人,只是机缘凑合,小弟又迫于无奈,这才坏了姬兄的大事。"于是将马春花如何中毒、如何受官兵围捕、如何越墙入来躲避、如何为了救治人命这才上台出手等情一一说了,只是马春花为何人所害、追捕他的乃是福康安一节,却略过了不说。姬晓峰静静听着,脸色稍见和缓,等胡斐说完,仍只"嗯"的一声,并不接口说话。

胡斐又道:"大丈夫言出如山,若是十天之内,我不将掌门人之位让你,教我丧生刀剑之下,千载之后仍受江湖好汉唾骂。"武林中人死于刀剑之下,原属寻常,但若为天下英雄所不齿,却是最感羞耻之事。

姬晓峰听他发下这个重誓,说道:"这掌门人之位,我也不用你让。你武功胜我十倍,这是我知道的。但你实非本门中人,却来执掌门户,自是令人心中不服。"胡斐道:"是了。待这次掌门人大会一过,我将前后真相郑重宣布,在贵门各位前辈面前谢罪。然后让贵门各位弟子再凭武功以定掌门,这么办好不好?"姬晓峰心想:"本门之中,无人能胜得了我。这般自行争来,自比他拱手相让光彩得多。"于是点头道:"这倒是可行。可是程大哥……"

胡斐笑道:"我姓胡,我义妹才姓程。"说着揭去蒙在脸上的

443

黄巾。姬晓峰见他满颊虬髯，根根见肉，貌相甚是威武，不禁暗自赞叹，说道："胡大哥，本门的几位前辈很难说话，日后你揭示真相，只怕定有一场风波。虽然你武功高强，原也不怕，但好汉敌不过人多。咱们西岳华拳门遇上了门户大事，那是有名的阴魂不散，死缠烂打。"胡斐笑道："这事我也想到了。后日掌门人大会之中，我当尽力为西岳华拳门挣一个大大的彩头，将功赎罪，想来各位前辈也可见谅了。"

姬晓峰点点头，叹了口气，说道："可惜我身中剧毒，不敢多耗力气，否则倒可把本门拳法，演几套给胡兄瞧瞧。胡兄记在心里，事到临头，便不易露出马脚。"

胡斐呵呵而笑，站起来向姬晓峰深深一揖，说道："姬兄，我代义妹向你赔罪了。"姬晓峰还了一礼，心中却大为不怿："我被她下了毒，却有什么可笑的？"心下这般想，脸上便颇有悻悻之色。胡斐道："姬兄，我义妹在你身上下毒，伤口在哪里？"姬晓峰卷起左手袖子，只见他上臂肿起了鸡蛋大的一块，肌肉发黑，伤口有小指头大小，隐隐渗出黑血，果如是中了剧毒一般。

胡斐心想："二妹用药，当真是神乎其技。不知用了什么药物，弄得他手臂变成这般模样。倘若我身上有了这样一个伤口，自也会寝食不安。"问道："姬兄觉得怎样？"姬晓峰道："这一块肉麻木不仁，全无知觉。"胡斐心道："原来是下了极重的麻药。"一伸手抓住他手臂，俯口便往他创口上吮吸。姬晓峰大惊，叫道："使不得，使不得！你不要命了吗？"只是给他双手抓住了，竟自动弹不得，心中惊疑不定："如此剧毒，中在手臂已是这样厉害，他一吮入口，岂不立毙？我和他无亲无故，他何必舍命相救？"

胡斐吮了几口，将黑血吐在地下，哈哈笑道："姬兄不必惊疑，这毒药是假的。"姬晓峰不明其意，问道："什么？"胡斐道："我义妹和你素不相识，岂能随便下毒手害你？她只是跟你开个玩笑，给你放上些无害的麻药而已。你瞧我吮在口中，总可放心了吧。"

姬晓峰虽然服了程灵素所给的解药，心下一直惴惴，不知这解药是否当真有效，毒性即使能解，是否会留下后患，伤及筋骨，这时听胡斐一说，不由得惊喜交集，道："胡兄，你……你对我明言，难道便不怕我不听指使么？"胡斐道："丈夫相交，贵在诚信。我见姬兄大有义气，何必令你多耽几日心事？"姬晓峰大喜，拍案说道："好，我交了你这位朋友。胡兄便是得罪了当今天子，犯了弥天大罪，小弟也要跟你出力，决不敢皱一皱眉头。"

胡斐道："多谢姬兄厚意，我所得罪的那人，虽然不是当今天子，但和天子的权势也差不了多少。姬兄，昨晚我见你所练的一路华拳，其中一招返身提膝穿掌，赶步、击步之后，那一下跃步，何以在半空中方向略变？"胡斐所说的那一招，名叫"野马回乡攒蹄行"，一招之中动作甚是繁复。

姬晓峰听他一说，暗道："好厉害的眼光！昨晚我练这一路华拳，从头至尾精神贯注，只有在这一招'野马回乡攒蹄行'上，跃起时忽然想到臂上所中剧毒，不免心神涣散。若是和他对敌动手，这破绽立时便给他抓住了。"说道："胡兄眼光当真高明，小弟佩服得紧，那一招确是练得不大妥当。"于是重行使了一遍。胡斐点头道："这才对了。否则照昨晚姬兄所使，只怕敌人可以乘虚而入。"

姬晓峰既知并未中毒，精神一振，于是将一十二路西岳华拳，从头至尾地演了出来。胡斐依招学式，虽不能在一时之间尽数记全，但也即领会到了每一路拳法的精义所在，说道："贵派的拳法博大精深，好好钻研下去，确是威力无穷。我瞧这一十二路华拳，只须精通一路，便足以扬名立万。"

姬晓峰听他称赞本派武功，很是高兴，说道："是啊。本门中相传有两句话，说道：'华拳四十八，艺成行天涯'。四十八路功夫，分为一十八路登堂拳，一十二路入室拳，还有一十八路刀枪剑棍的器械功夫。本门弟子别说'艺成'两字，便是能将四十八路功夫尽数学全了的，也是寥寥无几。"

两人说到武艺，谈论极是投契，演招试式，不知不觉间已到午后。主人派来服侍胡斐的侍仆数次要请他吃饭，但见二人练得起劲，站在一旁，不敢开口。待得姬晓峰使一招旋风脚，跃起半空横踢而出，门外突然有人喝彩道："好一招'风卷霹雳上九天'！"胡斐一看，却是那姓蔡的老者，当下含笑抱拳，上前招呼。

注：　　一、清朝相国夫人下毒，确有其事。袁枚《随园诗话》卷一有记："余长姑嫁慈溪姚氏。姚母能诗，出外为女傅。康熙间，某相国以千金聘往教女公子。到府住花园中，极珠帘玉屏之丽。出拜两姝容态绝世，与之语，皆吴音，年十六七，学琴学诗颇聪颖。夜伴女傅眠，方知待年之女，尚未侍寝于相公也。忽一夕二女从内出，面微红。问之，曰：堂上夫人赐饮。随解衣寝。未二鼓，从帐内跃出，抢地呼天，语咴咴不可辨。颠仆片时，七窍流血而死。盖夫人赐酒时，业已鸩之矣。姚母踉跄弃资装即夜逃归。常告人云，二女年长者尤可惜，有自嘲一联云：量浅酒痕先上面，兴高琴曲不和弦。"批本云："某相国者，明珠也。"

　　二、福康安为人淫恶。伍拉纳（乾隆时任闽浙总督）之子批注《随园诗话》，有云："福康安至淫极恶，作孽太重，流毒子孙，可以戒矣。"按该批注当作于嘉庆年间。

胡斐一手各抱一个孩子，从胡同中抢到横街，只见一辆骡车停在街心，车夫位上并肩坐着两人，车上装满了粪桶。

第十六章 龙潭虎穴

这姓蔡的老者单名一个威字,在华拳门中辈分甚高。他见胡斐去了脸上所蒙黄布后,原来是这等模样的一个大胡子,细细向他打量了几眼,抱拳道:"启禀掌门,福大帅有文书到来。"

胡斐心中一凛:"这件事终于瞒不过了,且瞧他怎么说?"脸上不动声色,只"嗯"了一声。却听蔡威道:"这文书是给小老儿的,查问本门的掌门人推举出了没有?其中附了四份请帖,请掌门人于中秋正日,带同本门三名弟子,前赴天下掌门人大会……"

胡斐听到这里,松了一口气,心道:"原来如此,倒吓了我一跳。别的也没什么,只是这一日一晚之中,马姑娘不能移动,福康安这文书若是下令抓人来着,马姑娘的性命终于还是送在他手上了。"

他生怕福康安玩甚花样,还是将那文书接了过来,细细瞧了一遍,说道:"蔡师伯,姬师弟,便请你们两位相陪,再加上我师妹,咱们四个赴掌门人大会去。"蔡威和姬晓峰大喜,连连称谢。侍仆上前禀道:"请程爷、蔡爷、姬爷三位出去用饭。"

胡斐点点头,正要去叫醒程灵素,忽听得她在房中叫道:"大哥,请过来。"胡斐道:"两位先请,我随后便来。"听她叫声颇为焦急,当下快步走到房中,一掀门帘,便听得马春花低声叫唤:"我孩子呢?叫他哥儿俩过来啊……我要瞧瞧孩子……他哥儿俩呢?"

程灵素秀眉紧蹙,低声道:"她一定要瞧孩子,这件事不妙。"胡斐道:"那两个孩子落在那心肠如此狠毒的老妇手中,咱们终须设法救了出来。"程灵素道："马姑娘很是焦躁，立时要见，见不着孩子，便哭喊叫唤。这于她病势大大不妥。"胡斐沉吟道："待我去劝劝。"程灵素摇头道："她神志不清，劝不了的。除非马上将孩子抱来，否则她心头郁积，毒血固然不能尽除，药力也无法达于脏腑。"

胡斐绕室彷徨，一时苦无妙策，说道："便是冒险再入福大帅府去抢孩子，最快也得等到今晚。"程灵素吓了一跳，道："再进福府去，那不是送死么？"胡斐苦笑了一下，他何尝不知昨晚闹出了这么惊天动地的一件事，今日福康安府中自是戒备森严，便要踏进一步也是千难万难，如何能再抢得这两个孩子出来？若有数十个武艺高强之人同时下手，或者尚能成事，只凭他单枪匹马，再加上程灵素，最多加上姬晓峰，三个人难道真有通天的本事？

过了良久，只听得马春花不住叫唤："孩子，快过来，妈心里不舒服。你们到哪儿去了？到哪儿去了？"胡斐皱眉道："二妹，你说怎么办？"程灵素摇头道："她这般牵肚挂肠，不住口地叫唤，不到三日，不免毒气攻心。咱们只有尽力而为，当真救不了，那也是天数使然。"胡斐道："先吃饭去，一会儿再来商量。"

饭后程灵素又替马春花用了一次药，只听她却叫起福康安来："康哥，康哥，怎地你不睬我啊？你把咱们的两个乖儿子抱过来，我要亲亲他那儿俩。"只把胡斐听得又是愤怒，又是焦急。

程灵素拉了拉他衣袖，走到房外的小室之中，脸色郑重，说道："大哥，我跟你说过的话，有不算的没有？"胡斐好生奇怪："干么问起这句话来？"摇头道："没有啊。"程灵素道："好。我有一句话，你好好听着。倘若你再进福康安府中去抢马姑娘的儿子，你另请名医来治她的毒罢。我马上便回南方去。"

胡斐一愕，尚未答话，程灵素已翩然进房。胡斐知她这番话全是为了顾念着他，料他眼看如此情势，定会冒险再入福府，此举除了赔上一条性命之外，决无好处。他自己原也想到，可是此事触动了他的侠义心肠，忆起昔年在商家堡被擒吊打，马春花不住口言求情。有恩不报，非丈夫也，他已然决意一试，但程灵素忽出此言，倘若自己拚死救了两个孩子出来，程灵素却一怒而去,那可又糟了。

一时之间踌躇无计,信步走上大街,不知不觉间便来到福康安府附近,但见每隔五步十步,便是两个卫士,人人提着兵刃,守卫严密之极,别说闯进府去,只要再走近几步,卫士便要过来盘查。

胡斐不敢多耽,心中闷闷不乐,转过两条横街,见有一座酒楼,便上楼去独自小酌。刚喝得两杯,忽听隔房中一人道:"汪大哥,今儿咱们喝到这儿为止,待会儿就要当值,喝得脸上酒糟一般的,可不大美。"另人哈哈大笑道:"好,咱们再干三杯便吃饭。"

胡斐一听此人声音,正是汪铁鹗,心想:"天下事真有这般巧,居然又在这里撞上他。"转念一想,却也不足为奇,他们说待会儿便要当值,自是去福康安府轮班守卫。这是福府附近最考究的一家酒楼,他们在守卫之前,先来喝上三杯,那也平常得紧。倘若汪铁鹗这种人当值之前不先舒舒服服地喝上一场,那才叫奇呢。

只听另一人道:"汪大哥,你说你识得胡斐。他到底是怎么样一个人?"胡斐听他提到自己名字,不禁一凛,更是凝神静听。

只听汪铁鹗长长叹了口气,道:"说到胡斐此人,小小年纪,不但武艺高强,而且爱交朋友,真是一条好汉子。可惜他总是要和大帅作对,昨晚更闯到府里去行刺大帅,真不知从何说起?"那人笑道:"汪大哥,你虽识得胡斐,可是偏没生就一个升官发财的命儿,否则的话,咱们喝完了酒,出得街去,偏巧撞见了他,咱哥儿俩将他手到擒来,岂不是大大的一件功劳?"汪铁鹗笑道:"哈哈,你倒说得轻松惬意!凭你张九的本领哪,便是有二十个,也未必能拿得住他。"那张九一听此言,心中恼了,说道:"那你呢,要几个汪铁鹗才拿得住他?"汪铁鹗道:"我是更加不成啦,便有四十个我这种脓包,也不管用。"张九冷笑道:"他当真便有三头六臂,说得这般厉害。"

胡斐听他二人话不投机,心念一动,眼见时机稍纵即逝,当下更不再思,揭过门帘,踏步走进邻房,说道:"汪大哥,你在这儿

450

喝酒啊！喂，这位是张大哥。小二，小二，把我的座儿搬到这里来。"

汪铁鹗和张九一见胡斐，都是一怔，心想："你是谁？咱们可不相识啊？"汪铁鹗虽听着他话声有些熟稔，但见他虬髯满脸，哪想得到是他？胡斐又道："刚才我遇见周铁鹤周大哥，曾铁鸥曾二哥，在聚英楼喝了几杯，还说起你汪大哥呢。"汪铁鹗含糊答应，竭力思索此人是谁，听他说来，和周师哥、曾师哥他们都是熟识，应该不是外人，怎地一时竟想不起来？不住在心中暗骂自己糊涂。

店伴摆好座头。胡斐道："今儿小弟做东，很久没跟汪大哥、张大哥喝一杯了。"掏出十两银子向店伴一抛，道："给存在柜上，有拿手精致的酒菜，只管做来。"那店伴见他手面豪阔，登时十分恭谨，一迭连声地吩咐了下去。

不久酒菜陆续送上，胡斐谈笑风生，说起来秦耐之、殷仲翔、王剑英、王剑杰兄弟这干人都很熟络，一会儿说武艺，一会儿说赌博，似乎个个都是他的知交朋友。汪铁鹗老大纳闷，人家这般亲热，倘若开口问他姓名，那可是大大失礼，但此人到底是谁，便是想破了脑袋，也想不到半点因头。张九只道胡斐是汪铁鹗的老友，见他出手爽快，来头显又不小，自也乐得叨扰他一顿。

喝了一会儿酒，菜肴都已上齐，汪铁鹗实在忍耐不住，说道："你这位大哥恕我无礼，我越活越是糊涂啦。"说着伸手在自己的额头上重重一击，又道："一时之间我竟想不起你老哥的名字，真是该死之极了。"

胡斐笑道："汪大哥真是贵人多忘事。昨儿晚上，你不是还在舍下吃饭吗？只可惜一场牌九没推成，倒弄得周大哥跟人家动手过招，伤了和气。"汪铁鹗一怔，道："你……你……"胡斐笑道："小弟便是胡斐！"

此言一出，汪铁鹗和张九猛地一齐站起，惊得话也说不出来。

胡斐笑道："怎么？小弟装了一部胡子，汪大哥便不认得了？"汪铁鹗低声道："悄声！胡大哥，城中到处都在找你，你敢如此大胆，居然还到这里来喝酒?"胡斐笑道:"怕什么? 连你汪大哥也不认得我，旁人怎认得出来?"汪铁鹗道:"北京城里是不能再耽了，你快快出城去吧? 盘缠够不够?"

胡斐道:"多谢汪大哥古道热肠，小弟银子足用了。"心想:"此人性子粗鲁，倒是个厚道之人。"那张九却脸上变色，低下头一言不发。

汪铁鹗又道:"今日城门口盘查得紧，你出城时别要露出破绽，还是我和张大哥送你出城为妙。那位程姑娘呢?"胡斐摇头道:"我暂且不出城。我还有一笔帐要跟福大帅算一算。"张九听到这里，脸上神色更是显得异样。

汪铁鹗道:"胡大哥，我本领是远远的不及你，可是有一句良言相劝。福大帅权势熏天，你便当真跟他有仇，又怎斗他得过? 我吃他的饭，在他门下办事，也不能一味护着你。今日冒个险送你出城。你快快走吧。"胡斐道:"不成，汪大哥，你可知我为什么得罪了福大帅?"汪铁鹗道:"我不知道，正想问你。"

胡斐当下将福康安如何在商家堡结识马春花，如何和她生下两个孩子，昨晚马春花如何中毒等情一一低声说了，又说到自己如何相救，马春花如何思念儿子，命在垂危，自己虽然干冒万险，也要将那两个孩子救了出来去交给她。

汪铁鹗越听越怒，拍桌说道:"原来这人心肠如此狠毒! 胡大哥，你英雄侠义，当真令人好生钦佩。可是福大帅府中戒备严密，不知有多少高手四下守卫，要救那两孩子，这会儿是想也休想。只好待这件事松了下来，慢慢再想法子。"胡斐道:"我却有个计较在此，咱们借用了张大哥的服色，让我扮成卫士，黑夜之中，由你领着到府里去动手。"

张九脸色大变，霍地站起，手按刀柄。胡斐左手持着酒杯喝了口酒，右手正伸出筷子去夹菜，突然间左手一扬，半杯酒泼向张九眼中。张九"啊"的一声惊呼，伸手去揉。胡斐筷子探出，在他胸口"神藏"和"中庭"两穴上各戳了一下。张九身子一软，登时倒在椅上。

店小二听得声音，过来察看。胡斐道:"这位总爷喝醉了，得找个店房歇歇。"店小二道："过去五家门面，便是安远老店。小人扶这位总爷过去吧！"胡斐道："好！"又赏了他五钱银子。那店小二欢天喜地，扶着张九到那客店之中。胡斐要了一间上房，闩上了门，伸指又点了张九身上三处穴道，令他十二个时辰之中，动弹不得。

汪铁鹗心中犹似十五个吊桶打水，七上八落，眼见胡斐行侠仗义，做事爽快明决，不禁甚是佩服，但想到干的是如此一桩奇险之事，心中又是惴惴不安。胡斐除下身上衣服，给张九换上，自己却穿上了他的一身武官服色，好在两人都是中等身材，穿着倒也合身。

汪铁鹗道："我是申正当值，过一会儿时候便到了。"胡斐道："你给张九告个假，说他生了病，不能当差。我在这儿等你，到晚间二更天时，你来接我。"汪铁鹗呆了半晌，心想只要这一句话儿答应下来，一生便变了模样，要做个铁铮铮的汉子，甚么荣华富贵，就是一笔勾销；但若一心一意为福大帅出力，不免是非不分，于心不安。

胡斐见他迟疑，说道："汪大哥，这件事不是一时可决，你也不用此刻便回我话。"汪铁鹗点了点头，径自出店去了。胡斐躺在炕上，放头便睡，他知道眼前实是一场豪赌，不过下的赌注却是自己的性命。

到二更天时，汪铁鹗或者果真独个儿悄悄来领了自己，混进福康安府中。但这么一来，汪铁鹗的性命便是十成中去了九成。他跟自己说不上有什么交情，跟马春花更是全无渊源，为了两个不相干之人而甘冒生死大险，依着汪铁鹗的性儿，他肯干？他自幼便听从周铁鹪的吩咐，对这位大师兄奉若神明，何况又在福康安手下居官多年，这"功名利禄"四字，于他可不是小事。

若是一位意气相投的江湖好汉，胡斐决无怀疑。但汪铁鹗却是个本事平庸、浑浑噩噩的武官。

如果他决定升官发财，那么二更不到，这客店前后左右，便会有上百名好手包围上来，自己纵然奋力死战，也定然不免。

这其间没有折衷的路可走。汪铁鹗不能两不相帮，此事他若不告发，张九日后怎会不去告他？

胡斐手中已拿了一副牌九，这时候还没翻出来。要是输了，那便输了自己的性命。这副牌是好是坏，全凭汪铁鹗一念之差。他知道汪铁鹗不是坏人，但要他冒险实在太大，求他的实在太多，而自己可没半点好处能报答于他……

汪铁鹗这样的人可善可恶，谁也不能逆料。将性命押在他的身上，原是险着，但除此之外，实无别法。福康安府中如此戒备，若是无人指引相助，决计混不进去。

他一着枕便呼呼大睡，这一次竟连梦也没有做。他根本不去猜测这场豪赌结果会如何。

牌还没翻，谁也不知道是什么牌。瞎猜有什么用？

他睡了一个多时辰，朦胧中听得店堂有人大声说话，立时醒觉，坐了起来。只听那人说道："不错，我正要见'玄'字号的那位总爷。喝醉了么？有公事找他。你去给我瞧瞧。"

胡斐一听不是汪铁鹗的声音，心下凉了半截，暗道："嘿嘿，这一场大赌终究是输了。"提起单刀，轻轻推窗向外一望，只见四下里黑沉沉的并无动静，当下翻身上屋，伏在瓦面，凝神倾听。

汪铁鹗一去，胡斐知他只有两条路可走：若以侠义为重，这时便会单身来引自己偷入福府；倘若惜身求禄，必定是引了福府的武士前来围捕。他既然不来，此事自是糟了。但客店四周，竟然无人埋伏，倒也颇出胡斐意料之外。要知前来围捕的武士不来则已，来则必定人数众多，一二个高手尚可隐身潜伏，不令自己发现踪迹，人数一多，便是透气之声也能听见了。

他见敌人非众，稍觉宽心。但见窗外烛光晃动，店小二手里拿着一只烛台，在门外说道："总爷，这里有一位总爷要见您老人家。"胡斐翻身从窗中进房，落地无声，说道："请进来吧！"店小二推开房门，将烛台放在桌上，赔笑道："那一位总爷酒醒了吧？若是还没妥帖，要不给做一碗醒酒汤喝？"胡斐随口道："不用！"眼光盯在店小二身后那名卫士脸上。

只见他约莫四十来岁年纪，灰扑扑一张脸蛋，丝毫不动声色,胡斐心道:"好厉害的脚色!孤身进我房来,居然不露半点戒惧之意。难道你当真有过人的本领,绝没将我胡斐放在心上吗?"只听那卫士道:"这位是张大哥吗?咱们没见过面,小弟姓任,任通武,在左营当差。"胡斐道:"原来是任大哥,幸会幸会。大伙儿人多,平日少跟任大哥亲近。"任通武道:"是啊。上头转下来一件公事,叫小弟送给张大哥。"说着从身边抽出一件公文来。

胡斐接过一看,见公文左角上赫然印着"兵部正堂"四个红字,封皮上写道:"即交安远客店,巡捕右营张九收拆,速速不误。"胡斐上次在福府中上了个大当,双手为钢盒所伤,这一回学了乖,不即开拆公文,先小心捏了捏封套,见其中并无古怪,又想到苗人凤为拆信而毒药伤目,当下将公文垂到小腹之前,这才拆开封套,抽出一张白纸,就烛光一看,不由得惊疑交集。

原来纸上并无一字,却画了一幅笔致粗陋的图画。图中一个吊死鬼打着手势,正在竭力劝一人悬梁上吊。当时迷信,有人悬梁自尽,死后变鬼,必须千方百计引诱另一人变鬼,他自己方得转世投胎,后来的死者便是所谓替死鬼了。这说法虽然荒诞不经,但当时却是人人皆知。

胡斐凝神一想,心念一动,问道:"任大哥今晚在大帅府中轮值?"任通武道:"正是!小弟这便要去。"说着转身欲行。胡斐道:"且慢!请问这公事是谁差任大哥送来?"任通武道:"是我们林参将差小弟送来。"

胡斐到这时已是心中雪亮:原来汪铁鹗自己拿不定主意,终究还是去和大师哥周铁鹪商量。周铁鹪念着胡斐昨晚续腿还牌之德,想出了这个计较,他不让汪铁鹗犯险,却辗转的差了个替死鬼来。由这人领胡斐进福府,不论成败,均与他师兄弟无涉,因此信上非但不署姓名,连字迹也不留一个,以防万一事机不密,牵连于他。这一件公文他夹在交给左营林参将的一叠文件之中,转了几个手,谁也不知这公文自何而来。林参将一见是"兵部正堂"的公事,不敢延搁,立即差人送来。周铁鹪早知左营的卫士今晚全体在福府中当值守卫,那林参将不管派谁送信,胡斐均可随他进府。

这中间的原委曲折胡斐虽然不能尽知，却也猜了个八不离九，心下暗笑周铁鹪老奸巨猾，在京师混了数十年的人，行事果然与众不同，但对他相助的一番好意，却也暗暗感激，当下说道："上头有令，命兄弟随任大哥进府守卫。"跟着又道："他妈的，今儿本是轮到我休假，半夜三更的，又把人叫了去。"

任通武笑道："大帅府中闹刺客，大伙儿谁都得辛苦些。好在那一份优赏总是短不了。"胡斐笑道："回头领到了钱，小弟做东，咱哥儿俩到聚英楼去好好乐他一场。任大哥，你是好酒好赌，还是好色？"任通武哈哈大笑，说道："这酒色财气四门，做兄弟的全都打从心眼儿里欢喜出来。"胡斐在他肩上一拍，显得极是亲热，笑道："咱俩意气相投，当真是相见恨晚了。小二，小二，快取酒来！"

任通武踌躇道："今晚要当差，若是参将知道咱们喝酒，只怕不便。"胡斐低声道："喝三杯，参将知道个屁！"说话间，店小二已取过酒来，夜里没什么下酒之物，只切了一盆卤牛肉。

胡斐和任通武连干三杯，掷了一两银子在桌上，说道："余下的是赏钱！"店小二大喜，正要道谢。任通武一把将银子抢过，笑道："张大哥这手面也未免阔得过分，咱们在福大帅府中当差的，喝几杯酒还用给钱？走吧！时候差不多啦。"左手拉着胡斐，向外抢出，右手将银子塞入怀里。店小二瞧在眼里，却是敢怒而不敢言。要知福康安府里的卫士在北京城里横行惯了，看白戏、吃白食，浑是闲事，便是顺手牵羊拿些店铺里的物事，小百姓又怎敢作声？

胡斐一笑，心想此人贪财好酒，倒是容易对付，当下与他携手出店。将出店门时，忽听得屋顶上喀的一声轻响，声音虽极细微，但胡斐听在耳里，便知有异，低声道："任大哥，我忘了一件事，请你稍待。"一转身，便回进自己房中，黑暗中只见一个瘦削的身形越窗而出，身法甚是快捷，依稀便是周铁鹪。

胡斐大奇："他又到我房中来干么？"微一沉吟，揭开床帐，探手到张九鼻孔边一试，果然呼吸已止，竟是被周铁鹪使重手点死了。胡斐心中一寒："此人当真是心思周密,下手毒辣。本来若不除去张九,定会泄漏他师兄弟俩的机关,只是没料到我前脚才出门,他后脚便进来下手,连片刻喘息的余裕也没有。"既是如此,他反而放心,知道周铁鹪对己确是一片真心,不至于诱引自己进了福府,再令人围上动手。

于是将张九身子一翻,让他脸孔朝里,拉过被子窝好了,转身出房,说道:"任大哥,劳你等候,咱们走吧。"任通武道:"自己弟兄,客气什么?"两人并肩而行,大摇大摆地走向福康安府。

只见福府门前站着二十来名卫士,果是戒备不同往日。胡斐跟着任通武走到门口,一名千总低声喝道:"威震——"任通武接口道:"——四海!"那千总点了点头,说道:"今儿大伙得多加点劲。"任通武道:"那还会错么?"胡斐道:"老总,你说今晚会不会有刺客再进府来?"那千总笑道:"除非他吃了豹子胆,老虎心。"胡斐哈哈一笑,进了大门。

到达中门时,又是一小队卫士守着。一名千总低喝口令:"威震——"任通武答道:"——绝域!"那千总道:"任通武,这人面生得很,是谁啊?"任通武道:"是右营的张大哥,你没见过么?"那千总"嗯"了一声,道:"这部胡子长得倒是挺威风的。"

两人折而向左,穿过两道边门,到了花园之中。园门口又是一小队卫士,那口令却变成了"威震——千秋"。胡斐心想:"倘若我不随任通武进来,便算过了大门,也不能过二门。即使我探听到了'威震四海'的口令,也想不到每一道门的口令各有变化。"

进了花园,胡斐已识得路径,心想夜长梦多,早些下手,也好让马春花早一刻安心,又想:"二妹见我这么久不回去,必已料到我进了福府,定也忧心。"当下加快脚步,向福康安之母的住所走去。任通武很是诧异,道:"张大哥,你到那里去?"胡斐道:"上头派我保护太夫人,说道决计不可令太夫人受到惊吓。你不知道么?"任通武道:"原来如此!"

便在此时,前面两名卫士悄没声的巡了过来。左首一人低喝道："报名！"任通武道："左营任通武！"胡斐道："右营张九！"那人"啊"的一声，手按刀柄，喝道："什么？你是谁？"

胡斐心中一凛，知道此人和张九熟识，事已败露，凑到他耳边，低声道："我是胡斐！"那人惊得呆了，一时手足无措。胡斐伸指一戳，点中了他的穴道，左手手肘顺势一撞，又打中了另一名卫士的穴道。任通武惊慌失措，道："你……你……干什么？"胡斐冷冷地道："大丈夫行不改姓，坐不改名，我姓胡名斐的便是。"一面说，一面将两名穴道被点的卫士掷入了花丛。

任通武吸一口气，刷的一声，拔出了腰刀。胡斐笑道："人人都已瞧见，是你引我进府来的。你叫嚷起来，有何好处？还不如乖乖的别做声。"任通武又惊又怕，哪里还说得出话来。

胡斐道："你要命的，便跟着我来。"任通武这时六神无主，只得跟在他身后，眼见他一伸手一回肘，便打倒了两名武功比自己高得多的卫士，若是与他动手，徒然送了性命，只盼他别闹出什么事来，连累了自己。但胡斐既然进得府来，岂有不闹事之理，任通武这般痴想，也不过在无法之中自行宽慰而已。

胡斐快步到相国夫人的屋外，只见七八名卫士站在门口，若是向前硬闯，未必能迅速过得这一关，心念一动，绕着走到屋侧，提声喝道："任通武，你干什么？闯到太夫人屋里来，想造反么？"这一喝更令任通武摸不着半点头脑，结结巴巴的道："我……我……"

胡斐喝道："快停步，你图谋不轨么？"众卫士听他吆喝，吃了一惊，一齐奔了过来。胡斐伸掌托在任通武的背上，掌力一送，他那庞大的身躯飞了出去，砰的一声，撞在窗格之上，登时木屑纷飞。胡斐叫道："拿住他，拿住他！快快！"

众卫士一拥而上，都去捉拿任通武。胡斐大叫："莫惊吓了太夫人！这反贼胆子倒是不小。"一面叫嚷，一面冲进房去。只见太夫人双手各拉着一个孩子，惊问："什么事？"那两孩子兀自啼哭，叫着："我要妈妈，我要妈妈。"胡斐道："有刺客！小人保护太夫人和两位公子爷出去。"太夫人多见事故，一凛之下，心中起疑，喝道："你是谁？刺客在哪里？"胡斐不敢多耽，又恼恨她心肠毒辣,下手毒害马春花,当即抢上一步,反手便是一掌。

这太夫人贵为相府夫人,当今皇帝是她情郎,三个儿子都做尚书,两个媳妇是金枝玉叶的公主,出世以来,哪里受过这般殴辱?胡斐虽知她心肠之毒,不下于大奸巨恶,但终究念她是个年老妇人,不欲便此伤她性命,这一掌只使了一分力气。饶是如此,她右颊已高高肿起,满口鲜血,跌落了两枚牙齿,惊怒之下,几乎晕了过去。

胡斐俯身对两个孩子道:"我带你们去见妈妈。妈妈想念你们得紧。"两个孩儿登时笑逐颜开,伸出四条小手臂,要胡斐抱了去见母亲。胡斐左臂一长,一臂抱起两个孩子,便在此时,已有两名卫士奔进屋来。

胡斐心想,若不借重太夫人,实难脱身,伸右手抓住太夫人衣领,喝道:"太夫人在我掌握之中,你们上来,大家一齐都死!"说着抢步便往外闯。

这时几名卫士已将任通武擒住,眼睁睁地见胡斐一手抱了两个孩子,一手拉着太夫人直往外奔。众卫士投鼠忌器,哪敢上前动手?只是连声嗯哨,紧跟在他身后四五步之处,手中刀剑距他背心不过数尺,虽见他无法分手招架,但终究不敢递上前去。胡斐心中也是暗暗叫苦,眼见园中众卫士四面八方的聚集,自己带着一老二少,拖拖拉拉,哪里能出府门?敌人纵然心存顾忌,但只要有人大胆上前,自己总不能当真便将太夫人打死。

无法可施之下,只有急步向前。这一来双方成了僵持之局,众卫士固然不敢上前动手,胡斐却也不能脱出险地,时候一长,卫士越集越多,处境便越是危险。一时苦无善策,只有豁出了性命不要,走一步便算一步,但听得叫嚷传令之声,四下呼应。他一手抱着孩子,一手拖着太夫人,行走不快,只是往黑暗处闯去。

便在此时,忽见左首火光一闪,有人大声叫道:"刺客行刺公主!要烧死公主啦,要烧死公主啦!"胡斐一怔,听叫嚷之声正是周铁鹪。但见浓烟火焰,从左边的一排屋中冲天而起。那和嘉公主是当今皇帝的亲生爱女。若有失闪,福康安府中合府卫士都有重罪。只听周铁鹪又叫道:"大家快去救火,莫伤了公主,我来救太夫人。"周铁鹪在福康安手下素有威信，众卫士又在惊慌失措之下，听他叫声威严，自有一股慑人之势，于是一窝蜂地向公主的住所奔去。

胡斐已知这是他调虎离山之计，好替自己脱困，心下好生感激。只见周铁鹪疾奔而至，一刀搂头砍到。胡斐向旁一闪，喝道："好厉害！"将太夫人向他一推。周铁鹪扶住太夫人，负在背上。胡斐一手抱了一个孩子。脚下登时快了，只听周铁鹪又提气叫道："刺客来得不少，各人紧守原地，保护大帅和两位公主，千万不可中了刺客的调虎离山之计。"众卫士一听"调虎离山"四字，心下均各凛然，不敢再追。

胡斐疾趋花园后门，翻墙而出，却只叫得一声苦，但见东面西面，都是黑压压的一片，站满了卫士。他抱了两个孩子，越过一大片空地，抢进了一条胡同。众卫士大呼："拿刺客，拿刺客！"自后追来。

胡斐奔完胡同，转到一条横街，只见前面一辆骡车停在街心。胡斐一跃上车，叫道："快赶，快赶！重重赏你银子！"车夫位上并肩坐着两人。右边一个身材瘦削的汉子一提缰绳，鞭子拍的一响，骡子拉着车子便跑。

胡斐喘息稍定，只觉奇臭冲鼻，定睛一看，见车上装满了粪桶，原来那是挨门沿户替人倒粪桶的一辆粪车，心想："怪不得半夜三更的，竟有一辆骡车在这儿？"回头望时，见众卫士大声呐喊，随后赶来。

他心念一动，提起一只粪桶，向后掷了过去。这一掷力道极猛，两名奔在最先的卫士登时给粪桶撞倒，淋漓满身，一时竟然爬不起来。其余众卫士见状，一齐驻足。这些人都是精选的悍勇武士，刀山枪林吓他们不倒，但大粪桶当头掷来，却是谁也不敢尝一尝这般滋味。

那骡子足不停步的向前直跑，但过多时，后面人声隐隐，众卫士又赶了上来。须知福康安是当朝兵部尚书，执掌天下兵马大权，府中卫士个个均非庸手，给胡斐接连两晚闹了个天翻地覆,众卫士的脸皮往哪里搁去?因此一见粪车跑远,粪桶已掷投不到,各人踏过满地粪水,锲而不舍地继续追赶。

胡斐心下烦恼:"倘若我便这么回去,岂不是自行泄露了住处?马姑娘未脱险境,怎能引鬼上门?但若不回住处,却又躲到哪里去?"便这么寻思之际,众卫士又迫得近了些,只是害怕粪桶,不敢十分逼近,各人均想:"咱们便是这么远远跟着,难道在这北京城中,你还能插翅飞去?"

转眼之间,骡车驰到一个十字路口,只见街心又停着一辆粪车。胡斐所乘的车子驰得靠近,赶骡子的车夫伸臂向胡斐一招,喝道:"过去!"纵身一跃,坐上了另一辆粪车。胡斐抱着两个孩子跟着跃过。先前车上的另一个汉子接过缰绳,竟是毫不停留,向西边岔道上奔了下去。胡斐所乘的骡车却向东行。

待得众卫士追到,只见两辆一模一样的粪车,一辆向东,一辆向西,却不知刺客是在那一辆车中。众人略一商议,当下兵分两路,分头追赶。

胡斐听了那身材瘦削的汉子那一声呼喝,又见了这一跃的身法,已知是程灵素前来接应,喜道:"二妹,原来是你!"程灵素"哼"的一声,并不答话。胡斐又问:"马姑娘怎样?病势没转吧?"程灵素道:"不知道。"胡斐知她生气了,柔声道:"二妹,我没听你话,原是我的不是,请你原谅这一次。"程灵素道:"我说过不给她治病,便不治病。难道我说的不是人话么?"

说话之间,又到了一处岔道,但见街中心仍是停着一辆粪车。这一次程灵素却不换车,只是嗯哨一声,做个手势,两辆粪车分向南北,同时奔行。众卫士追到时面面相觑,大呼:"邪门!邪门!"只得又分一半人北赶,一半人南追。

北京城中街道有如棋盘,一道道纵通南北,横贯东西,因此行不到数箭之地,便出现一条岔道,每处十字路口,必有一辆粪车停着。程灵素见众卫士追得近了,便不换车,以免纵起跃落时给他们发觉,若是相距甚远,便和胡斐携同两孩换一辆车,使骡子力新,奔驰更快。这样每到一处岔道,众卫士的人数便减少了一半,到得后来,稀稀落落的只有五六人追在后面。这五六人也胡斐又道："二妹，你这条计策真是再妙不过，倘若不是雇用深夜倒粪的粪车，寻常的大车一辆辆停在街心，给巡夜官兵瞧见了，定会起疑。"程灵素冷笑道："起疑又怎么样？反正你不爱惜自己，便是死在官兵手中，也是活该。"胡斐笑道："我死是活该，只是累得姑娘伤心，那便过意不去。"程灵素冷笑道："你不听我话，自己爱送命，才没人为你伤心呢。除非是你那个多情多义的袁姑娘……她又怎么不来助你一臂之力？"胡斐道："她没知道我会这样傻，竟会闯进福大帅府中去。天下只有一位姑娘，才知道我会这般蛮干起来，也只有她，才能在紧急关头救我性命。"

这几句话说得程灵素心中舒服熨贴无比，哼了一声，道："当年救你性命的是马姑娘，所以你这般念念不忘，要报她大恩。"胡斐道："在我心中，马姑娘怎能跟我的二妹相比？"

程灵素在黑暗中微微一笑，道："你求我救治马姑娘，什么好听的话都会说。待得不求人家了，便又把我说的话当做耳边风。"胡斐道："倘若我说的是假话，叫我不得好死。"程灵素道："真便真，假便假，谁要你赌咒发誓了？"她这句话口气松动不少，显是胸中的气恼已消了大半。

再过一个十字路口，只见跟在车后的卫士只剩下两人。胡斐笑道："二妹，你拉一拉缰，我变个戏法你瞧。"程灵素左手一勒，那骡子倏地停步。在后追赶的两名卫士奔得几步，与骡车已相距不远。胡斐提起一只空粪桶，猛地掷出，噗的一响，正好套在一名卫士的头上。另一名卫士吃了一惊，"啊"的一声大叫，转身便逃。

程灵素见了这滑稽情状，忍不住噗哧一声，笑了出来。便在这一笑之中，满腔怒火终于化为乌有。

胡斐和她并肩坐在车上，接过缰绳，这时距昨晚居住之处已经不远，后面也再无卫士追来。两人再驰一程，便即下车，将车子交给原来的车夫，又加赏了他一两银子，命他回去。各人抱了一个小孩，步行而归，越墙回进居处，当真是神不知、鬼不觉，却有谁知道这两人适才正是从福大帅府中大闹而回？

马春花见到两个孩子，精神大振，紧紧搂住了，眼泪便如珍珠断线般流下。两个孩子也是大为高兴，直叫"妈妈！"

程灵素瞧着这般情景，眼眶微湿，低声道："大哥，我不怪你啦。咱们原该把孩子夺来，让他们母子团聚。"胡斐歉然道："我没听你的吩咐，心中总是抱憾。"程灵素嫣然一笑，道："咱们第一天见面，你便没听我吩咐。我叫你不可离我身边，叫你不可出手，你听话了么？"

马春花见到孩子后，心下一宽，痊可得便快了，再加程灵素细心施针下药，体内毒气渐除。只是她问起如何到了这里，福康安何以不见？胡斐和程灵素却不明言。两个孩子年纪尚小，也说不出一个所以然来。

　　胡斐将假胡子染成黄色,脸皮也涂得淡黄,倒似生了黄疸病一般,打扮得又豪阔又俗气。程灵素扮成个弓腰曲背的中年妇人,来到福康安府前。

第十七章　天下掌门人大会

　　转眼过了数日，已是中秋。这日午后，胡斐带同程灵素、蔡威、姬晓峰三人，径去福康安府中，赴那天下武林掌门人大会。

　　胡斐这一次的化装，与日前虬髯满腮，又自不同。他剪短了胡子，又用药染成黄色，脸皮也涂成了淡黄，倒似生了黄疸病一般，满身锦衣灿烂，翡翠鼻烟壶、碧玉扳指、泥金大花折扇，打扮得又豪阔又俗气。程灵素却扮成个中年妇人，弓背弯腰，满脸皱纹，谁又瞧得出她是个十七八岁的大姑娘？胡斐对蔡威说是奉了师父之命，不得在掌门人大会中露了真面目。蔡威唯唯而应，也不多问。

　　到得福康安府大门口，只见卫士尽撤，只有八名知客站在门边迎宾。胡斐递上文书。那知客恭而敬之地迎了进去，请他四人在东首一席上坐下。

　　同席的尚有四人，互相一请问，却原来是猴拳大圣门的。程灵素见那掌门老者高顶尖嘴，红腮长臂，确是带着三分猴儿相，不由得暗暗好笑。

　　这时厅中宾客已到了一大半，门外尚陆续进来。厅中迎宾的知客都是福康安手下武官，有的竟是三四品的大员，若是出了福府，哪一个不是声威煊赫的高官大将，但在大帅府中，却不过是清客随员一般，比之童仆厮养也高不了多少。

　　胡斐一瞥之间，只见周铁鹪和汪铁鹗并肩走来。两人喜气洋洋，服色顶戴都已换过，显已升了官。周汪二人走过胡斐和程灵素身前，自没认出他们。

466

只听另外两个武官向周汪二人笑嘻嘻地道:"恭喜周大哥、汪大哥,那晚这场功劳实在不小。"汪铁鹗高兴得咧开了大嘴,笑道:"那也只是碰巧罢啦,算得什么本领?"又有一个武官走了过来,说道:"一位是记名总兵,一位是实授副将,嘿嘿,了不起,了不起。福大帅手下的红人,要算你两位升官最快了。"周铁鹪淡淡一笑,道:"平大哥取笑了。咱兄弟俩无功受禄,怎比得上平大哥在战场上挣来的功名?"那武官正色道:"周大哥勇救相国夫人,汪大哥力护公主。万岁爷亲口御封,小弟如何比得?"

但见周汪二人所到之处,众武官都要恭贺奉承几句。各家掌门人听到了,有的好奇心起,问起二人如何立功护主。众武官便加油添酱、有声有色地说了起来。胡斐隔得远了,只隐约听到个大概:原来那一晚胡斐夜闯福府,勇劫双童。周铁鹪老谋深算,不但将一场祸事消弭于无形,反而因为先得讯息,装腔作势,从胡斐手中夺回相国夫人,又叫汪铁鹗抢先去保护公主。那相国夫人是乾隆皇帝的情人,公主是皇帝的爱女,这一场功劳立得轻易之极。

但在皇帝眼中,却比战阵中的冲锋陷阵胜过百倍,因此金殿召见,温勉有加,将他二人连升数级。相国夫人、和嘉公主、福康安又赏了不少珠宝金银。一晚之间,周汪二人大红而特红。人人都说数百名刺客夜袭福大帅府,若不是周汪二人力战,相国夫人和公主性命不保。众卫士为了掩饰自己无能,将刺客的人数越说越多,倒似是众卫士以寡敌众,舍命抵挡,才保得福康安无恙。结果人人无过有功。福康安虽然失了两个儿子,大为烦恼,但想起十年前自己落入红花会手中的危难,这一晚有惊无险,刺客全数杀退,反而大赏卫士。官场惯例原是如此,瞒上不瞒下,皆大欢喜。

胡斐和程灵素对望儿眼,都不禁暗暗好笑。他二人都算饶有智计,但决计想不到周铁鹪竟会出此一着,平白无端得了一场富贵。胡斐心想:"此人计谋深远,手段毒辣,将来飞黄腾达,在官场中前程无限。"

纷扰间，数十席已渐渐坐满。胡斐暗中一点数，一共是六十二桌，每桌八人，分为两派，则来与会的共是一百二十四家掌门人，寻思："天下武功门派，竟是如此繁多，而拒邀不来与会的，恐怕也是不少。"又见有数席只坐着四人，又有数席一人也无，不自禁的想到了袁紫衣："不知她今日来是不来？"

程灵素见他若有所思，目光中露出温柔的神色，早猜到他是在想起了袁紫衣，心中微微一酸，忽见他颊边肌肉一动，脸色大变，双眼中充满了怒火，顺着他目光瞧去时，只见西首第四席上坐着一个身材魁梧的老者，手中握着两枚铁胆，晶光闪亮，滴溜溜地转动，正是五虎门的掌门人凤天南。

程灵素忙伸手拉了拉他衣袖。胡斐登时省悟，回过头来，心道："你既来此处，终须逃不出我手心。嘿，凤天南你这恶贼，你道我大闹帅府后，决计不敢到这掌门人大会中来，岂知我偏偏来了。"

午时已届，各席上均已坐齐。胡斐游目四顾，但见大厅正中悬着一个锦幛，钉着八个大金字："以武会友，群英毕至。"锦幛下并列四席，每席都是只设一张桌椅，上铺虎皮，却尚无人入座，想来是为王公贵人所设。

程灵素道："她还没来。"胡斐明知她说的是袁紫衣，却顺口道："谁没来？"程灵素不答，只是自言自语："她既当了九家半总掌门，总不能不来。"

又过片时，只见一位二品顶戴的将军站起身来，声若洪钟地说道："请四大掌门人入席。"众卫士一路传呼出去："请四大掌门人入席！""请四大掌门人入席！""请四大掌门人入席！"

厅中群豪心中均各不解："这里与会的，除了随伴弟子，主方迎宾知客的人员之外，个个都是掌门，怎地还分什么四大四小？"

这时大厅中一片肃静，只见两名三品武官引着四个人走进厅来，一直走到锦幛下的虎皮椅旁，分请四人入座。

看这四人时，见当先一人是个白眉老僧，手中撑着一根黄杨木的禅杖，面目慈祥，看来没一百岁，也有九十岁。第二人是个七十来岁的道人，脸上黑黝黝地，双目似开似闭，形容颇为委琐。这一僧一道，貌相判若云泥，老和尚高大威严，一望而知是个有道高僧。那道人却似个寻常施法化缘、画符骗人的茅山道士，不知何以竟也算是"四大掌门人"之一？

第三人是个精神矍铄的老者，六十余岁年纪，双目炯炯闪光，两边太阳穴高高鼓起，显是内功深厚。他一进厅来，便含笑抱拳，和这一个那一个点头招呼，一百多个掌门人中，看来倒有八九十人跟他相识，当真是交游遍天下。各人不是叫"汤大爷"，便是称"汤大侠"，只有几位年岁甚高的武林名宿，才叫他一声"甘霖兄！"

胡斐心想："这一位便是号称'甘霖惠七省'的汤沛汤大侠了。袁姑娘的妈妈便曾蒙他收容过。此人侠名四播，武林中都说他仁义过人，想不到今日也受了福康安的笼络。"

但见他不即就坐，走到每一席上，与相识之人寒暄几句，拉手拍肩，透着极是亲热。待走到胡斐这一桌时，一把拉住猴拳大圣门的掌门人，笑道："老猴儿，你也来啦？嘿嘿，怎么席上不给预备一盆蟠桃儿？"

那掌门人却对他甚是恭敬，笑道："汤大侠，有七八年没见您老人家啦。一直没来跟您老人家请安问好，实在该打。您越老越健旺，真是难得。"汤沛伸手在他肩头一拍，笑道："你花果山水帘洞的猴子猴孙、猴婆猴女，大小都平安吧？"那掌门人道："托汤大侠的福，大伙儿都安健。"

汤沛哈哈一笑，向姬晓峰道："姬老三没来吗？"姬晓峰俯身请了个安，说道："家严没来。家严每日里记挂汤大侠，常说服了汤大侠赏赐的人参养荣丸后，精神好得多了。"汤沛道："你是住在云侍郎府上吗？明儿我再给你送些来。"姬晓峰哈腰相谢。汤沛向胡斐、程灵素、蔡威三人点点头，走到别桌去了。

那猴拳大圣门的掌门人道："汤大侠的外号叫做'甘霖惠七省'，其实呢，岂止是七省而已？那一年俺保的一枝十八万两银子的丝绸镖在甘凉道上失落了，一家子急得全要跳井，若不是汤大侠挺身而出，又软又硬，既挨面子，又动刀子，'酒泉三虎'怎肯交还这一枝镖呢？"跟着便口沫横飞，说起了当年之事。原来他受了汤沛的大恩，没齿不忘，一有机会，便要宣扬他的好处。

这汤沛一走进大厅，真便似"大将军八面威风"，人人的眼光都望着他。那"四大掌门人"的其余三人登时黯然无光。

第四人作武官打扮，穿着四品顶戴，在这大厅之中，官爵高于他的武官有的是，但他步履沉稳，气度威严，隐然是一派大宗师的身份。只见他约莫五十岁年纪，方面大耳，双眉飞扬有棱，不声不响地走到第四席上一坐，如渊之渟，如岳之峙，凝神守中，对身周的扰攘宛似不闻不见。胡斐心道："这也是一位非同小可的人物。"

他初来掌门人大会之时，满腔雄心，没将谁放在眼中，待得一见这四大掌门人，登时大增畏惧，寻思："汤大侠和那武官任谁一人，我都未必抵敌得过。那和尚和道人排名尚在他二人之上，自然也非庸手。今日我的身份万万泄漏不得，别说一百多个掌门人个个都是顶儿尖儿的高手，只消这'僧、道、侠、官'四人齐上，制服我便绰绰有余。"他惧意一生，当下只是抓着瓜子慢慢嗑着，不敢再东张西望，生怕给福康安手下的卫士们察觉了。

过了好一会，汤沛才和众人招呼完毕，回到自己座上。却又有许多后生晚辈，一个个赶着过去跟他磕头请安。汤沛家资豪富，仗义疏财，随在他身后的门人弟子带着大批红封包，凡是从未见过面的晚辈向他磕一个头，便给四两银子做见面礼。又乱了一阵，方才见礼已罢。

只听得一位二品武官喝道："斟酒！"在各席伺候的仆役提壶给各人斟满了酒。那武官举起杯来，朗声说道："各派掌门的前辈武师，远道来到京城，福大帅极是欢迎。现下兄弟先敬各位一杯，待会福大帅亲自来向各位敬酒。"说着举杯一饮而尽。众人也均干杯。

那武官又道："今日到来的，全是武林中的英雄豪杰。自古以来，从未有过如此盛事。福大帅最高兴的，是居然请到了四大掌门人一齐光临，现下给各位引见。"他指着第一席的白眉老僧道："这位是河南嵩山少林寺方丈大智禅师。千余年来，少林派一直是天下武学之源。今日的天下掌门人大会，自当推大智禅师坐个首席。"群豪一齐鼓掌。少林派分支庞大，此日与会的各门派中，几有三分之一是源出少林，众人见那武官尊崇少林寺的高僧，尽皆喜欢。

那武官指着第二席的道人说道："除了少林派，自该推武当为尊了。这一位是武当山太和宫观主无青子道长。"武当派威名甚盛，为内家拳剑之祖。群豪见这道人委靡不振，形貌庸俗，都是暗暗奇怪。有些见闻广博的名宿更想："自从十年前武当派掌门人马钰逝世，武当高手火手判官张召重又死在回疆，没听说武当派立了谁做掌门人啊。这太和宫观主无青子的名头，可没听见过。"

第三位汤沛汤大侠的名头人人皆知，用不着他来介绍，但那武官还是说道："这位甘霖惠七省汤大侠，是'三才剑'的掌门人。汤大侠侠名震动天下，仁义盖世，无人不知，不用小弟多饶舌了。"他说了这几句话，众人齐声哄哄，都给汤沛捧场。这情景比之引见无青子时固是大大不同，便是少林寺方丈大智禅师，也是有所不及。

胡斐听得邻桌上的一个老者说道："武林之中，有的是门派抬高了人，有的是人抬高了门派。那位青什么道长，只因是武当山太和宫的观主，便算是天下四大掌门人之一，我看未必便有什么真才实学吧？至于'三才剑'一门呢，若不是出了汤大侠这样一位百世难逢的人物，在武林中又能占到什么席位呢？"一个壮汉接口道："师叔说得是。"胡斐听了也暗暗点头。

众人乱了一阵，目光都移到了那端坐第四席的武官身上。唱名引见的那武官说道："这一位是我们满洲的英雄。这位海兰弼海大人，是镶黄旗骁骑营的佐领，辽东黑龙门的掌门人。"海兰弼的官职比他低，当那二品武官说这番话时，他避席肃立，状甚恭谨。

胡斐邻桌那老者又和同桌的人窃窃私议起来："这一位哪，却是官职抬高门派了。辽东黑龙门，嘿嘿，在武林中名不见经传,算哪一会子的四大掌门？只不过四大掌门人倘若个个都是汉人，没安插一个满洲人，福大帅的脸上须不好看。这一位海大人最多只是有几百斤蛮力，怎能和中原各大门派的名家高手较量？"那壮汉又道："师叔说得是。"这一次胡斐心中却颇不以为然，暗想："你莫小觑了这一位满洲好汉，此人英华内敛，稳凝端重，比你这糟老头儿只怕强得多呢。"

那四大掌门人逐一站起来向群豪敬酒，各自说了几句谦逊的话。大智禅师气度雍然，确有领袖群伦之风。汤沛妙语如珠，只说了七八句话，却引起三次哄堂大笑。无青子和海兰弼都不善辞令。无青子一口湖北乡下土话，尖声尖气，倒有一大半人不懂他说些什么。胡斐暗自奇怪："这位道长说话中气不足，怎能为武当派这等大派的掌门，多半他武艺虽低，辈分却高，又有人望，为门下众弟子所推重。"

当下厨役送菜上来，福大帅府宴客，端的是非比寻常，单是那一坛坛二十年的状元红陈绍，便是极难尝到的美酒。胡斐酒到杯干，一口气喝了二十余杯。程灵素见他酒兴甚豪，只是抿嘴微笑，偶尔回头，便望凤天南一眼，生怕他走得没了影踪。

吃了七八道菜，忽听得众侍卫高声传呼："福大帅到！"猛听得呼呼数声，大厅上众武官一齐离席肃立，霎时之间，人人都似变成了一尊尊石像，一动也不动了。各门派的掌门人都是武林豪客，没见过这等军纪肃穆的神态，都不由得吃了一惊，三三两两地站起身来。

只听得靴声橐橐，几个人走进厅来。众武官齐声喝道："参见大帅！"一齐俯身，半膝跪了下去。福康安将手一摆，说道："罢了！请起！"众武官道："谢大帅！"啪啪数声，各自站起。

胡斐心道："福康安治军严整，大非平庸之辈。无怪他数次出征，每一次都打胜仗。"只见他满脸春风，神色甚喜，又想："这人全无心肝，两个儿子给人抢了去，竟是满不在乎。"

福康安命人斟了一杯酒，说道："各位武师来京，本部给各位接风，干杯！"说着举杯而尽。群豪一齐干杯。

这一次胡斐只将酒杯在唇边碰了一碰,并不饮酒。他心中恼恨福康安心肠毒辣,明知母亲对马春花下毒,却不相救,因此不愿跟他干杯。

福康安说道:"咱们这个天下掌门人大会,万岁爷也知道了。刚才皇上召见,赐了二十四只杯子,命本部转赐给二十四位掌门人。"他手一挥,众人捧上三只锦盒,在桌上铺了锦缎,从盒中取出杯来。

只见第一只盒中盛的是八只玉杯,第二只盒中是八只金杯,第三只盒中取出的是八只银杯,分成三列放在桌上。玉气晶莹,金色灿烂,银光辉煌。杯上凹凹凸凸的刻满了花纹,远远瞧去,只觉甚是考究精细,大内高手匠人的手艺,果是不同。

福康安道:"这玉杯上刻的是蟠龙之形,叫做玉龙杯,最是珍贵。金杯上刻的是飞凤之形,叫做金凤杯。银杯上刻的是跃鲤之形,叫做银鲤杯。"

众人望着二十四只御杯,均想:"这里与会的掌门人共有一百余人,御杯却只有二十四只,却赐给谁好?难道是拈阄抽签不成?再说,那玉龙杯自比银鲤贵重得多,却又是谁得玉的,谁得银的?"

只见福康安取过四只玉杯,亲手送到四大掌门人的席上,每人一只,说道:"四位掌门是武林首领,每人领玉龙杯一只。"大智禅师等一齐躬身道谢。

福康安又道:"这里尚余下二十只御杯,本部想请诸位各献绝艺,武功最强的四位分得四只玉杯,可与少林、武当、三才剑、黑龙门四门合称'玉龙八门',是天下第一等的大门派。其次八位掌门人分得八只金杯,那是'金凤八门'。再其次八位分得八只银杯,那是'银鲤八门'。从此各门各派分了等级次第,武林中便可少了许多纷争。至于大智禅师、无青子道长、汤大侠、海佐领四位,则是品定武功高下的公证,各位可有异议没有?"

许多有见识的掌门人均想:"这哪里是少了许多纷争?各门各派一分等级次第,武林中立时便惹出无穷的祸患。这二十四只御杯势必你争我夺。天下武人从此争名以斗,自相残杀,刀光

473

血影，再也没有宁日了。"

可是福大帅既如此说，又有谁敢异议？早有人随声附和，纷纷喝彩。

福康安又道："得了这二十四只御杯的，自然要好好的看管着。若是给别门别派抢了去、偷了去，那玉龙八门、金凤八门、银鲤八门，跟今日会中所定，却又不同了哇！"这番话说得又明白了一层，却仍有不少武人附和哄笑。

胡斐听了福康安的一番说话，又想起衰衰衣日前所述他召开这天下掌门人大会的用意，心道："初时我还道他只是延揽天下英雄豪杰，收为己用，哪知他的用意更要毒辣得多。他是存心挑起武林中各门派的纷争，要天下武学之士，只为了一点儿虚名，便自相残杀，再也没余力来反抗满清。"正想到这里，只见程灵素伸出食指，沾了一点茶水，在桌上写了个"二"，又写了个"桃"字，写后随即用手指抹去。

胡斐点了点头，这"二桃杀三士"的故事，他是曾听人说过的，心道："古时晏婴使'二桃杀三士'的奇计，只用两枚桃子，便使三个桀骜不驯的勇士自杀而死。今日福康安要学矮子晏婴。只不过他气魄大得多，要以二十四只杯子，害尽了天下武人。"他环顾四周，只见少壮的武人大都兴高采烈，急欲一显身手，但也有少数中年和老年的掌门人露出不以为然的神色，显是也想到了争杯之事，后患大是不小。

但见大厅上各人纷纷议论，一时声音极是嘈杂，只听邻桌有人说道："王老爷子，你神拳门的武功出类拔萃，天下少有人敌，定可夺得一只玉龙杯了。"那人谦道："玉龙杯是不敢想的，倘若能捧得一只金凤杯回家，也可以向孩子们交差啦！"又有人低声冷笑说道："就怕连银鲤杯也沾不到一点边儿，那可就丢人啦。"那姓王的老者怒目而视，说风凉话的人却泰然自若，不予理会。一时之间，数百人交头接耳，谈的都是那二十四只御杯。

忽听得福康安身旁随从击了三下掌，说道："各位请静一静，福大帅尚有话说。"大厅上嘈杂之声，渐渐止歇，只因群豪素来不受约束，不似军伍之中令出即从，隔了一好阵，方才寂静无声。

福康安道:"各位再喝几杯,待会酒醉饭饱,各献绝艺。至于比试武艺的方法,大家听安提督说一说。"

站在他身旁的安提督腰粗膀宽,貌相威武,说道:"请各位宽量多用酒饭,筵席过后,兄弟再向各位解说。请,请,兄弟敬各位一杯。"说着在大杯中斟了一满杯,一饮而尽。

与会的群雄本来大都豪于酒量,但这时想到饭后便有一场剧斗,人人都不敢多喝,除了一些决意不出手夺杯的高手耆宿之外,都是举杯沾唇,作个意思,便放下了酒杯。

酒筵丰盛无比,可是人人心有挂怀,谁也没心绪来细尝满桌山珍海味,只是想到待会便要动手,饭却非吃饱不可,因此一干武师,十之八九都是酒不醉而饭不饱。

待得筵席撤去,安提督击掌三下。府中仆役在大厅正中并排放了八张太师椅,东厅和西厅也各摆八张。大厅的八张太师椅上铺了金丝绣的红色缎垫,东厅椅上铺了绿色缎垫,西厅椅上铺了白色缎垫。三名卫士捧了玉龙杯、金凤杯、银鲤杯,分别放在大厅、东厅和西厅的三张茶几上。

安提督见安排已毕,朗声说道:"咱们今日以武会友,讲究点到为止,谁跟谁都没冤仇,最好是别伤人流血。不过动手过招的当中,刀枪没眼,也保不定有什么失手。福大帅吩咐了,哪一位受轻伤的,送五十两汤药费,重伤的送三百两,不幸丧命的,福大帅恩典,抚恤家属纹银一千两。在会上失手伤人的,不负罪责。"众人一听,心下都是一凉:"这不是明着让咱们拚命么?"

安提督顿了一顿,又道:"现下比武开始,请四大掌门人入座。"

四名卫士走到大智禅师、无青子、汤沛、海兰弼跟前,引着四人在大厅的太师椅上居中坐下。八张椅上坐了四人,每一边都还空出两个座位。

安提督微微一笑,说道:"现下请天下各家各派的掌门高手,在福大帅面前各显绝艺。哪一位自忖有能耐领得银鲤杯的,请到西厅就坐;能领得金凤杯的,请到东厅就坐。若是自信确能艺压当场,可和四大掌门人并列的,请到大厅正中就坐。二十位掌门人入坐之后，余下的掌门人哪一位不服，可向就座的挑战，败者告退，胜者就位，直到无人出来挑战为止。各位看这法儿合适么？"

众人心想："这不是摆下了二十座擂台吗？"虽觉大混战之下死伤必多，但力强者胜，倒也公平合理。许多武师便大声说好，无人异议。

这时福康安坐在左上首一张大椅中。两边分站着十六名高手卫士，周铁鹪和王剑英都在其内，严密卫护，生怕众武师龙蛇混杂，其中隐藏着刺客。

程灵素伸手肘在胡斐臂上轻轻一敲，嘴角向上一努，胡斐顺着她眼光向上看去，只见屋角一排排的站满了卫士，都是手握兵刃。看来今日福康安府中戒备之严，只怕还胜过了皇宫内院，府第周围，自也是布满了精兵锐士。胡斐心想："今日能找到凤天南那恶贼的踪迹，心愿已了，无论如何不可泄漏了形迹，否则只怕性命难保。待会若能替华拳门夺到一只银鲤杯，也算是对得起这位姬兄了。只是我越迟出手越好，免得多引人注目。"

哪知他心中这么打算，旁人竟也都是这个主意。只不过胡斐怕的是被人识破乔装，其余武师却均盼旁人斗个筋疲力尽，自己最后出手，坐收渔人之利，是以安提督连说几遍："请各位就座！"那二十张空椅始终空荡荡的，竟无一个武师出来坐入。

俗语说得好："文无第一，武无第二。"凡是文人，从无一个自以为文章学问天下第一，但学武之士，除了修养特深的高手之外，决计不肯甘居人后。何况此日与会之人都是一派之长，平素均是自尊自大惯了的，就说自己名心淡泊，不喜和人争竞，但所执掌的这门派的威望却决不能堕了。只要这晚在会中失手，本门中成千成百的弟子今后在江湖上都要抬不起头来，自己回到本门之中，又怎有面目见人？只怕这掌门人也当不下去了。当真是人同此心，心同此意："我若不出手，将来尚可推托交代。若是出手，非夺得玉龙杯不可。要一只金凤杯、银鲤杯，又有何用？"因此众武师的眼光，个个都注视着大厅上那四张空着的太师椅，至于东厅和西厅的金凤杯和银鲤杯，竟是谁都不在意下。

僵持了片刻，安提督干笑道："各位竟都这么谦虚？还是想让别个儿累垮了，再来捡个现成便宜？那可不合武学大师的身份啊。"这几句话似是说笑，其实却是道破了各人心事，以言相激。

果然他这句话刚说完，人丛中同时走出两个人来，在两张椅中一坐。一个大汉身如铁塔，一言不发，却把一张紫檀木的太师椅坐得格格直响。另一个中等身材，颏下长着一部黄胡子，笑道："老兄，咱哥儿俩都是抛砖引玉。冲着眼前这许多老师父、大高手，咱哥儿难道还能把两只玉龙杯捧回家去吗？你可别把椅子坐烂了，须得留给旁人来坐呢。"那黑大汉"嘿"的一声，脸色难看，显然对他的玩笑颇不以为然。

一个穿着四品顶戴的武官走上前来，指着那大汉朗声道："这位是'二郎拳'的掌门人黄希节黄老师。"指着黄胡子道："这位是'燕青拳'的掌门人欧阳公政欧阳老师。"

胡斐听得邻桌那老者低声道："好哇，连'千里独行侠'欧阳公政，居然也想取玉龙杯。"胡斐心中微微一震，原来那欧阳公政自己安上个外号叫做"千里独行侠"，其实是个独脚大盗，空有侠盗之名，并无其实，在武林中名头虽响，声誉却是极为不佳，胡斐也曾听到过他的名字。

这两人一坐上，跟着一个道人上去，那是"昆仑刀"的掌门人西灵道人。只见他脸含微笑，身上不带兵刃，似乎成竹在胸，极有把握，众人都有些奇怪："这道士是'昆仑刀'的掌门人，怎地不带单刀？"

厅上各人正眼睁睁地望着那余下的一张空椅，不知还有谁挺身而出。安提督说道："还有一只玉杯，没谁要了么？"

只听得人丛中一人叫道："好吧！留下给我酒鬼装酒喝！"一个身材瘦高的汉子踉踉跄跄而出，一手拿酒壶，一手拿酒杯，走到厅心，晕头转向地绕了两个圈子，突然倒转身子，向后一跌，摔入了那只空椅之中。这一下身法轻灵，显是很高明的武功。大厅中不乏识货之人，早有人叫了起来："好一招'张果老倒骑驴，摔在高桥上'！"原来这人是"醉八仙"的掌门人千杯居士文醉翁，但见他衣衫褴褛，满脸酒气，一副令人莫测高深的模样。

安提督道："四位老师胆识过人，可敬可佩。还有哪一位老师，自信武功胜得过这四位中任何一位的，便请出来挑战。若是无人挑战，那么二郎拳、燕青拳、昆仑刀、醉八仙四门，便得归于'玉龙八门'之列了。"

只见东首一人抢步而上，说道："小人周隆，愿意会一会'千里独行侠'欧阳老师。"这人满脸肌肉虬起，身材矮壮，便如一只牯牛相似。

胡斐对一干武林人物都不相识，全仗旁听邻座的老者对人解说。好在那老者颇以见多识广自喜，凡是知道的，无不抢先而说。只听他道："这位周老师是'金刚拳'的掌门人，又是山西大同府兴隆镖局的总镖头。听说欧阳公政劫过他的镖，他二人很有过节。我看这位周老师下场子，其意倒不一定是在玉龙杯。"

胡斐心想："武林中恩恩怨怨，牵缠纠葛，就像我自己，这一趟全是为凤天南那恶贼而来。各门各派之间，只怕累世成仇已达数百年的也有不少。难道都想在今日会中了断么？"想到这里，情不自禁地望了凤天南一眼，只见他不住手的转动两枚铁胆，却不发出半点声息，神色甚是宁定。胡斐在福康安府中闹了两晚，九城大索，凤天南料想他早已逃出北京，高飞远走，哪想到他英雄侠胆，竟又会混进这龙潭虎穴的掌门人大会中来？

周隆这么一挑战，欧阳公政笑嘻嘻地走下座位，笑道："周总镖头，近来发财？生意兴隆？"

周隆年前所保的八万两银子一枝镖给他劫了，始终追不回来，赔得倾家荡产，数十年的积蓄一旦而尽，如何不恨得牙痒痒的？当下更不打话，一招"双劈双撞"直击出去。欧阳公政还了一招燕青拳中的"脱靴转身"，两人登时激斗起来。周隆胜在力大招沉，下盘稳固，欧阳公政却以拳招灵动、身法轻捷见长。周隆一身横练功夫，对敌人来招竟不大闪避，肩头胸口接连中了三拳，竟是哼也没哼一声，突然间呼的一拳打出，却是"金刚拳"中的"迎风打"。欧阳公政一笑闪开，飞脚踹出，踢在他的腿上。周

478

隆"抢背大三拍"就地翻滚，摔了一交，却又站起。

两人拆到四五十招，周隆身上已中了十余下拳脚，冷不防鼻上又中了一拳，登时鼻血长流，衣襟上全是鲜血。欧阳公政笑道："周老师，我只不过抢了你镖银，又没抢你老婆，说不上杀父之仇、夺妻之恨。这就算了吧！"周隆一言不发，扑上发招。欧阳公政仗着轻功了得，侧身避开，口中不断说轻薄言语，意图激怒对方。

酣战中周隆小腹上又被踢中了一脚，他左手按腹，满脸痛苦之色，突然之间，右手"金钩挂玉"，抢进一步，一招"没遮拦"，结结实实地捶中在敌人胸口。但听得喀喇一响，欧阳公政断了几根肋骨，摇摇晃晃，一口鲜血喷了出来。

他知周隆恨已入骨，一招得胜，跟着便再下毒手，这时自己已无力抵御，当下强忍疼痛，闪身退下，苦笑道："是你胜了……"周隆待要追击，汤沛说道："周老师，胜负已分，不能再动手了。你请坐吧。"周隆听得是汤沛出言，不敢违逆，抱拳道："小人不敢争这玉龙杯！"抽身归座。

众武师大都瞧不起欧阳公政的为人，见周隆苦战获胜，纷纷过来慰问。欧阳公政满脸惭色，却不敢离座出府，他自知冤家太多，这时身受重伤，只要一出福大帅府，立时便有人跟出来下手，周隆第一个便要出来，只得取出伤药和酒吞服，强忍疼痛，坐着不动，对旁人的冷嘲热讽，只作不闻。

胡斐心道："这周隆看似戆直，其实甚是聪明，凭他的功夫，那玉龙杯是决计夺不到的，一战得胜，全名而退。'金刚拳'虽不能列名为'玉龙八门'，但在江湖上却谁也不能小看了。"

只听汤沛说道："周老师既然志不在杯，有哪一位老师上来坐这椅子？"

这一只空椅是不战而得，倒是省了一番力气，早有人瞧出便宜，两条汉子分从左右抢了过去。眼看两人和太师椅相距的远近都是一般，谁的脚下快一步，谁便可以抢到。哪知两人来势都急，奔到椅前，双肩一撞，各自退了两步。便在此时，呼的一声，一人从人丛中窜了出来，双臂一振，如大鸟般飞起，轻轻巧巧地落在椅中。他后发而先至，竟抢在那两条汉子的前面，这一份轻功可实在耍得漂亮。人丛中轰雷价喝了声彩。

那互相碰撞的两个汉子见有人抢先坐入椅中，向他一看，齐声叫道："啊，是你！"不约而同地向他攻了过去。那人坐在椅中，却不起身，左足砰的一下踢出，将左边那汉子踢了个筋斗，右手一长，扭住右边汉子的后领，一转一甩，将他摔了一交。他身不离椅，随手打倒两人。众人都是一惊："这人武功怎地了得！"

安提督不识此人，走上两步，问道："阁下尊姓大名？是何门何派的掌门人？"

那人尚未回答，地下摔倒的两个汉子已爬起身来，一个哇哇大叫，一个破口乱骂，抡拳又向他打去。从二人大叫大嚷的言语中听来，似乎这人一路上侮弄戏耍，二人早已很吃了他的苦头。那人借力引力，左掌在左边汉子的背心上一推，右足弯转，啪的一声，在右边汉子的屁股上踢了一脚。两人身不由主地向前一冲。幸好两人变势也快，不等相互撞头，四只手已伸手扭住，只是去势急了，终于站不住脚，一齐摔倒。

左边那汉子叫道："齐老二，咱们自己的帐日后再算，今日并肩子上，先料理了这厮再说。"右边的汉子道："不错！"一跃而起，便从腰间抽出了一柄匕首。

胡斐听得邻座那老者自言自语："'鸭形门'的翻江鼋一死，传下的两个弟子实在太不成器。"叹息了一声，不再往下解释。

胡斐见两个汉子身法甚是古怪，好奇心起，走过去拱一拱手，说道："请问前辈，这两位是'鸭形门'的么？"那老者笑了笑，道："阁下面生得紧啊。请教尊姓大名？"胡斐还未回答，蔡威已站起身来，说道："我给两位引见。这是敝门新任掌门人程灵胡程老师，这位是'先天拳'掌门人郭玉堂郭老师。你们两位多亲近亲近。"

郭玉堂识得蔡威，知道华拳门人才辈出，是北方拳家的一大门派，不由得对胡斐肃然起敬，忙起立让座，说道："程老师，我这席上只有四人，要不要到这边坐？"胡斐道："甚好！"向大圣门的猴形老儿告了罪,和程灵素、姬晓峰、蔡威三人将杯筷挪到郭玉堂席上,坐了下来。"先天拳"一派来历甚古,创于唐代,但历代拳师传技时各自留招,千余年来又没出什么出类拔萃的英杰,因之到得清代,已趋式微。郭玉堂自知武功不足以与别派的名家高手争胜,也没起争夺御杯之意,心安理得地坐在一旁,饮酒观斗,这时听胡斐问起,说道:"'鸭形拳'的模样很不中瞧,但马步低,下盘稳,水面上的功夫尤其了得。当年翻江鼋在世之日,河套一带是由他称霸了。翻江鼋一死,传下了两个弟子,这拿匕首的叫做齐伯涛,那拿破甲锥的叫做陈高波。两人争做掌门人已争了十年,谁也不服谁。这次福大帅请各家各派的掌门人赴会,嘿,好家伙,师兄弟俩老了脸皮,可一起来啦!"

只见齐伯涛和陈高波各持一柄短兵刃,左右分进,坐在椅中那人却仍不站起,骂道:"没出息的东西,我在兰州跟你们怎么说了?叫你们别上北京,却偏偏要来。"这人头尖脸小,拿着一根小小旱烟管,呼噜呼噜地吸着,留着两撇黄黄的鼠须,约莫五十来岁年纪。

安提督连问他姓名门派,他却始终不理。胡斐见他手脚甚长,随随便便地东劈一掌,西踢一腿,便将齐陈二人的招数化解了去,武功似乎并不甚高,但招数却极怪异,问郭玉堂道:"郭老师,这位前辈是谁啊?"郭玉堂皱眉道:"这个……这个……"他可也不认识,不由得脸上有些讪讪的,旁人以武功见负自惭,他却以识不出旁人的来历为羞。

只听那吸旱烟的老者骂道:"下流胚子,若不是瞧在我那过世的兄弟翻江鼋脸上,我才不理你们的事呢。翻江鼋一世英雄,收的徒弟却贪图功名利禄,来赶这趟混水。你们到底回不回去?"陈高波挺锥直戳,喝道:"我师父儿时有你这个臭朋友了?我在师父门下七八年,从来没见过你这糟老头子!"那老者骂道:"翻江鼋是我小时玩泥沙、捉虫蚁的朋友,你这娃娃知道什么?"突然左手一伸,啪的一下,打了他一个耳括子。这时齐伯涛已攻到他的右侧,那老者抬腿一踹,正好踹中他的面门,喝道:"你师父死了,我来代他教训。"

大厅上群雄见三人斗得滑稽，无不失笑。但齐伯涛和陈高波当真是大浑人两个，谁都早瞧出来他们决不是老者的对手，二人却还是苦苦纠缠。那老者说道："福大帅叫你们来，难道当真是安着好心么？他是要挑得你们自相残杀，为了几只喝酒嫌小、装尿不够的杯子，大家拚个你死我活！"这句话明着是教训齐陈二人，但声音响朗，大厅上人人都听见了。

胡斐暗暗点头，心想："这位前辈倒是颇有见识，也亏得他有这副胆子，说出这几句话来。"

果然安提督听了他这话，再也忍耐不住，喝道："你到底是谁？在这里胡说八道地捣乱？"总算他还碍着群雄的面子，当他是邀来的宾客，否则早就一巴掌打过去了。

那老者咧嘴一笑，说道："我自管教我的两个后辈，又碍着你什么了？"旱烟管伸出，叮叮两响，将齐陈手中的匕首和破甲锥打落，将旱烟管往腰带中一插，右手扭住齐伯涛的左耳，左手扭住陈高波的右耳，扬长而出。说也奇怪，两人竟是服服帖帖的一声不作，只是歪嘴闭眼，忍着疼痛，神情极是可笑。原来那老者两只手大拇指和食指扭住耳朵，另外三指却分扣两人脑后的"强间""风府"两穴，令他们手足俱软，反抗不得。

胡斐心道："这位前辈见事明白，武功高强，他日江湖上相逢，倒可和他相交。齐陈二人若能得他调教，将来也不会如此没出息了。"

安提督骂道："混帐王八羔子，到大帅府来胡闹，当真是活得不耐烦了……"忽然波的一声，人丛中飞出一个肉丸，正好送到他的嘴里。安提督一惊之下，骨碌一下，吞入了肚中，登时目瞪口呆，说不出话来，虽然牙齿间沾到一些肉味，却不清楚到底吞了什么怪东西下肚，又不知这物事之中是否有毒，自是更不知这肉丸是何人所掷了。这一下谁也没瞧明白，只见他张大了口，满脸惊惶之色，一句话没骂完，却没再骂下去。

汤沛向着安提督的背心，没见到他口吞肉丸，说道："江湖上山林隐逸之士，所在多有，原也不足为奇。这位前辈很清高，不愿跟咱们俗人为伍，那也罢了。这里有一张椅子空着，却有哪一位老师上来坐一坐？"

人丛中一人叫道："我来！"众人只闻其声，不见其人，过了好一会，才见人丛中挤出一个矮子来。只见这人不过三尺六七寸高，满脸虬髯，模样甚是凶横。有些年轻武师见他矮得古怪，不禁笑出声来。那矮子回过头来，怒目而视，眼光炯炯，自有一股威严，众人竟自不敢笑了。

那矮子走到二郎拳掌门人黄希节身前，向着他从头至脚的打量。黄希节坐在椅上，犹似一座铁塔，比那矮子站着还高出半个头。那矮子对他自上看到下，又自下看到上，却不说话。黄希节道："看什么？要跟我较量一下么！"那矮子哼了一声，绕到椅子背后，又去打量他的后脑。黄希节恐他在身后突施暗算，跟着转过头去，那矮子却又绕到他正面，仍是侧着头，瞪眼而视。那四品武官问道："这位老师是陕西地堂拳掌门人，宗雄宗老师！"

黄希节给他瞧得发毛，霍地站起身来，说道："宗老师，在下领教领教你的地堂拳绝招。"哪知宗雄双足一蹬，坐进了他身旁空着的椅中。黄希节哈哈一笑，说道："你不愿跟我过招，那也好！"坐回原座。宗雄却又纵身离座，走到他跟前，将一颗冬瓜般的脑袋，转到左边，又转到右边，只是瞧他。

黄希节怒喝道："你瞧什么？"宗雄道："适才饮酒之时，你干么瞧了我一眼，又笑了起来？你笑我身材矮小，是不是？"黄希节笑道："你身材矮小，跟我有什么相干？"宗雄大怒，喝道："你还讨我便宜！"黄希节奇道："咦，我怎地讨你便宜？"宗雄道："你说我身材矮小，跟你有什么相干？嘿嘿，我生得矮，那只跟我老子相干，你不是来混充我老子吗？"此言一出，大厅中登时哄堂大笑。

福康安正喝了一口茶，忍不住喷了出来。程灵素伏在桌上，笑得揉着肚子。胡斐却怕大笑之下，粘着的胡子落了下来，只得强自忍住。

黄希节笑道："不敢，不敢！我儿子比宗老师的模样儿俊得多了。"宗雄一言不发，呼的一拳便往他小肚上击去。黄希节早有提防，他身材虽大，行动却甚是敏捷，一跃而起，跳在一旁。只听喀喇一响，宗雄一拳已将一张紫檀木的椅子打得碎裂。这一拳打出，大厅上笑声立止，众人见他虽然模样丑陋，言语可笑，但神力惊人，倒是不可小觑了。

宗雄一拳不中，身子后仰，反脚便向黄希节踢去。黄希节左脚缩起，"英雄独立"，跟着还了一招"打八式踝子脚"。宗雄就地滚倒，使了地堂拳出来，手足齐施，专攻对方的下三路。黄希节连使"扫堂腿"、"退步跨虎势"、"跳箭步"数招，攻守兼备。但他的"二郎拳"的长处是在拳掌而非腿法，若与常人搏击，给他使出"二郎担山掌"、"盖马三拳"等绝招来，凭着他拳快力沉，原是不易抵挡，而他所练腿法，也是窝心腿，撩阴腿等用以踢人上盘中盘，这时遇到宗雄在地下滚来滚去，生平所练的功夫尽数变了无用武之地，不但拳头打人不着，踢腿也无用武处，只是跳跃而避。过不多时，膝弯里已被宗雄接连踢中数腿，又痛又酸之际，宗雄双腿一绞，黄希节站立不住，摔倒在地。

宗雄纵身扑上，那知黄希节身子跌倒，反而有施展余地，一拳击出，正中对方肩头，将宗雄击出丈余。宗雄一个打滚，又攻了回来。黄希节跪在地下，瞧准来势，左掌右拳，同时击出，宗雄斜身滚开。两人着地而斗，只听得砰砰之声不绝，身上各自不断中招。但两人都是皮粗肉厚之辈，很挨得起打击，你打我一拳，我还你一脚，一时竟分不出胜负，这般搏击，宗雄已占不到便宜，蓦地里黄希节卖个破绽，让宗雄滚过身来，挺着胸口重重挨上一拳，双手齐出，抓住他的脖子，一翻身，将他压在身下，双手使力收紧。宗雄伸拳猛击黄希节胁下，但黄希节好容易抓住敌人要害，如何肯放？宗雄透不过气来，满脸涨成紫酱，击出去的拳头也渐渐无力了。

群雄见二人蛮打烂拚，宛如市井之徒打架一般，哪还有丝毫掌门人的身份，都是摇头窃笑。

眼见宗雄渐渐不支，人丛中忽然跳出一个汉子，搐拳往黄希节背上击去。安提督喝道："退下，不得两个打一个。"但那人拳头已打到了黄希节背心。黄希节吃痛，手一松，宗雄翻身跳起，人丛中又有一人跳出,长臂抡拳,没头没脑地向那汉子打去。原来这两人一个是宗雄的大弟子,一个是黄希节的儿子,各自出来助拳,大厅上登时变成两对儿厮殴。

旁观众人呐喊助威,拍手叫好。一场武林中掌门人的比武较艺,竟变成了耍把戏一般,庄严之意,荡然无存。

宗雄吃了一次亏,不敢再侥幸求胜,当下严守门户,和黄希节斗了个旗鼓相当。黄希节的儿子临敌经验不足,接连给对方踢了几个筋斗。他一怒之下,从靴筒中拔出一柄短刀,便向敌人剁去。宗雄的弟子吃了一惊,他身上没携兵刃,抢过汤沛身旁那张空着的太师椅,舞动招架。

这场比武越来越不成模样。安提督喝道:"这成什么样子?四个人通统给我退下。"但宗雄等四人打得兴起,全没听见他的说话。

海兰弼站起身来,道:"提督大人的话,你们没听见么?"黄希节的儿子一刀向对手剁去,却剁了个空。海兰弼一伸手,抓住他的胸口,顺手向外掷出,跟着回手抓住宗雄的弟子,也掷到了天井之中。众人一呆之下,但见海兰弼一手一个,又已抓住宗雄和黄希节,同时掷了出去。四人跌成一团,头晕脑胀之下,乱扭乱打,直到几名卫士奔过去拆开,方才罢手,但人人均已目肿鼻青,兀自互相叫骂不休。

海兰弼这一显身手,旁观群雄无不惕然心惊,均想:"这人身列四大掌门,果然有极高的武功,这么随手一抓一掷,就将宗黄二人如稻草般抛了出去。"要知宗雄和黄希节虽然斗得狼狈,但两人确有真实本领,在江湖上也都颇有声望,实非等闲之辈。

海兰弼掷出四人后,回归座位。汤沛赞道:"海大人好身手,令人好生佩服。"海兰弼笑道:"可叫汤大侠见笑了,这几个家伙可实在闹得太不成话。"

这时侍仆搬开破椅,换了一张太师椅上来。"昆仑刀"掌门人西灵道人本来一直脸含微笑,待见海兰弼露了这手功夫,自觉难以和他并列,忝居"玉龙八门"的掌门人之一,不由得有些局促不安起来。那一旁"醉八仙"掌门人千杯居士文醉翁,却仍是自斟自饮，醉眼模糊，对眼前之事恍若不闻不见。

安提督说道："福大帅请各位来此，乃是较量武功，以定技艺高下，可千万别像适才这几位这般乱打一气，不免贻笑大方。"只听宗雄在廊下喝道："什么贻笑大方？贻哭小方？你懂武功不懂？咱们来较量较量。"安提督只作没听见，不去睬他，说道："这里还有两个座位，哪一位真英雄、真好汉上来乘坐？"

宗雄大怒，叫道："你这么说，是骂我不是真英雄了？难道我是狗熊？"他不理会适才曾被海兰弼掷跌，当即从廊下纵了出来，向安提督奔去，突然间脚步踉跄，跌了个筋斗。原来一名卫士伸足一绊，摔了他一交。宗雄大怒，转过身来找寻暗算之人时，那卫士早已躲开。宗雄喃喃咒骂，不知是谁暗中绊他。

这时众人都望着中间的两张太师椅，没谁再去理会宗雄。原来一张空椅上坐着一个穿月白僧袍的和尚，唱名武官报称是蒙古哈赤大师，另一张空椅上却挤着坐了两人。

这两人相貌一模一样，倒挂眉，斗鸡眼，一对眼珠紧靠在鼻梁之旁，约莫四十来岁年纪，服饰打扮没半丝分别，显然是一对孪生兄弟。这两人容貌也没什么特异，但这双斗鸡眼却衬得形相甚是诡奇。唱名武官说道："这两位是贵州'双子门'的掌门人倪不大、倪不小倪氏双雄。"

众人一听他俩的名字，登时都乐了，再瞧二人的容貌身形，真的再也没半分差异，也不知倪不大是哥哥呢，还是倪不小是哥哥。如果一个叫倪大，一个倪小，那自是分了长幼，但"不大"似乎是小，"不小"似乎是大，却又未必尽然。只见两人双手都拢在衣袖之中，好像天气极冷一般。众人指指点点的议论，有的更打起赌来，有的说倪不大居长，有的说倪不小为大，但到底哪一个是倪不大，哪一个是倪不小，却又是谁也弄不清楚。两兄弟神色木然，四目向前直视，二人都非瘦削，但并排坐在一张椅中，丝毫不见挤迫，想来自幼便这么坐惯了。福康安凝目瞧着二人，脸含微笑，也是大感兴味。

众人正议论间，忽地眼前一亮，只见人丛中走出一个女子来。这女子身穿淡黄罗衫，下身系着葱绿裙子，二十一二岁年纪，肤色白嫩，颇有风韵。唱名武官报道："凤阳府'五湖门'的掌门人桑飞虹姑娘。"众武师突然见到一个美貌姑娘出场，都是精神一振。

郭玉堂对胡斐道："五湖门的弟子都是做江湖卖解的营生，世代相传，掌门人一定是女子。便是有武艺极高、本领极大的男弟子，也不能当掌门人。只是这位桑姑娘年纪这样轻，恐怕不见得有什么真实功夫吧？"

只见桑飞虹走到倪氏昆仲面前，双手叉腰，笑道："请问两位倪爷，哪一位是老大？"两人摇了摇头，并不回答，桑飞虹笑道："便是双生兄弟，也有个早生迟生，老大老二。"倪氏昆仲仍旧摇了摇头。桑飞虹道："咦，这可奇啦！"指着左首那人道："你是老大？"那人摇了摇头。她又指着右首那人道："那么你是老大了？"那人又摇了摇头。桑飞虹皱眉道："咱们武林中人，讲究说话不打诨语。"右首那人道："谁打诨了？我不是他哥哥，他也不是我哥哥。"桑飞虹道："你二位可总是双生兄弟吧？"两人同时摇了摇头。

这几下摇头，大厅上登时群情耸动，他二人相貌如此似法，央不能不是双生兄弟。

桑飞虹哼了一声道："这还不是打诨？你们若不是双生兄弟，杀了我头也不信。那么谁是倪不大？"左首那人道："我是倪不大。"桑飞虹道："好，是你先出世呢还是他先出世？"倪不大皱眉道："你这位姑娘缠夹不清，你又不是跟咱兄弟攀亲，问这个干么！"桑飞虹走惯江湖，对他这句意含轻薄之言也不在意，拍手笑道："好啦，你自己招认是兄弟啦！"倪不大道："咱们是兄弟，可不是双生兄弟。"桑飞虹伸食指点住腮边，摇头："我不信。"倪不大道："你不信就算了。谁要你相信！"

桑飞虹甚是固执，说道："你们是双生兄弟，有什么不好？为什么不肯相认？"倪不小道："你一定要知道其中缘由，跟你说了，那也不妨。但咱兄弟有个规矩，知道了我们出身的秘密之后，须得挨咱兄弟三掌，倘若自知挨不起的，便得向咱兄弟磕三个响头。"

　　桑飞虹实在好奇心起，暗想："他们要打我三掌，未必便打得到了，我先听听这秘密再说。"于是点头道："好，你们说罢！"

　　倪氏兄弟忽地站起，两人这一站，竟无分毫先后迟速之差，真如是一个人一般。桑飞虹得意洋洋地道："这还不是双生兄弟？当真骗鬼也不相信！"只见他二人双手伸出袖筒，眼前金光闪了几闪，原来二人十根手指上都套着又尖又长的金套，若是向人抓来，倒是不易抵挡的利器。倪氏兄弟身形晃动，伸出手指便向桑飞虹抓到。

　　桑飞虹吃了一惊，急忙纵身跃开，喝道："干什么？"

　　倪不大站在东南角，倪不小站西北角上，两个人手臂伸开，每根手指上加了尖利的金套，都有七八寸长，登时将桑飞虹围在中间。

　　安提督忙道："今日会中规矩，只能单打独斗，不许倚多为胜。"

　　倪不小那双斗鸡眼的两颗眼珠本来聚在鼻梁之旁，忽然向左右一分，朝安提督白了一眼，冷冷地道："安大人，你可知道咱儿俩是哪一门哪一派啊？"安提督道："你两位是贵州'双子门'吧？"倪不大的眼珠也倏地分开，说道："咱'双子门'自来相传，所收的弟子不是双生兄弟，便是双生姊妹，和人动手，从来就没单打独斗的。"

　　安提督尚未答话，桑飞虹抢着道："照啊，你们刚才说不是双生兄弟，这会儿自己又承认了。"倪不小道："我们不是双生兄弟！"

　　众人听了他二人反反复复地说话，都觉得这对宝贝儿子有些儿痴呆。桑飞虹格格一笑，道："不和你们歪缠啦，反正我也不想要这玉龙杯！"说着便要退开。倪不小双手一拦，说道："你已问过我们的身世，是受我们三掌呢，还是向咱兄弟磕三个头？"桑飞虹秀眉微蹙，说道："你们始终说不明白，又说是兄弟，又说不是双生兄弟。天下英雄都在此，倒请大家评评这个理看。"

　　倪不大道："好，你一定要听，便跟你说了。"倪不小道："我们

488

两个一母同胞。"倪不大道："一母同胞共有三人。"倪不小道："我两人是三胞胎中的两个。"倪不大道："所以说虽是兄弟，却不是双生兄弟。"倪不小道："大哥哥生下娘胎就一命呜呼。"倪不大道："我们二人同时生下，不分先后。"倪不小道："双头并肩，身子相连。"倪不大道："一位名医巧施神术，将我兄弟二人用刀剖开。"倪不小道："因此上我二人分不出谁是哥哥，谁是弟弟。"倪不大道："我既不大，他也不小。"

他二人你一句，我一句，一口气地说将下来，中间没分毫停顿，语气连贯，音调相同，若有人在隔壁听来，决计不信这是出于二人之口。大厅上众人只听得又是诧异，又是好笑，人人均想这事虽然奇妙，却也并非事理所无，不由得尽皆惊叹。

桑飞虹笑道："原来如此，这种天下奇闻，我今日还是第一次听到。"倪不小道："你磕不磕头？"桑飞虹道："头是不磕的。你要打，便动手吧，我可没答应你不还手。"

倪不大、倪不小两兄弟互相并不招呼，突然间金光晃动，二十根套着尖利金套的手指疾抓而至。桑飞虹身法灵便，竟从二十根长长的手爪之间闪避了开去。倪氏兄弟自出娘胎以来，从未分开过一个时辰，所学武功也纯是分进合击之术，两个人和一个人绝无分别，便如是一个四手四足二十根手指的单人一般，两人出手配合得丝丝入扣，倪不大左手甫伸，倪不小的右手已自侧方包抄了过来。桑飞虹身法虽是滑溜之极，但十余招内，竟是还不得一招，眼见情势甚是危急，这局面无法长久撑持，只要稍有疏神，终须伤在他两兄弟的爪下。

厅上旁观的群雄之中，许多人忍不住呼喝起来："两个打一个，算是英雄呢还是狗熊？""两个大男人合斗一个年轻姑娘，可真是要脸得紧！""人家姑娘是空手，这两位爷们手指上可带着兵刃呀！""小兄弟，你上去相助一臂之力，说不定人家大姑娘对你由感生情呢，哈哈！"

正嘈闹间，倪不大和倪不小突然同时"咦"的一声呼叫，并肩跃在左首，凝目望向福康安，脸上充满惊喜的神色。众人一齐顺着他二人目光瞧去，但见福康安笑吟吟地坐在椅中，一手拉着一个孩儿，低声跟两人说话。这两个孩儿生得玉雪可爱，相貌全然相同，显然也是一对双生兄弟，但与倪不大、倪不小兄弟相比，二俊二丑，衬托得加倍分明。众人看了，又均是一乐。

胡斐和程灵素却同时心头大震，原来这两个孩儿正是马春花的儿子，不知又如何给福康安夺了回来？胡程二人跟着便想：“孩儿既给他夺回，那么我们的行藏也早便给他识破了。”程灵素向胡斐使个眼色，示意须当及早溜走。胡斐点了点头，心想："对方若已识破，自然暗中早有布置，此时已走不脱了。只能随机应变，再作道理。"

倪不大、倪不小兄弟仔细打量那两个孩儿，如痴如狂，直是神不守舍的模样。桑飞虹笑道：“这两个孩儿很好，你们可要收他们做弟子么？”这两句话，恰正说中了倪氏兄弟的心事。要知武林之中，徒固择师，师亦择徒。要遇上一位武学深湛的明师固是不易，但要收一个聪明颖悟、勤勉好学的徒弟，也非有极好的机缘不可。“双子门”的技艺武功必须两人同练同使，虽然可收两个年龄身材、性情资质都差不多的徒儿共学，但总是以双生兄弟最为佳妙。因双生兄弟人不但神智身体都一模一样，同时往往心意隐隐相通，临敌之时，自然而然能发出令人出乎意料之外的威力。因此“双子门”的武师要收一对得意弟子，可比常人要难上百倍。这时倪氏兄弟见到福康安这对双生儿子，看来资质根骨，无一不是上上之选，当真是心痒难搔，说不出的又是欢喜又是难过。

福康安笑嘻嘻地低声道：“看这两位师父，他们也是双生的同胞兄弟。他两位的相貌，不是完全相同么？你们猜，这二人之中，那一位是哥哥？”原来福康安夺回这对孩子后，心下甚喜，忽然见到倪氏兄弟的模样，于是叫了孩子俩出来瞧瞧。

两个孩儿凝视着倪氏兄弟，他二人本身是双生兄弟，另具一种旁人所无的特异感觉，本来极易分辨倪氏兄弟谁大谁小，但这二人同时出世，连体而分，两个孩儿却也无法辨别。群雄瞧瞧大的一对，又瞧瞧小的一对，都是笑嘻嘻地低声谈论。

突然之间,倪氏兄弟大喝一声,猛地里分从左右向福康安迎面抓来。福康安大吃一惊,尚未想到闪避,站在身旁的两名卫士早扑了上去迎敌。哪知倪氏兄弟的身法极为怪异,奔到中途,原来站在左首的倪不大转而向右,右首的倪不小转而向左,交叉易位,霎眼间便将两名卫士抛在身后。他二人袭击福康安只是虚招,一人伸出左脚,一人伸出右脚,双足齐飞,砰的一响,踢在福康安座椅的椅脚上,座椅向后仰跌,福康安的身子便摔了出去。众卫士惊叱之下,有的抢上拦截,有的奔过来挡在福康安身前,更有的伸手过去相扶。倪氏兄弟却一手一个,已将两个孩子挟在胁下,返身跃出。

大厅上登时大乱,只听得砰砰砰砰,啊哟啊哟的数声,四名抢过来拦截的卫士已被倪氏兄弟踢翻。眼见他二人挟着一对孩儿正要奔到厅口,忽然间人影一晃,两个人快步抢到,伸手袭向二人的后心。

这二人所出招数迥不相同。海兰弼一手抓向倪不小的后颈,又快又准,汤沛却是向倪不大的后腰拍出一掌绵掌。这两招刚柔有别,却均是十分厉害的招数,正是攻敌之不得不救。倪氏兄弟听得背后风声劲急,急忙回掌招架,啪啪两声,倪不小身子一晃,倪不大脚下一个踉跄,嘴里喷出一口鲜血,两人同时放下了手中孩儿。

便这么缓得一缓,王剑英和周铁鹪双双抢到,抱起了孩儿。王周二人的武功远在倪氏兄弟之上,这对孩儿一入二人之手,倪氏兄弟再也无法抢到了。

福康安惊魂略定,怒喝:"大胆狂徒,抓下了。"海兰弼和汤沛抢上两步,一出擒拿手,一使锁骨法,分别将倪氏兄弟扣住。倪氏兄弟适才跟他们一交拳掌,均已受了内伤,此时竟是无法抗拒。

海汤二人拿住倪氏兄弟,正要转身,忽见檐头人影一晃,飘下两个人来。大厅中蜡烛点得明晃晃地,无异白昼,但众人一见这两人,无不背上感到一阵寒意,宛似黑夜独行,在深山夜墓之中撞到了活鬼一般。

这二人身材极瘦极高，双眉斜斜垂下，脸颊又瘦又长，正似传说中勾魂拘魄的无常鬼一般，说也奇怪，二人相貌也是一模一样，竟然又出现了一对双生兄弟。

他二人身法如电，一个出掌击向海兰弼，另一个击向汤沛。海汤二人各自出掌相迎。但听得波波两声轻响过去，海兰弼全身骨节格格乱响，汤沛却晃了几晃。

群雄正自万分错愕，一直稳坐太师椅中的"醉八仙"掌门人文醉翁猛地一跃而起，尖声惊叫："黑无常，白无常！"

那双瘦子手掌和海汤二人相接，目光如电，射到文醉翁脸上，左首一人冷冷地道："你作恶多端，今日还想逃命么？"猛地里两人掌力向外一吐，海汤二人各退一步，这对瘦子已抢起倪氏兄弟。右首那人说道："这二人跟咱兄弟无亲无故，瞧在大家都是双生兄弟份上，救了他们性命。"左首那人抱拳团团一拱手，朗声道："红花会常赫志、常伯志兄弟，向天下英雄问好！"

海兰弼和汤沛跟二人对了一掌，均感胸口气血翻涌，心下暗暗骇异，微一调息，正欲上前再战，忽听到"常赫志、常伯志"两人的姓名，都不禁"咦"的一声，停了脚步。

常氏兄弟头一点，抓起倪氏兄弟，上了屋檐，但听得"啊哟！""哼！""哎！"之声，一路响将过去，终于渐去渐远，隐没无声，那自是守在屋顶的众卫士一路上给他兄弟驱退，或是摔下屋来。

海兰弼和汤沛都觉手掌上有麻辣辣之感，提起一看，忍不住又都"啊"的一声，低低惊呼。原来两人手掌均已紫黑，这才想起西川双侠"黑无常、白无常"常氏兄弟的黑沙掌天下驰名，闻名已久，今日一会，果然是非同小可。

福康安召开这次天下掌门人大会，用意之一，本是在对付红花会群雄，岂知众目睽睽之下，常氏兄弟倏来倏去，竟是如入无人之境。他心下极是恼怒，沉着脸一言不发，目光向居中的几只太师椅一瞥，只见少林寺的大智禅师垂眉低目，不改平时神态；武当派的无青子脸带惶惑，似有惧色。那文醉翁直挺挺地站着，一动也不动，双目向前瞪视，常氏兄弟早已去远，他兀自吓得魂不附体。

这一幕胡斐瞧得清清楚楚，他听到"红花会"三字，已是心中怦怦而跳，待见常氏兄弟说来便来，说去便去，将满厅武师视如无物，更是心神俱醉，心中只是想着一个念头："这才是英雄豪杰！"

桑飞虹一直在旁瞧着热闹，见了这当口文醉翁还是吓成这个模样，她少年好事，伸手在他臂上轻轻一推，笑道："坐下吧，一对无常鬼早去啦！"哪知她这么一推，文醉翁应手而倒，再不起来。桑飞虹大吃一惊，俯身一看，但见他满脸青紫之色，早已胆裂而死，忙叫道："死啦，死啦，这人吓死啦！"

大厅上群雄一阵骚动，这文醉翁先前坐在太师椅中自斟自饮，将谁都不瞧在眼里，大有"老子天下第一"之概，想不到常氏兄弟一到，只一句话，竟尔活生生地将他吓死。

郭玉堂叹道："死有余辜，死有余辜！"胡斐道："郭前辈，这姓文的生平品行不佳么？"郭玉堂摇头道："岂单是品行不佳而已，奸淫掳掠，无所不为。我本不该说死人的坏话，但事实俱在，也不必讳言。我早料到他决计不得善终，只是竟会给黑白无常一下子吓死，可谁也意想不到。"另一人插口道："想是常氏兄弟曾寻他多时，今日冤家狭路，重又撞见。"郭玉堂道："以前这姓文的一定曾给常氏兄弟逮住过，说不定还发下过什么重誓。"那人摇头道："自作孽，不可活。"郭玉堂道："这叫做是非只为多开口，烦恼皆因强出头。他若是稍有自知之明，不去想得什么玉龙御杯，躲在人群之中，西川双侠也不会见到他啊。"

说话之际，人丛中走出一个老者来，腰间插着一根黑黝黝的大烟袋，走到文醉翁尸身之旁，哭道："文二弟，想不到你今日命丧鼠辈之手。"

胡斐听得他骂"西川双侠"为鼠辈，心下大怒，低声道："郭前辈，这老儿是谁？"郭玉堂道："这是开封府'玄指门'的掌门人，复姓上官，叫做上官铁生，自己封了个外号，叫什么'烟霞散人'。他和文醉翁一鼻孔出气，自称'烟酒二仙'！"胡斐见他一件大褂上光滑晶亮，满是烟油，腰间的烟筒甚是奇特，装烟的窝儿几乎有拳头大小,想是他烟瘾奇重,哼了一声道:"这种烟鬼,还称得上是个'仙'字?"

上官铁生抱着文醉翁的尸身干号了几声,站起身来,瞪着桑飞虹怒道:"你干么毛手毛脚,将我文二弟推死了?"桑飞虹大出意外,道:"他明明是吓死的,怎地是我推死的?"上官铁生道:"嘿嘿,好端端一个人,怎么会吓死?定是你暗下阴毒手段,害了我文二弟性命。"

原来他见文醉翁一吓而死,江湖上传扬开来,声名大是不好,"醉八仙"这一门,只怕从此再无抬头之日,因此硬派是桑飞虹暗下毒手。须知武林人物被人害死,那是寻常之事,不至于声名有累。桑飞虹年岁尚轻,不懂对方嫁祸于己的用意,惊怒之下,辩道:"我跟他素不相识,何必害他?这里千百对眼睛都瞧见了,他明明是吓死的。"

坐在太师椅中的蒙古哈赤大师一直愣头愣脑地默不作声,这时突然插口道:"这位姑娘没下毒手,我是瞧得清清楚楚的。那两个恶鬼一来,这位文爷便吓死了。我听得他叫道:'黑无常、白无常!'"他声音宏大,说到"黑无常、白无常"这六个字时,学着文醉翁的语调,更是十分古怪。众人一愣之下,哄堂大笑起来。

哈赤却不知众人因何而笑,大声道:"难道我说错了么?这两个无常鬼生得这般丑恶,怪模怪样的,吓死人也不稀奇。你可别错怪了这位姑娘。"

桑飞虹道:"是么?这位大师也这么说。他自是吓死的,关我什么事了?"

上官铁生从腰间拔出旱烟筒,装上一大袋烟丝,打火点着了,吸了两口,陡然间一股白烟迎面向她喷去,喝道:"贱婢,你明明是杀人凶手,却还要赖?"

桑飞虹见白烟喷到,急忙闪避,但为时不及,鼻中已吸了一些白烟进去,头脑中微微发晕,听他出口伤人,再也忍耐不住,回骂道:"缠夹不清的老鬼,难道我怕了你吗?你说是我杀的,连你一起杀了,便又怎么样?"左掌虚拍,右足便往他腰间里踢去。

那哈赤和尚大声道:"老头儿,你别冤枉好人,我亲眼目睹,这文爷明明是给那两个恶鬼吓死的……"

胡斐见这和尚傻里傻气,性子倒是正直,只是他开口"恶鬼",闭口"恶鬼",听来极不顺耳,不由得心中有气,要待想个法儿,给他一点小小苦头吃吃,忽见西首厅中走出一个青年书生来,笔直向哈赤和尚走去。这人约莫二十五六岁年纪,身材瘦小,打扮得颇为俊雅,右手摇着一柄折扇,走到哈赤跟前,说道:"大和尚,你有一句话说错了,得改一改口。"哈赤瞪目道:"什么话说错了?"

那书生道:"那两位不是'恶鬼',乃是赫赫有名的'西川双侠'常氏昆仲,相貌虽生得特异,但武功极高强,行侠仗义,江湖之上,人人钦仰。"这几句话只把胡斐听得心中大悦,心道:"这位书生相公能说得出这样几句来,人品大是不凡,倒要跟他结交结交。"

哈赤道:"那文爷不是叫他们'黑无常、白无常'吗?黑无常、白无常怎么不是恶鬼?"那书生道:"他二位姓常,名字之中,又是一位有个'赫'字,一位有个'伯'字,因此前辈的朋友们,开玩笑叫他二位为黑无常、白无常。这外号儿若非有身份的前辈名宿,却也不是随便称呼得的。"

他二人一个瞪着眼睛大呼小叫,一个斯斯文文地给他解说,那一边上官铁生和桑飞虹却已动上了手。莫看桑飞虹适才给倪氏兄弟逼得只有招架闪避,全无还手之力,实在"双子门"的武功两人合使,太过怪异,这时她一对一的和上官铁生招招,竟是丝毫不落下风。那上官铁生看似空手,其实手中那支旱烟管乃镔铁打就,竟当做了点穴橛使。他"玄指门"原擅打人身三十六大穴,只是桑飞虹身法过于滑溜,始终打不到她的穴道,有几次过于托大,险些还被她飞足踢中。

但听得他嘶溜溜地不停吸烟,吞烟吐雾,那根烟管竟被他吸得渐渐的由黑转红,原来那大烟斗之中藏着许多精炭,他一吸一吹,将镔铁烟斗渐渐烧红。这么一来,一根寻常烟管变成了一件极厉害的利器,打得稍近,桑飞虹便觉手烫面热,衣带裙角更给烟斗炙焦了。她心中一慌,手脚稍慢,蓦地里上官铁生一口白烟直喷到她脸上,桑飞虹只感头脑一阵晕眩,登时天旋地转,站立不定,身子一晃,摔倒在地。原来上官铁生所吸的烟草之中,混有极猛烈的迷药,他一来平时吸惯,二来口鼻之中另有解药。

那书生站在一旁跟哈赤和尚说话,没理会身旁的打斗,忽然间鼻中闻到一股异香,其中竟混有黑道中所使的迷香在内,不由得大怒。一瞥眼间,只见上官铁生的烟管已点向桑飞虹膝弯穴道,嗤的一声响,烟焰飞扬,焦气触鼻,她裙子已烧穿了一个洞。桑飞虹受伤,大叫一声,上官铁生第二下又打向她的腰间。

那书生怒喝:"住手!"上官铁生一怔之间,那书生一弯腰,已除下哈赤和尚的一对鞋子,返身向上官铁生烧红了的烟斗上挟去。

那书生这几下手脚当真是如风似电,哈赤和尚一怔之下,大叫:"你……你脱了我鞋子干么?"他喊叫声中,那书生已用两只鞋子的鞋底挟住了那烧得通红的镔铁烟斗,一挣一扭,绕到上官铁生身后。嗤嗤几声响,上官铁生衣袖烧焦,他右臂疼痛,只得撒手。那书生连鞋带烟管往外一抖,摔了出去,抢步去看桑飞虹,只见她双目紧闭,昏迷不醒。

啪啪两响,哈赤的一对鞋子跌在酒席之上,汤水四溅,那烟管却对准了郭玉堂飞去,力劲势急。郭玉堂叫声:"啊哟!"急欲闪避,只是那烟管来得太快,又是出其不意,一时不及躲让,眼见那通红炙热的铁烟斗便要撞到他的面门。胡斐伸手抓起一双筷子,力透筷端,半空中将烟管挟住了。

这几下兔起鹘落,变化莫测,大厅上群豪呆了一呆,这才齐声喝彩。那书生向胡斐点头一笑,谢他相助,免致无意伤人,转过头来,皱了眉望着桑飞虹,不知如何解救,一顿之下,向上官铁生喝道:"这里大伙儿比武较艺,你怎地用起迷药来啦?快取解药出来!"

上官铁生被他夺去烟管,知道这书生出手敏捷,自己又没了兵刃,不敢再硬,只阴阴地道:"谁用迷药啦?这丫头定力太差,转了几个圈子便晕倒了,又怪得谁来?"旁观众人不明真相,倒也不便编派谁的不是。

却见西厅席上走出一个腰弯弓背的中年妇人,手中拿着一只酒杯,含了一口酒,便往桑飞虹脸上喷去。那书生道:"啊,这……这是解药么?"那妇人不答,又喷了一口酒,喷到第三口时,桑飞虹睁开眼来,一时不明所以。

上官铁生道:"哈,这丫头可不是自己醒了?怎地胡说八道,说我使迷药?堂堂福大帅府中,说话可得检点些。"那书生反手一记耳光,喝道:"先打你这下三烂的奸徒。"上官铁生一低头,这一掌居然并没打中。那书生打得巧妙,这"烟霞散人"却也躲得灵动。

桑飞虹伸手揉了揉眼睛,已然醒悟,一跃而起,左掌探出,拍向上官铁生胸口,骂道:"你用毒烟喷人!"

上官铁生斜身闪开,向那中年妇人瞪了一眼,心中又惊又怒:"此人怎能解我的独门迷药?我跟你无冤无仇,何以来多管闲事?"

桑飞虹向那书生点了点头,道:"多谢相公援手。"那书生指着那妇人道:"是这位女侠救醒你的。"

那妇人冷冷地道:"我不会救人。"转身接过胡斐手中的筷子,挟着那根铁烟管,交在上官铁生手里,仍是嘶哑着嗓子道:"这次可得拿稳了。"

这一来,那书生、桑飞虹、上官铁生全都糊涂了,不知这妇人是何路道,她救醒了桑飞虹,却又将烟管还给上官铁生,难道她是个滥好人,不分是非的专做好么么?只见她头发花白,脸色蜡黄,体质极是衰弱,不似身有武功,待要仔细打量时,那妇人已转过身子,回归席上。这妇人正是程灵素所乔装改扮。要知若不是毒手药王的高徒,也决不能在顷刻之间,便解了上官铁生所使的独门迷药。

哈赤一直不停口地大叫:"还我鞋子来,还我鞋子来!"但各人心有旁骛,谁也没有理他。哈赤大恼,伸手往那书生背心扭去,喝道:"还我鞋子不还?"那书生身子一侧,让了开去,笑道:"大和尚,鞋子烧焦啦!"哈赤足下无鞋,甚是狼狈,奔到酒席上去捡起,只是一对鞋子酒水淋漓,里里外外都是油腻,怎能再穿?

可是不穿又不成，只得勉强套在脚上，转头去找那书生的晦气时，却已寻不到他的踪影。

但见上官铁生和桑飞虹又已斗在一起。哈赤转了几个圈子，不见书生，只得回去坐在太师椅中，喃喃道："直娘贼，今日也真晦气，撞见了一对无常鬼，又遇上了一个秀才鬼。"口中千贼万贼地骂个不停。

他骂了一阵，见上官铁生和桑飞虹越斗越快，一时也分不出高下，无聊起来，更住口不骂了，却觉脚上油腻腻的十分难受，忍不住又破口骂了出来。

突然间只听得众人哈哈大笑，哈赤瞪目而视，不见有何可笑之处，却见众人的目光一齐望着自己，哈赤摸了摸脸，低头瞧瞧身上衣服，除了一双鞋子之外，并无什么特异，怒道："笑什么？有什么好笑？"众人却笑得更加厉害了。哈赤心道："好吧，龟儿子，你们笑你们的，老子可不来理会。"一本正经地坐在椅中，只道自己见怪不怪，其怪自败，众人瞎笑一阵，自会止歇，岂知大厅中笑声越来越响。桑飞虹虽在恶斗，但偶一回头之际，却也忍不住抿嘴嫣然。

哈赤目瞪口呆，心慌意乱，实不知众人笑些什么，东张西望，情状更是滑稽。桑飞虹终于耐不得了，笑道："大和尚，你背后是什么啊？"哈赤一跃离椅，回过头来，只见那书生稳稳地坐在他背之上，指手画脚，做着哑剧，逗引众人发笑。原来他在椅背上已坐了甚久，默不作声地做出各种怪模怪样。

哈赤大怒，喝道："秀才鬼，你干么作弄我？"那书生耸耸肩头，做个手势，意谓："我没作弄你啊。"哈赤喝道："那你干么坐在这里？"那书生指指茶几上的八只玉龙杯，做个取而藏之怀内的手势，意思说："我想取这玉龙杯。"哈赤又道："你要争夺御杯？"那书生点了点头。哈赤道："这里还有空着的座位，干么不坐？"那书生指指厅上的群豪，左手连扬，右手握拳虚击己头，跟着缩肩抱头，做极度害怕状。众人轰笑声中，哈赤道："你怕人打，不敢坐，又为什么坐在我的椅背上？"那书生虚踢一脚，双手虚击拍掌，身子滑下，坐在椅中，这意思十分明显："我将你一脚踢开，占了你的椅子。"他身子一滑下，登时笑声哄堂。

福康安、安提督等见这场比武闹得怪态百出，与原意大相径庭，心中都感不快，但见这书生刁钻古怪，哈赤和尚偏又忠厚老实，两人竟似事先串通了来演一出双簧戏一般，也禁不住微笑。这时那对双生孩儿已由王剑英、王剑杰兄弟护送到了后院，若是尚在大厅，孩子们喜欢热闹，更要哈哈大笑了。

程灵素低声对胡斐道："这人的轻功巧妙之极。"胡斐道："是啊，他身法奇灵，另成一派，我生平还没见过。"程灵素道："似乎存心捣蛋来着。"胡斐缓缓点头，不再说话。

这时会中有识之士也都已看出，这书生明着是跟哈赤玩闹，实则是在搅扰福康安这天下掌门人大会，要令他一个庄严肃穆的英豪聚会，变成百戏杂陈的胡闹之场。

只见那书生从怀中取出一柄折扇指着哈赤，说道："哈赤和尚，你不可对我无礼。此扇之中，藏着你的老祖宗。"哈赤侧过了头，瞧瞧折扇，不见其中有何异状，摇头道："不信你的瞎说！"那书生突然打开折扇，向着他一扬，一本正经地道："你不信？那就清清楚楚地瞧一瞧。"

众人一看他的折扇，无不笑得打跌，原来白纸扇面上画着一只极大的乌龟。这只乌龟肚皮朝天，伸出长长的头颈，努力要翻转身来，但看样子偏又翻不转，神情极是滑稽。

胡斐忍住笑望程灵素一眼，两人更加确定无疑，这书生乃是有备而来，存心捣乱。不由得对他都暗自佩服，须知在这龙潭虎穴之中，天下英豪之前，这般搅局，实具过人胆识。

哈赤大怒，吼声如雷，喝道："你骂我是乌龟？臭秀才当真活得不耐烦了！"那书生不动声色，说道："做乌龟有什么不好？龟鹤延龄，我说你长命百岁啊。"哈赤道："呸，乌龟是骂人的话。老婆偷汉子，那便是做乌龟了。"那书生道："失敬，失敬！原来大和尚还娶得有老婆！不知娶了几个？"

汤沛见福康安的脸色越来越是不善，正要出来干预，突见哈赤怒吼一声，伸手便往那书生背心抓去。这一次那书生竟是没能避开，被他提起身子，重重的往地下一摔。原来哈赤是蒙古的摔交高手，蒙古摔交之技，共分大抓、中抓、小抓三门，各有厉害绝技。哈赤是中抓门的掌门人，最擅长腰腿之劲，抓人胸背，百发百中。

那书生被他一抓一摔，眼看要吃个小亏，那知明明见到他是背脊向下，落地时却是双脚先着。他腿上如同装上机括，一着地立刻弹起，笑嘻嘻地站着，说道："你摔我不倒。"哈赤道："再来！"那书生道："好，再来！"走近身去，突然伸出双手，扭住他的胸口。众人都是大为奇怪，哈赤魁梧奇伟，那书生却瘦瘦小小，何况哈赤擅于摔交，人人亲见，那书生和他相斗，若不施展轻功，便当以巧妙拳招取胜，怎地竟是以己之短，攻敌之长？

哈赤当即伸手抓书生肩头，出脚横扫。那书生向前一跃，搂住了哈赤粗大的脖子，双足足尖同时往哈赤膝盖里踢去。哈赤双腿一软，向前跪倒。但他虽败不乱，反手抓住那书生的背心，将他扭过来压在身下。那书生大叫："不得了，不得了！"从他腋窝底下探头出来，伸伸舌头，装个鬼脸。

此时胡斐、汤沛、海兰弼等高手心下都已雪亮，这书生精于点穴打穴，哈赤绝不是他的对手，而且这书生于摔交相扑之术也甚娴熟，虽然膂力不及哈赤，可是手脚滑溜，扭斗时每每从绝境中脱困而出。他所以不将哈赤打倒，显是对他不存敌意，只是借着他玩闹笑乐，要令福康安和四大掌门人脸上无光。

另一边桑飞虹展开小巧功夫，和上官铁生游斗不休。她凤阳府五湖门最擅长的武功乃是"铁莲功"，鞋尖上包以尖铁，若是踢中要害，立可取人性命。上官铁生浪荡江湖数十年，如何不省得她的厉害？每见她鞋尖踢来，急忙引身闪避。他是江湖上的成名人物，和这年轻姑娘斗了近百招，竟然丝毫不占上风，眼见她鸳鸯腿、拐子腿、圈弹腿、钩扫腿、穿心腿、撞心腿、单飞腿、双飞腿，层出不穷，越来越快，心下焦躁起来，看来若要取胜，须得重施故技，于是老气横秋地哈哈一笑，说道："横踢竖踢，有什么用？"装作满不在乎，凑口到烟管上去深深吸了一下。

桑飞虹见他吸烟，已自提防，急忙抢到上风，防他喷烟。

上官铁生吸了这口烟后，又拆得数招，渐渐双目圆睁，向前直视,眼中露出疯狗般的凶光,突然"胡胡"大叫,向桑飞虹扑了过去。桑飞虹见了这神情,心中害怕,不敢正面与斗,闪身避在一旁。上官铁生足不停步的向前直冲,"胡"的一声大叫,却向福康安扑了过去。

站在福康安身边最近的卫士是鹰爪雁行门的曾铁鸥,忽见上官铁生犯上作乱,急忙抢上勾住他手腕,向外一甩。上官铁生一个踉跄,跌了出去,眼睛发直,向东首席上冲了过去,乱抓乱打,竟是疯了。

胡斐斜眼瞧着程灵素,见她似笑非笑,方始明白她适才将烟管还给上官铁生的用意,原来她于顷刻之间,在烟斗之中装上了另一种厉害迷药,即以其人之道,还治其人之身,令这一生以迷药害人的上官铁生,在自己的烟管中吸进迷药。这迷药入脑,登时神智迷乱,如癫如狂,他原来口中所含的解药全不管用。

东首席上的好手见他冲到,自即出手将他赶开。上官铁生在地下打了个滚,忽然抱住一张桌子的桌腿,张口乱啃乱咬。众人见了这等情景,都是暗暗惊怖,谁也笑不出来,不知他何以会突然如此。

众人一时默不作声,大厅之上,只听得哈赤在"小畜生、贼秀才"的骂不绝口。那书生道:"我劝你别骂了吧。"哈赤怒道:"我骂你便怎样?贼秀才!"那书生道:"谅你也不敢骂福大帅,你有种的,便骂一声贼大帅。"

哈赤气恼头上,不加考虑,随口便大声骂道:"贼大帅!"话一出口,才知不妙,但已经收不回转,急得只道:"我……我不是骂他,是……是……骂你!"那书生笑道:"我又不做大帅,你骂我贼大帅干么?"

哈赤上了这个当,生怕福康安见责,直急得额头青筋暴现,满脸通红,和身扑了下来,那书生乘他心神恍惚,侧身一让,揪着他右臂借力一送,哈赤一个肥大的身躯飞了出去。

上官铁生正抱住桌腿狂咬,哈赤摔将下来,腾的一响,恰好压在他背上。

上官铁生"胡胡"大叫,抱牢他双臂,一口往他的光头大脑袋上咬落。哈赤吃痛，振臂欲将他摔开。哪知一个人神智糊涂之后，竟会生出平素所无的巨力出来，哈赤的膂力本来比他强得多，这时却脱不出他的搂抱，只给他咬得满头鲜血淋漓，直痛哇哇急叫。

那书生哈哈大笑，叫道："妙极，妙极！"他一面鼓掌，一面慢慢退向放着八只玉龙杯的茶几，突然间衣袖一拂，抓起两只玉龙杯，对桑飞虹道："御杯已得，咱们走吧！"

桑飞虹一怔，她和这书生素不相识，但见他对自己一直甚是亲切，不自禁地点了点头，随着他飞奔出外。

福康安身旁的六七名卫士大呼："捉奸细！捉奸细！""拿住了！""拿住偷御杯的贼！"一齐蜂拥着追了出来。

群豪见这少年书生在众目睽睽之下，竟尔大胆取杯欲行，无不惊骇，早有人跟着众卫士喝了起来："放下玉杯！""什么人，这般胡闹？""是哪一家哪一派的混帐东西？"

适才常赫志、常伯志兄弟从屋顶上冲入，救去了贵州双子门倪氏兄弟，福康安府中卫士在大门外又增添人员，这时听见大厅中一片吆喝之声，门外的卫士立时将门堵住。安提督一声令下，数十名卫士将那少年书生和桑飞虹前后围住。

那书生笑道："谁敢上来，我就将玉杯一摔，瞧它碎是不碎？"众卫士倒也不敢贸然上前，生怕他当真摔出了性命胡来，将御赐的玉杯摔破了。各人手执兵刃，将二人包围了个密不通风。

桑飞虹受邀来参与这掌门人大会，只是来赶一个热闹，并无别意，突然间闯出这个大祸来，只吓得脸色惨白，一颗心几乎要跳出了腔子。

胡斐对程灵素对望一眼，程灵素缓缓地摇了摇头。两人虽对那少年书生甚有好感，但这时身陷重围之中，如果出手相救，只不过白饶上两条性命，于事无补。眼看这局势无法长久僵持，海兰弼正大踏步走将过去，他一出手，那书生和桑飞虹定然抵挡不住。

那书生高举玉杯，笑吟吟地道："桑姑娘，这一次咱们可得改

502

个主意啦，你若是将玉杯往地下摔去，说不定还没碰到地上，已有快手快脚的家伙抢着接了去。咱们不如这样吧，你听我叫一二三，叫到'三'字，喀喇一响，就在手中捏碎了。"桑飞虹不由自主地点了点头，心中却在暗骂自己，为什么跟他素不相识，却事事听他指使。

海兰弼走上前去，原是打算在他摔出玉杯时快手接过，听他这几句话一说，登时停住了脚步。

汤沛哈哈一笑，走到书生跟前，说道："小兄弟，你贵姓大名啊？今日在天下英雄之前大大地露了一下脸，当真是耸动武林。你不留下个名儿，那怎么成？"那书生笑道："在下一不为名，二不为利，只觉这玉杯儿好玩，想拿回家去玩玩，玩得厌了，便即奉还。"

汤沛笑道："小兄弟，你的武功很特异，老哥用心瞧了半天，也瞧不出一个门道来。尊师是哪一位啊？说起或许大家都有交情。年轻人开个小玩笑，也没什么大不了，冲着老哥哥这点小面子，福大帅也不能怪罪，还是入席再喝酒吧。"说着侧头向众卫士道："大伙儿退开些！这位兄弟是好朋友，他开个玩笑，却来这么兴师动众的，不让人家笑话咱们太过小气么？"众卫士听他这么说，都退开了两步。

那书生笑道："姓汤的，我可不入你这笑面老虎的圈套。你再走近一步，我便把玉杯捏碎了。你若是真有担当，便让我把玉杯借回家去，把玩三天。三日之后，一准奉还。"

众人心想："你拿了玉杯一出大门，却到哪里再去找你？什么三日之后一定奉还，谁来信你？"各人的目光一齐望着汤沛，瞧他如何回答。

只见他又是哈哈一笑，说道："那又有什么打紧？小兄弟，你手里这只玉杯嘛，主儿的名分还没定。老哥哥却蒙福大帅的恩典先赏了一只。这样吧，我自己的那只借给你，你爱玩到几时便几时，什么时候玩得厌了，带个信来，我再来取回就是了。"说着走到放玉杯的几前，先取过一块铺在桌上的大锦缎，兜在左手之上，然后取过一只玉龙杯，放在锦缎上，郑而重之地走到那书生

503

跟前,说道:"你拿去吧!"

这一着大出人人的意料之外。众人只道他嘴里说得漂亮,实则是在想乘机夺回书生手中的玉杯,哪知他借杯之言并非虚话,反而又送一只玉杯过去。

那书生也是颇为诧异,笑道:"你外号儿叫做'甘霖惠七省',果然是慷慨得紧。两只玉杯一模一样,也不用掉了。桑姑娘的玉杯,就算是向这位海大人借。汤大侠,烦你作个中保。海大人,请你放心,三日之后桑姑娘若是不交还玉杯,你惟汤大侠是问。"汤沛笑道:"好吧!把事儿都揽在我身上,姓汤的一力承当。桑姑娘,你总不该叫我为难罢?"说着向桑飞虹走近了一步。

桑飞虹嗫嚅着道:"我……我……"眼望那少年书生,不知如何回答才是。

汤沛左肘突然一抖,一个肘锥,撞在她右腕腕底。桑飞虹"啊"的一声惊呼,玉杯脱手向上飞出,便在此时,汤沛右手抓起锦缎上玉杯,左手锦缎挥出,已将那少年上身裹住。右手食指连动,隔着锦缎点中了他"云门"、"曲池"、"合谷"三处穴道,跟着伸手接住空中落下的玉杯,左足飞出,踢倒了桑飞虹,足尖顺势在她膝弯里一点。那"云门穴"是在肩头,"曲池穴"在肘弯,"合谷穴"在大拇指与食指之间,三穴被点,那书生自肩至指,一条肩膀软瘫无力,再也不能捏碎玉杯了。

这几下兔起鹘落,直如变戏法一般,众人还没有看清楚怎地,汤沛已打倒二人,手捧三只玉龙杯,放回几上。待他笑吟吟地坐回太师椅中,大厅上这才彩声雷动。

郭玉堂摸着胡须,不住价连声赞叹:"这一瞬之间打倒两人,已是极为不易,更难的是三个人手里都有一只玉杯,只要分寸拿捏差了厘毫,任谁一只玉杯都会损伤,那么这一次大会便不免美中不足,更难得的是这一副胆识。程老弟,你说是不是?"胡斐点头道:"难得,难得。"他见了适才犹如雷轰电闪般的一幕,不由得雄心顿起,暗想:"这姓汤的果是艺业不凡,若有机缘,倒要跟他较量较量。"又想:"那少年书生和桑姑娘失手被擒,就算保得性命,也要受尽折磨,怎生想个法儿相救才好。"

这时众卫士已取过绳索,将那书生和桑飞虹绑了,推到福康安跟前,听由发落。福康安将手一挥,说道:"押在一旁,慢慢再问,休得阻了各位英雄的兴头。安提督,你让大家比下去吧!"安提督道:"是!"当即传下号令,命群豪继续比试。

胡斐见这些人斗来斗去,并无杰出的本领,念着马春花的两个儿子不知如何重被夺回,马春花不知是否又遭危难,也无心绪去看各人争斗。

来来去去比试了十多人,忽听得门外卫士大声叫道:"圣旨到!"

　　福康安识得当先那人是乾清宫的太监刘之余,只见他走到厅门口,却不进厅,便在门前站定,展开圣旨宣读,规矩不对,心中登时便起了疑心。

第十八章　宝刀银针

　　群豪听了，均是一愕。福康安府中上下人等却都是司空见惯，知道皇上心血来潮，便是半夜三更也有圣旨，因此不以为奇，当即摆下香案。福康安站起身来，跪在滴水檐前接旨。自安提督以下，人人一齐跪倒。胡斐当此情景，只得跟着跪下，心中暗暗咒骂。

　　只听得靴声橐橐，院子中走进五个人来，当先一人是个老太监。福康安识得他是乾清宫的太监刘之余，身后跟着四名内班宿卫。那刘之余走到厅门口，却不进厅，便在门前站定，展开圣旨，宣读道："兵部尚书福康安听旨：适才擒到男女贼人各一，着即带来宫中，钦此！"

　　福康安登时呆了，心想："皇上的信息竟如此之快。他要带两名贼人去干什么？"一抬头，只见刘之余挤眉弄眼，神气很是古怪，又想平素太监传旨，定是往大厅正中向外一站，朝南宣读，这一次却是朝里宣旨。这刘之余是宫中老年太监，决不能错了规矩，其中必有缘故，于是站起身来，说道："刘公公，请坐下喝茶，瞧一瞧这里英雄好汉们献演身手。"刘之余欣然道："好极，好极！"突然间眉头一皱，道："多谢福大帅啦，茶是不喝了，皇上等着回复。"

　　福康安一瞧这情景，恍然而悟，知他受了身后那几名卫士的挟制，假传圣旨，这四名卫士不是反叛，便是旁人假扮的，当下不动声色，笑道："陪着你的几位大哥是谁啊？怎地面生得紧。"刘之余苦笑道："这个……那个……嘿嘿，他们是外省新来的。"

　　福康安更是心中雪亮，须知内班宿卫日夜在皇帝之侧，若非亲贵，便是有功勋的世臣子弟，外省来的武人哪里能当？心想："只有调开这四人，刘太监方不受他们挟持。"说道："既是如此，四位侍卫大哥便把贼人带走吧！"说着向绑在一旁的少年书生和桑飞虹一指。

四名侍卫中便有一人走上前来，去牵那书生。福康安道："且慢！这位侍卫大哥贵姓？"按照常情，福康安对宫中侍卫客气，称一声"侍卫大哥"，但当侍卫的官阶比他低得多，必定上前请安。这侍卫却大剌剌的不理，只说："俺姓张！"福康安道："张大哥到宫中几时了？怎地没会过？"

那侍卫尚未回答，刘之余身后一个身材肥胖的侍卫突然右手一扬，银光闪闪，一件梭子般的暗器射了出来，飞向放置玉龙杯的茶几。这暗器去势峻急，眼见八只玉杯要一齐打碎。众卫士纷纷呼喝，善于发射暗器的便各自出手，只见袖箭、飞镖、铁莲子、铁蒺藜，七八件暗器齐向银梭射去。那肥胖的侍卫双手连扬，也是七八件暗器一齐射出。

只听得叮叮之声不绝，众卫士的暗器一齐碰落。那银梭飞到茶几，钩住了一只玉龙杯。说也奇怪，这梭子在半空中竟会自行转弯，钩住玉龙杯后斜斜飞回，又回到那侍卫手中。

众人眼见这般怪异情景，无不愕然。胡斐见了那胖侍卫这等发射暗器的神技，忍不住叫道："赵三哥！"

原来那胖侍卫正是千臂如来赵半山所乔装改扮。那个去救书生的侍卫，却是红花会中的鬼见愁石双英。这一干人早便在福康安府外接应，见那少年书生失手被擒，正好太监刘之余在府门外经过，便擒了来假传圣旨。但这些江湖上的豪杰之士终究不懂宫廷和官场规矩，一进福康安府便露出马脚。赵半山见福康安神色和言语间已然起疑，不待他下令拿人，先下手为强，当即发出一枚飞燕银梭，抢了一只玉杯。这飞燕银梭是他别出心裁的一种暗器，梭作弧形，掷出后能飞回手来。

他一抢到玉杯，猛听得有人叫了声："赵三哥！"这叫声中真情流露，似乎乍逢亲人一般，举目向叫声来处瞧去，却不见有熟识之人。要知胡斐和他暌别多年，身形容貌均已大变，别说他已乔装改扮，就是没有改装，乍然相逢，也未必认得出来。

　　处身在这龙潭虎穴之中，一瞥间没瞧见熟人，决无余裕再瞧第二眼，他双臂连扬，但听得噬噬之声不绝，每响一下，便有一枝红烛被暗器打熄，顷刻间大厅中黑漆一团。只听得他大声叫道："福康安看镖！"跟着有两人大声惨叫，显已中了他的暗器。但听得乒乒乓乓，响起一片兵刃之声，原来已有两名卫士抢上将石双英截住。

　　赵半山叫道："走吧，不可恋战！"他知身处险地，大厅之上高手如云，一击不中便当飘然远引，救人之事，只得徐图后计，眼下借着黑暗中一片混乱，尚可脱身，若是时机一过，连自己也会陷身其中。但这时石双英已被绊住，跟着又有两人攻到，别说救人，连他自己也走不脱了。

　　胡斐当那少年书生为汤沛擒获之时，即拟出手相救，只是厅上强敌环伺，单是正中太师椅上所坐的那四大掌门，自己对每一个都无制胜把握，突见赵半山打灭满厅灯火，当下更不犹豫，立即纵身抢到那少年书生身旁。汤沛出手点穴，胡斐看得分明，所点的是"云门"、"曲池"、"合谷"三穴，这时一俯身间，便往那书生肩后"天宗穴"上一拍，登时解了他的"云门穴"，待要再去推拿他"天池穴"时，头顶突然袭来一阵轻微掌风。

　　胡斐左手一翻，迎着掌风来处还了一掌，只觉敌人掌势来得快极，啪的一声轻响，双掌相交。胡斐身子一震，不由自主地倒退半步，心中大吃一惊："此人掌力怎地浑厚！"只得拚全力相抗，但觉对方内力无穷无尽的源源而来。胡斐暗暗叫苦，心想："比拚掌力，非片刻间可决胜败，灯烛少时便会点起，看来我脱身不易了。"对掌比拚，心中动念，都只是电光火石般的一霎间之事，忽听得那少年书生低声道："多谢援手！"竟已跃起身来。

　　他这一跃起，胡斐立时醒悟："我只解了他的云门穴，他的曲池、合谷两穴，原来是跟我对掌之人解了。那么此人是友非敌。"他一想到此节，对方也同时想到："我只解了他曲池、合谷两穴，尚有云门穴未解，原来是跟我对掌之人解了。那么此人是友非敌。"两人心念相同，当即各撤掌力。

那少年书生抓起躺在身旁的桑飞虹，急步奔出，叫道："福康安已被我宰了！少林派众位好汉攻东边，武当派众位好汉攻西边！大伙儿杀啊！杀啊！"黑暗中但听得兵刃乱响，厅上固是乱成一团，人人心中也是乱成一团。

众卫士听到福大帅被害，无不吓出一身冷汗，又听得"少林派众位好汉攻东边，武当派众位好汉攻西边"的喊声，这两大门派门人众多，难道当真反叛了？

忽听得周铁鹪的声音叫道："福大帅平安无恙，别上了贼子的当。"待得众卫士点亮灯烛，赵半山、石双英，以及少年书生和桑飞虹都已不知去向。

只见福康安端坐椅中，汤沛和海兰弼挡在身前，前后左右，六十多名卫士如肉屏风般团团保护。在这等严密防守之下，便是有千百名高手同时攻到，一时三刻之间也伤他不到半根毫毛，何况只是三数个刺客？但也因他手下卫士人人只想到保护大帅，赵半山和那少年书生等才得乘黑逃走。否则他数人武功再强，也决不能这般轻易地全身而退。

众人见福康安脸带微笑，神色镇定，大厅上登时静了下来；又见少林派掌门人大智禅师和武当派掌门人无青子安坐椅中，都知那书生这一番喊叫，只不过是扰乱人心。

福康安笑道："贼子胡言乱语，禅师和道长不必介意。"安提督走到福康安面前请安，说道："卑职无能，竟让贼子逃走，请大帅降罪。"福康安将手一摆，笑道："这都是我累事，算不得是你们没本事。大家顾着保护我，也不去理会毛贼了。"他心中甚是满意，觉得众卫士人人尽责，以他为重，竭力保护，又道："几个小毛贼来捣乱一番，算得什么大事？丢了一只玉龙杯，嗯，那也好，瞧是哪一派的掌门人日后去夺将来，再擒获了这劫杯毛贼，这只玉龙杯便归他所有。这一件事又斗智又斗力，比之在这里单是较量武功，不是更有意思么？"

群豪大声欢呼，都赞福大帅安排巧妙。胡斐和程灵素对望一眼，心下也不禁佩服福康安大有应变之才，失杯的丑事轻轻掩过，而且一翻手间，给红花会伏下了一个心腹大患。武林中自有不少人贪图出名，会千方百计地去设法夺回玉龙杯，不论成功与否，都是使红花会树下不少强敌。

福康安向安提督道："让他们接下去比试吧！"安提督躬身道："是！"转过身来，朗声说道："福大帅有令，请天下英雄继续比试武艺，且瞧余下的三只御赐玉杯，归属谁手。"他虽是说"福大帅有令"，但还是用了一个"请"字，那是对群豪甚表尊重，以客礼相待之意。

福康安吩咐道："搬开一张椅子！"便有一名卫士上前，将空着的太师椅搬开了一张，厅心留下三张空椅。众人这时方始发觉，"昆仑刀"掌门人西灵道人已不知何时离椅，想是他眼见各家各派武功高出自己之人甚多，与其被人赶下座位，还不如自行退位，免得出丑露乖。

这时胡斐思潮起伏，心中存着许多疑团："福康安的一对双生儿子如何又被他夺回？我冒充华拳门掌门人，是不是已被发觉？对方迟迟不予揭破，是不是暗中已布置下极厉害的陷阱？我适才替那少年书生解穴，黑暗中与人对掌，此人内力浑厚，非同小可，他也出手助那书生，自是大厅上群豪之一，却不知是谁？"

他明知在此处多耽得一刻，便多增一分凶险，但一来心中存着这许多疑团未解；二来眼见天南便在身旁，好容易知道了他的下落，岂肯又让他走了？三来也要瞧一瞧余下的三只玉龙杯由哪派的掌门人所得。

其实，这些都只是他脑子里所想到的原因，真正的原因，却是在心中隐隐约约觉得的：袁紫衣一定会来。既知她要来，他就决计不走。便有天大的危险，也吓他不走。

这时厅上又有两对人在比拚武功。四个人都使兵刃。胡斐一看，见四人的武功比之以前出手的都高。不久一个使三节棍的败了下去，另一个使流星锤的上来。听那唱名武官报名，是太原府的"流星赶月"童怀道。胡斐想起数月前与钟氏三雄交手，曾听他们提过"流星赶月童老师"的名头。这童怀道在双锤上的造诣果然甚是深厚，只十余合便将对手打败了，接着上来的两人也都不是他敌手。

高手比武，若非比拚内力，往往几个照面便分胜败，而动到兵刃，生死决于俄顷，比之较量拳脚更是凶险得多。双方比试者并无深仇大怨，大都是闻名不相识，功夫上一分高低，稍逊一筹者便即知难而退，谁都不愿干冒性命之险而死拚到底。因之在福康安这些只识武学皮毛的人眼中，比试的双方都是自惜羽毛，数合间便有人退下，反不及黄希节、桑飞虹、欧阳公政、哈赤和尚等一干人猛打狠殴的好看。但武功高明之人却看得明白，出赛者的武功越来越高，要取胜是越来越不容易，许多掌门人原本跃跃欲试的，这时都改变了主意，决定袖手旁观。有时两个人斗得似乎没精打采、平淡无奇，而汤沛、海兰弼这些高手却喝起彩来。一般不明其理的后辈，不是瞠目结舌，呆若木鸡，便是随声附和，假充内行。

饶是出赛者个个小心翼翼，但一入场子，总是力求取胜，兵刃无眼，还是有三个掌门人毙于当场，七个人身受重伤。总算福康安威势慑人，死伤者门下的弟子即时不敢发作，但武林中冤冤相报的无数腥风血雨，都已在这一日中伏下了因子。

清朝顺治、康熙、雍正三朝，武林中反清义举此起彼伏，百余年来始终不能平服，但自乾隆中叶以后，武林人士自相残杀之风大盛，顾不到再来反清，使清廷去了一大隐忧。虽然原因多般，但这次天下掌门人大会实是一大主因。后来武林中有识之士出力调解弥缝，仍是难使各家各派泯却仇怨。不明白福康安这个大阴谋之人，还道满清气运方盛，草莽英雄自相攻杀，乃天数使然。

流星赶月童怀道以一对流星双锤，在不到半个时辰之内连败五派掌门高手，其余的掌门人惮于他双锤此来彼往、迅捷循环的攻势，一时无人再上前挑战。

便在此时，厅外匆匆走进一名武官，到福康安面前低声禀告了几句。福康安点了点头,那武官走到厅口,大声道:"福大帅有请天龙门北宗掌门人田老师进见。"厅外又有武官传呼出去:"福大帅有请天龙门北宗掌门人田老师进见。"

胡斐和程灵素对望一眼,心头都是微微一震:"他也来了!"

过不多时,只见田归农身穿长袍马褂,微笑着缓步进来,身后跟随着高高矮矮的八人。他走到福康安身前,躬身请安。康安欠了欠身,拱手还礼,微笑着道:"田老师好,请坐吧!"

群豪一见,都想:"天龙门武功名震天下,已历百年,自明末以来,胡苗范田四家齐名,代代均有好手。这姓田的气派不凡,福大帅对他也是优礼有加,与对别派的掌门人不同。却不知他是否真有惊人艺业?"每一派与会的均限四人,他却带了八名随从,何况这般大模大样的迟迟而至,群豪虽然震于他的威名,心中却均有不平之意。

田归农和少林、武当两派掌门人点头为礼,看来相互间均熟识,但他和甘霖惠七省汤沛却极是熟络。汤沛拍着他肩膀笑道:"贤弟,做哥哥的一直牵记着你,心想怎么到这当儿还不来?倘若你竟是到得迟了,拿不到一只玉龙杯,做哥哥的这一只如何好意思捧回家去?你天龙门若是不得玉杯,哪一天你高兴起来,找老哥哥来比划比划,我除了双手奉上玉杯,再没第二句话好说,岂不糟糕?"跟着将福大帅嘱令各派比试武功以取御杯的事,向他说了一遍。

田归农笑道:"兄弟如何敢和大哥相比?我天龙门倘得福大帅恩典,蒙大哥照拂,能在天下英雄之前不太出丑丢脸,也已喜出望外了。"说着两人一齐大笑。他话是说得谦虚,但神色之间,显是将玉龙杯看做了囊中之物。汤沛和人人都很亲热,但对待田归农的神情却又与众不同。听他二人称呼语气,似乎还是拜把子的兄弟。

胡斐心想:"这姓田的和我交过手,武功虽比这些人都高,却未必能及得上汤沛和海兰弼,要说一定夺到玉龙杯,未免是将天下英雄都瞧得小了。"想起他暗算苗人凤的无耻卑鄙行径,已自打定了主意:"他不得玉龙杯便罢,若是侥幸夺得,好歹要他在天

514

下群雄之前，大大地出一个丑。"他和田归农在苗人凤家中交过手，以祖传刀法，打得他口吐鲜血，大败而走，何况其时胡斐未得苗人凤的指点，未悟胡家刀法中的精义要诀。此刻他单以刀法而论，天下几乎无人胜得过他，即是与苗人凤、赵半山这等第一流的高手相比，也已不逊多让，田归农自然远非其敌。

当田归农进来之时，大厅的比试稍停片刻，这时兵刃相击之声又作。田归农坐在椅中，手持酒杯观斗，神色极是闲雅，眼看有人胜，有人败，他只是脸带微笑，无动于衷，有时便跟汤沛说几句闲话。众人都已看出，他面子上似是装作高人一等，不屑和人争胜，实则是以逸待劳，要到最后的当口方才出手，在旁人精疲力竭之余，再行施展全力一击。

流星赶月童怀道坐在太师椅中，见良久无人上来挑战，突然一跃而起，走到田归农身前，说道："田老师，姓童的领教你的高招。"众人都是一愕。自比试开始以来，总是得胜者坐在太师椅中，由人上前挑战，岂知童怀道却是走下座来，反去向田归农求斗。

田归农笑道："不忙吧？"手中仍是持着酒杯。童怀道说道："反正迟早都是一斗，乘着我这时还有力气，向田老师领教领教。也免得你养精蓄锐，到最后来捡现成便宜。"他心直口快，想到什么，便说了出口，再无顾忌。群豪中便有二十余人喝起彩来。这些人见着田归农这等大剌剌的模样，早感不忿。

田归农哈哈一笑，眼见无法推托，向汤沛笑道："大哥，兄弟要献丑了。"汤沛道："恭祝贤弟马到成功！"

童怀道转过头来，直瞪着汤沛，粗声道："汤老师，福大帅算你是四大掌门之一，请你作公证来着，这一个'公'字，未免有点儿不对头吧？"汤沛被他直言顶撞，不免有些尴尬，强笑道："在下哪里不公了？请童老师指教。"童怀道说道："我跟田老师还没比试，你就先偏了心啦，说什么'恭祝贤弟马到成功。'天下英雄在此，这可是人人听见的。"

汤沛心中大怒，近二三十年来，人人见了他都是汤大侠前、汤大侠后，从无一人敢对他如此顶撞，更何况是在大庭广众之间这般地直斥其非，但他城府甚深，仍是微微一笑，说道："我也恭祝童老师旗开得胜。"

童怀道一怔，心想两人比试，一个旗开得胜，一个马到成功，天下决无此理，但他既这般说，却也无从辩驳，便大声道："汤老师，祝你也是旗开得胜，马到成功！"群豪一听，一齐轰笑起来。

田归农向汤沛使个眼色，意思说："大哥放心，这无礼莽撞之徒，兄弟一定好好地教训教训他。"当下缓步走到厅心，道："童老师请上吧！"

童怀道见他不卸长袍，手中又无兵刃，愈加愤怒，说道："田老师要以空手接在下这对流星锤么？"

田归农极工心计，行事自便持重，自忖如能在三招两式之内将他打倒，在天下群雄之前大显威风，自是再妙不过，但看对方身躯雄伟，肌肉似铁，实非易与之辈。笑道："童老师名满晋陕，江湖上好汉哪一个不知流星赶月的绝技，在下便使兵刃，也未必是童老师的对手。"右手一招，他大弟子曹云奇双手捧着一柄长剑，呈了上来。

田归农接过了剑，左手一摆，笑道："请吧！"童怀道见他剑未出鞘，心想你已兵刃在手，你爱什么时候拔剑，那是你自己的事，当下手指搭住锤链中心向下一转，一对流星锤直竖上来，那锤链竟如是两根铁棒一般。群豪齐声称赞："好功夫！"

喝彩声中，他左锤仍是竖在半空，右锤平胸砰然直击出去，但这一锤飞到离田归农胸口约有尺半之处，倏地停留不进，左锤迅捷异常的自后赶了上来，直击田归农的小腹。前锤虚招诱敌，后一锤才是全力出击，他一上来便使出"流星赶月"的成名绝技。

田归农微微一惊，斜退一步，长剑指出，竟是连着剑鞘刺了过去。童怀道大怒，心道："你不除剑鞘，分明是瞧我不起。"当下手上加劲，将一对铁锤舞成一团黑光。他这对双锤一快一慢，一虚一实，而快者未必真快，慢者也未必真慢，虚虚实实，变化多端。田归农长剑始终不出鞘，但一招一式，仍是依着"天龙剑"的剑法。

拆得三十余招，田归农已摸清楚对方锤法的路子，陡然间长

516

剑一探,疾点童怀道左腿膝弯"曲泉穴"。这一招并非剑法,长剑连鞘,竟是变作判官笔用。童怀道吃了一惊,退后两步。田归农长剑横砸,击他大腿,这一下却是将剑鞘当铁锏使,这一招"柳林换锏",原是锏法。他在两招之间,自剑法变为笔法,又自笔法变为锏法。

童怀道心中一慌,左手流星锤倒卷上来,右手在锤链上一推,铁锤向田归农眉心直撞过去。这是一招两败俱伤的打法,拼着大腿受剑鞘一砸,铁锤却也要击中了他。

田归农没料到对方竟不闪避攻着,剑鞘距他大腿不过数寸,却觉劲风扑面,铁锤已飞了过来,若是两下齐中,对方最多废了一条腿,自己却是脑浆迸裂之祸,百忙中倒转长剑,往他锤链中搭去。这一下转攻为守,登居劣势。童怀道流星锤一收,锤链已卷住长剑,往里一夺,跟着右锤横击过去。

眼见田归农兵刃被制,若要逃得性命,长剑非撒手不可,只听得刷的一声,青光一闪,长剑竟已出鞘,剑尖颤处,童怀道右腕中剑。原来他以锤链卷住长剑,一拉一夺之下,恰好将剑鞘拔脱。田归农乘机挥剑伤敌,跟着抢上两步,左手食指连动,点中了他胸口三处要穴。

童怀道全身酸麻,两枚流星锤砸将下来,打得地下砖屑纷飞。田归农还剑入鞘,笑吟吟地道:"承让!承让!"坐入了童怀道先前坐过的太师椅中。

他虽得胜,但厅上群豪都觉这一仗赢得侥幸,颇有狡诈之意,并非以真实本领取胜,因此除了汤沛等人寥寥几下彩声,谁都没喝彩叫好。

童怀道穴道被点后站着不动,摆着个挥锤击人的姿势,横眉怒目,模样极是可笑。田归农却不给他解穴,坐在椅中自行跟汤沛说笑,任由童怀道出丑露乖,竟是视若无睹。厅上自有不少点穴打穴名家,心中均感不忿,但谁都知道,只要一出去给童怀道解了穴,便是跟田归农和汤沛过不去。田归农还不怎样,那甘霖惠七省汤沛却是名头太大,那些点穴打穴名家十九是老成持重之辈,都不愿为这事而得罪汤沛。但眼见童怀道傻不愣登地站在那里,许多人都不禁为他难受。

西首席上一条大汉霍地站起,手中拖了一根又粗又长的镔铁棍,迈步出来,那铁棍拖过砖地,呛啷啷直响。他走到田归农面前,大声喝道:"姓田的,你给人家解穴道啊,让他僵在这里干什么?"田归农微笑道:"阁下是谁?"那大汉道:"我叫李廷豹,你听见过没有?"

他这一下自报姓名,声如霹雳,震得众人耳中都是嗡嗡作响。群豪一听此人便是李廷豹,都是微感诧异。原来李廷豹是五台派的掌门大弟子,在陕西延安府开设镖局,以五郎棍法驰名天下,他的"五郎镖局"在北七省也是颇有声名。众人心想他既是出名的镖头,自是精明强干,老于世故,不料竟是这样的一个莽夫。

田归农坐在椅中,并不抬身,五台派李廷豹的名字,他自是听见过的,但他假作讶色,摇头道:"没听见过。阁下是哪一家哪一派的啊?"李廷豹大怒,喝道:"五台派你听见过没有?"田归农仍是摇头,脸上却显得又是抱歉,又是惶恐,说道:"是五台?不是七台、八么?"他将"八台"两字,故意念得跟"王八蛋"的"八蛋"相似,厅上一些年轻人忍不住便笑将起来。

好在李廷豹倒没觉察,说道:"是五台派!大家是武林一脉,你快解童老师的穴道。"田归农道:"你跟童老师是好朋友么?"李廷豹道:"不是!我跟他素不相识。但你这般作弄人,太不成话。我瞧不过眼。"田归农皱眉道:"我只会点穴,当年师父没教我解穴。"李廷豹道:"我不信!"

福康安、安提督等一干人听着他二人对答,很觉有趣,均知田归农是在作弄这个浑人。这些亲贵大官看着众武师比武,原是当做一桩赏心乐事,便如看戏听曲、瞧变戏法一般,一连串不停手的激烈打斗之后,有个小丑来插科打诨,倒也兴味盎然。

田归农一眼瞥见福康安笑嘻嘻的神气,更欲凑趣,便道:"这样吧!你在他膝弯里用力踢一脚,便解开了他穴道。"李廷豹道:"当真?"田归农道:"师父以前这样教我,不过我自己也没试过。"

李廷豹提起右足，在童怀道膝弯里一踢。他这一脚力道用得不大，但童怀道还是应脚而倒，滚在地下，翻了几个转身，手足姿势丝毫不变，只是以直立变为横躺。原来李廷豹是上了当，要救人反而将人踢倒。

福康安哈哈大笑，众贵官跟着笑了起来。群豪本来有人想斥责田归农的，但见福康安一笑，都不敢出声了。

笑声未绝，忽听得呼呼呼三响，三只酒杯飞到半空，众人一齐抬头瞧去，只见三杯互相碰撞，乒乓两声，撞得粉碎。众人目光顺着酒杯的碎片望下地来，只见童怀道已然站起，手中握着一只酒杯，说道："哪一位英雄暗中相助，童怀道终身不忘大德。"说着将酒杯揣在怀中，狠狠瞧了田归农一眼，急奔出厅。

原来有人掷杯飞空互撞，乃是要引开各人的目光，当众人一齐瞧着空中的三只酒杯之时，他却又以一只酒杯掷去，打在童怀道背心的"筋缩穴"上，解开了他被点的穴道。

这一下厅上许多高手都被瞒过，大家均知这一下功夫甚是高明，却谁也不知是何人出手。

汤沛拿过两只酒杯，斟满了酒，走到胡斐席前，说道："这位兄台面生得很哪！请教尊姓大名，阁下飞杯解穴的功夫，在下钦佩得紧。"

胡斐适才念着童怀道是钟氏三雄的朋友，又见田归农辱人太甚，动了侠义心肠，虽知身在险地，却忍不住出手替他解开穴道，哪知汤沛目光锐利，竟然瞧破。胡斐说道："在下是华拳门的，敝姓程，草字灵素。汤大侠说什么飞杯解穴，在下可不懂了。"汤沛呵呵笑道："阁下何必隐瞒？这一席上不是少了四只酒杯么？"胡斐心想："看来他也不是瞧见我飞掷酒杯，只不过查到我席上少了四只酒杯而已。"于是转头向郭玉堂道："郭老师，原来你身怀绝技，飞掷酒杯，解了那姓童的穴道。佩服佩服！"

郭玉堂最是胆小怕事，惟恐惹祸，忙道："我没掷杯，我没掷杯。"

汤沛识得他已久，知他没这个能耐，一看他同席诸人，只华拳门的蔡威成名已久，但素知他暗器功夫甚是平常，于是将右手的一杯酒递给胡斐,笑道:"程兄,今日幸会!兄弟敬你一杯。"说着举杯和他的酒杯轻轻一碰。

只听得乒的一响,胡斐手中的酒杯忽地碎裂,热酒和瓷片齐飞,都打在胡斐胸口。原来汤沛在这一碰之中,暗运潜力,胡斐的武功如何,这只一碰便可试了出来。不料两杯相碰,华拳门掌门人程灵胡似乎半点内功也没有,酒杯粉碎之下,酒浆瓷片都溅向他一边。汤沛手中酒杯固然完好无损,衣上也不溅到半点酒水。汤沛微笑道:"对不起!"自行回归入座,心想:"这小老儿稀松平常,那么飞杯解穴的却又是谁?"

只见田归农和李廷豹已在厅心交起手来。田归农手持长剑,青光闪闪,这次剑已出鞘,不敢再行托大。李廷豹使开五郎棍法,一招招"推窗望月"、"背棍撞钟"、"白猿问路"、"横拦天门",只见他圈、点、劈、轧、挑、撞、撒、杀,招熟力猛,使将出来极有威势。群豪瞧得暗暗心服,这才知五郎镖局近十多年来声名极响,李总镖头果是有过人的技艺。田归农的天龙剑自也是武林中的一绝,激斗中渐渐占到了上风,但要在短时内取胜,看来着实不易。

酣斗之中,田归农忽地衣襟一翻,呛啷一声,从长衣下拔出一柄短刀。烛火之下,这刀光芒闪烁不定,远远瞧去,如宝石,如琉璃,如清水,如寒冰。

只见李廷豹使一招"倒反乾坤",反棍劈落,田归农以右手长剑一拨。李廷豹铁棍向前直送,正是一招"青龙出洞",这一招从锁喉枪法中变来,乃是奇险之着。但他使得纯熟,时刻分寸,无不拿捏恰到好处,正是从奇险中见功力。田归农却不退闪,左手单刀上撩,当的一响,镔铁棍断为两截。田归农乘他心中慌乱,右手剑急刺而至,在他手腕上一划,筋脉已断。

李廷豹大叫一声,抛下铁棍。他腕筋既断,一只右手从此便废了。他一生单练五郎棍,棍棒功夫必须双手齐使,右手一废,等于武功全失。霎时之间,想起半生苦苦挣来的威名一败涂地,镖局子只好关门,自己钱财来得容易,素无积蓄,一家老小立时便陷人冻馁之境；又想起自己生性暴躁，生平结下冤家对头不少，别说仇人寻上门来无法对付，便是平日受过自己气的同行后辈、市井小人，冷嘲热讽起来又怎能受得了？他是个直肚直肠之人，只觉再多活一刻，这口气也是咽不下去，左手拾起半截铁棍，咚的一声，击在自己脑盖之上，登时毙命。

大厅上众人齐声惊呼，站立起来，大家见他提起半截铁棍，都道必是跟田归农拼命，哪料到竟会自戕而死。这一个变故，惊得人人都说不出话来。安提督道："扫兴，扫兴！"命人将尸身抬了下去。

李廷豹如是在激斗中被田归农一剑刺死，那也罢了，如此这般逼得他自杀，众人均感气愤。

西南角上一人站了起来，大声说道："田老师，你用宝刀削断铁棍，胜局已定，何必再断他手筋？"田归农道："兵器无眼，倘若在下学艺不精，给他扫上一棍，那也是没命的了。"那人冷笑道："如此说来，你是学艺很精的了？"田归农道："不敢！老兄如是不服，尽可下场指教。"那人道："很好！"

这人使的也是长剑，下场后竟是不通姓名，刷刷两剑，向田归农当胸直刺。田归农仍是右剑左刀，拆不七八合，当的一声，宝刀又削断了他的长剑，跟着一剑刺伤了他左胸。

群豪见他出手狠辣，接二连三的有人上来挑战，这些人大半不是为了争夺玉龙杯，只觉李廷豹死得甚惨，要挫折一下田归农的威风。可是他左手宝刀实在太过厉害，不论什么兵刃，碰上了便即断折，到后来连五行轮、独胡铜人这些怪异兵刃也都出场，但无一能当他宝刀的锋锐。

有人出言相激，说道："田老师，你武功也只平平，单靠一柄宝刀，那算的是什么英雄？你有种的，便跟我拳脚上见高下。"田归农笑道："这宝刀是我天龙门世代相传的镇门之宝。今日福大帅要各家各派较量高下。我是天龙门的掌门人，不用本门之宝，却用什么？"

他出手之际，也真是不留情面，宝刀一断人兵刃，右手长剑便毁人手足，连败十余人后，旁人见上去不是断手，便是折足，无不身受重伤，虽有自恃武功能胜于他的，但想不出抵挡他宝刀的法门，个个畏惧束手。

汤沛见无人再上来挑战，呵呵笑道："贤弟，今日一战，你天龙门威震天下，我做哥哥的脸上也有光彩。来来来，我敬你一杯庆功酒！"

胡斐向程灵素瞧了一眼，程灵素缓缓摇头。胡斐自也十分恼恨田归农的强横，但一来不敢泄露身份，适才飞杯掷解童怀道的穴道，几乎已被汤沛看破；二来这柄宝刀如此厉害，实是生平从所未见的利器，若是上去相斗，先已输了七成。又想："当日他率众去苗人凤家中之时，何以不携这柄宝刀？那时如果他宝刀在手，说不定我已活不到今日了。"他不知天龙门这把宝刀由南北二宗轮值执掌，当时却尚在南宗的掌门人手中。

只见田归农得意扬扬地举起酒杯，正要凑到唇边，忽听得嗤的一声，一粒铁菩提向他酒杯飞了过去，想是有人发暗器要打破他的酒杯。

田归农视若不见，仍是举杯喝酒。曹雪奇叫道："师父，小心！"田归农待那铁菩提飞到身前，伸出手指，嗒的一声轻响，将铁菩提弹出厅门。众人见他露了这手，虽然不直他的为人，却有人禁不住叫了声："好！"

那粒铁菩提疾飞而出，厅门中正好走进一个人来。那人见暗器飞向自己胸口，也是伸指一弹，说道："便这般迎接客人么？"那铁菩提经他一弹，立时发出尖锐的破空之声，向田归农飞回。从声音听来，这一弹之力实是惊人，比田归农厉害多了。

田归农一惊之下，不敢伸手去接，身子向右一闪。他身后站着一名福康安的卫士，听得风声，铁菩提已到身前，不及闪让，伸手抄住，但听喀的一响，中指骨已然折断，疼得"啊"的一声大叫。

众人见小小一枚铁菩提，竟能在一弹之下将人指骨折断，此人指力的凌厉，实是罕见罕闻，一齐注目向他瞧去。

只见此人极瘦极高，左手拿着只虎撑，肩头斜挂药囊，一件

522

青布长袍洗得褪尽了颜色,拖着双破烂泥泞的布鞋,装束打扮,便是乡镇间常见的走方郎中,只是目光炯炯,顾盼似电,五官奇大,粗眉、大眼、大鼻、大口、双耳招风,颧骨高耸,这副相貌任谁一见之后都永远不会忘记,头发已然花白,至少已有五十来岁,脸上生满了黑斑。他身后跟着二人,似是他弟子或是厮仆,神态极是恭谨。

胡斐和程灵素见了当先那人还不怎样,一看到他身后二人,却是吃了一惊,原来一个老书生,正是程灵素的大师兄慕容景岳;另一个驼背跛足的女子,却是她三师姊薛鹊。胡斐和程灵素对瞧一眼,都是大奇:"怎么他们两个死对头走到了一起?薛鹊的丈夫姜铁山却又不在?"程灵素见胡斐眼光中露出疑问之色,知他是问那个走方郎中是谁,便缓缓地摇了摇头,她可也不认识。

忽听得"啊哟"一声惨叫,那指头折断的卫士跌倒在地,不住打滚,将一只手掌高高举起。众人初时均感奇怪:"既然身为福大帅的卫士,自有相当武功,怎地断了一根指头也抵受不起?"待见到他那只手掌其黑如墨,才知原来是中了剧毒。

这次天下各家各派掌门人大聚会,福府众卫士雄心勃勃,颇有和各派好手一争雄长之意,要显得在京中居官的英雄确有真才实学,决不输于各地的草莽豪杰。这手指折断的卫士归周铁鹪所管,他见此人如此出丑,眉头一皱,上前喝道:"起来,起来!这一点儿苦头也挨不起,太不成话啦!"那人对周铁鹪很是惧怕,忙道:"是,是!"挣扎着待要站起,突然身子一晃,晕了过去。周铁鹪从酒席上取过一双筷子,挟起那颗铁菩提一看,见上面刻着一个"柯"字,脸色微变,朗声说道:"兰州柯子容柯三爷,你越来越长进啦。这铁菩提上喂的毒药可厉害得紧哪!"

只见人丛中站起一个满脸麻子的大汉,说道:"周老爷你可别血口喷人。这枚铁菩提是我所发,那是不错,我只是瞧不过人家狂妄自大,要打碎人家手中酒杯。我柯家暗器上决计不许喂毒,世代相传,向为禁例,柯子容再不肖,也不敢坏了祖宗的家规。"周铁鹪见闻广博,也知柯家擅使七般暗器,但向来严禁喂毒,当下沉吟不语,只道:"这可奇了!"

柯子容道:"让我瞧瞧!"走过来拿起那枚铁菩提一看,道:"这是我的铁菩提啊,这上面怎会有毒……啊哟!"突然间大叫一声,将铁菩提投在地下,右手连挥,似乎受到烈火烧炙一般。只见他脸色惨白,要将受伤的手指送到口中吮吸,周铁鹪疾出一掌,矽中他的小臂,叫道:"吸不得!"挡住他手指入口,看他大拇指和食指两根手指时,都已肿了起来,色如淡墨。柯子容全身发颤,额角上黄豆大的汗珠一滴滴的渗了出来。

那走方郎中向着慕容景岳道:"给这两人治一治。"慕容景岳道:"是!"从怀中取出一盒药膏,在柯子容和那卫士手上涂了一些。柯子容颤抖渐止,那卫士也醒了转来。

群豪这才醒悟,柯子容发铁菩提打田归农的酒杯,田归农随手弹出,又给那走方郎中弹回。但走方郎中就这么一弹,已在铁菩提上喂了极厉害的毒药。这等下毒的本领,江湖上恐怕只有一人。厅上不少人在窃窃私语:"毒手药王,毒手药王!莫非是毒手药王?"

周铁鹪走近前去,向那走方郎中一抱拳,说道:"阁下尊姓大名?"那人微微一笑,并不回答。慕容景岳道:"在下慕容景岳,这是拙荆薛鹊。"他顿了一顿,才道:"这位是咱夫妇的师父,石先生,江湖上送他老人家一个外号,叫做'毒手药王'!"

这"毒手药王"四字一出口,旁人还都罢了,要知与会的不是一派掌门,多半便是各派的耆宿长老,大都知道"毒手药王"乃是当世使毒的第一高手,慕容景岳就算不说,也早猜想是他。但这四个字听在程灵素和胡斐耳中,实是诧异无比。程灵素更为气恼,心想这人不但假冒先师名头,而这句话出诸大师兄之口,尤其令她悲愤难平。另一件事也使她甚是奇怪:三师姊薛鹊原是二师兄姜铁山之妻,两人所生的儿子也已长大成人,何以这时大师兄却公然称她为"拙荆"?她料知这中间必已发生极重大的变故,眼下难以查究,惟有静观其变。

周铁鹪虽然勇悍,但听到"毒手药王"的名头,还是不禁失色,抱拳说了句:"久仰!久仰!"石先生伸出手去,笑道:"阁下尊姓大名,咱俩亲近亲近。"周铁鹪霍地退开一步,抱拳道:"在下周铁鹢，石前辈好!"他胆子再大，也决不敢去和毒手药王拉手。

石先生呵呵大笑，走到福康安面前，躬身一揖，说道："山野闲人，参见大帅!"这时福康安身旁的卫士已将毒手药王的来历禀告了他，福康安眼见他只是手指轻弹铁菩提，便即伤了两人，知道此人极是了得，当下微微欠身，说道："先生请坐!"

石先生带同慕容景岳、薛鹊夫妇在一旁坐了。附近群豪纷纷避让，谁也不敢跟他三人挨近，霎时之间，他师徒三人身旁空荡荡地清出了一大片地方。

一名武官走了过去，离石先生五尺便即站定，将争夺御杯以定门派高下的规矩说了，话一说完，立即退开，惟恐沾染到他身上的一丝毒气。

石先生微笑道："尊驾贵姓?"那武官道："敝姓巴。"石先生道："巴老爷，你何必见我等害怕? 老夫的外号叫做'毒手药王'，虽会下毒，也会用药治病啊。巴老爷脸上隐布青气，腹中似有蜈蚣蛰伏，若不速治，十天后只怕性命难保。"那武官大吃一惊，将信将疑，道："肚子里怎么有蜈蚣?"石先生道："巴老爷最近可曾和人争吵?"

北京城里做武官的，和人争吵乃是家常便饭，那自然是有的，那姓巴的武官惊道："有啊! 难道……难道那狗贼向我下了毒手?"石先生从药囊中取出两粒青色药丸，说道："巴老爷若是信得过，不妨用酒吞服了这两粒药。"

那武官给他说得心中发毛，隐隐便觉肚中似有蜈蚣爬动，当下更不多想，接过药丸丢在嘴里，拿起一碗酒，咕嘟嘟地喝下去，过不多时，便觉肚痛，胸口烦恶欲呕，"哇"的一声，呕了许多食物出来。

石先生抢上三步，伸手在他胸口按摩，喝道："吐干净了! 别留下了毒物!"那武官拼命呕吐，一低头，只见呕出来的秽物之中有三条两寸长的虫子蠕蠕而动，红头黑身，正是蜈蚣。那武官大叫："三条……三条蜈蚣!"一惊之下，险些晕去，忙向石先生拜倒，谢他救命之恩。廊下仆役上来清扫秽物。群豪无不叹服。

胡斐不信人腹中会有蜈蚣，但亲眼目睹，却又不由得不信。

程灵素在他耳边低声道:"别说三条小蜈蚣,我叫你肚里呕出三条青蛇出来也成。"胡斐道:"怎么?"程灵素道:"给你服两粒呕吐药丸,我袖中早就暗藏毒虫。"胡斐低声道:"是了,乘我呕吐大作、肚痛难当之际,将毒虫丢在秽物之中,有谁知道?"程灵素微微一笑,道:"他抢过去给那武官按摩胸口,倘若没这一着,戏法就不灵。"胡斐低声道:"其实这人武功很是了得,大可不必玩这种玄虚。"程灵素语声放到极低,说道:"大哥,这大厅上所有诸人之中,我最惧怕此人。你千万得小心在意。"胡斐自跟她相识以来,见她事事胸有成竹,从未说过"惧怕"两字,此刻竟是说得这般郑重,可见这石先生实在非同小可,又想此人冒了先师之名出来招摇,败坏她先师的名头,她终究不能袖手不理。

只听得石先生笑道:"我虽收了几个弟子,可是向来不立什么门派。今日就跟各位前辈学学,也来开宗立派,侥幸捧得一只银鲤杯回家,也好让弟子们风光风光。"缓步走将过去,大模大样的在田归农身旁太师椅中一坐,却哪里是得一只银鲤杯为已足,显是要在八大门派中占一席地。

他这么一坐,凭了"毒手药王"数十年来的名声,手弹铁菩提的功力,伤人于指顾间的下毒手法,这一只玉龙杯就算是拿定了,谁也不会动念去跟他挑战,可也没谁动念去跟他说话。

一时之间,大厅静了一片。少林派的掌门方丈大智禅师忽道:"石先生,无嗔和尚跟你怎么称呼?"石先生道:"无嗔?不知道,我不认得。"脸上丝毫不动声色。大智禅师双手合十,说道:"阿弥陀佛!"石先生道:"怎么?"大智禅师又宣了一声佛号:"阿弥陀佛!"石先生便不再问。

自他师徒三人进了大厅,程灵素的目光从没离开过他三人,只见石先生慢慢转过头去,和田归农对望了一眼。两人神色木然,目光中全无示意,但程灵素心念一动,已然明白:"他两人早已相识。田归农知道我师父的名字,知道'无嗔大师'才是真正的'毒手药王'。这位少林高僧却也知道。"忽又想到:"田归农用来毒瞎苗人凤的断肠草,原来就是这人给的。"

田归农宝刀锋利，石先生毒药厉害，坐稳了两张太师椅，八只玉龙杯之中，只有一只还没主人。群豪均想："是否能列入八大门派，全瞧这最后一只玉龙杯由谁抢得。"真所谓人同此心，顷刻之间，人丛中跃出七八人来，一齐想去坐那张空椅，三言两语，便分成四对斗了起来。顷败者退下，胜者或接续互斗，或和新来者应战，此来彼往的激斗良久，只听得门外更鼓打了四更，相斗的四人败了两人，只剩下两个胜者斗着。

　　这两人此时均以浑厚掌力比拼内力，久久相持不决，比的是高深武功，外形看来却是平淡无奇。福康安很不耐烦，接连打了几个呵欠，说道："瞧得闷死人了！"这句话声音甚轻，但正在比拼内功的两人却都清清楚楚地听入耳中。两人脸色齐变，各自撤掌，退后三步。一个道："咱们又不是耍猴儿戏的，到这里卖弄花拳绣腿，叫官老爷们喝彩！"另一个道："不错！回家抱娃娃去吧！"两人说着呵呵而笑，携手出了大厅。

　　胡斐暗暗点头："这二人武功甚高，识见果然也高人一等。只可惜乱哄哄之中没听到他们的名字。"转头问郭玉堂时，他也不识这两个乡下土老儿一般的人物。

　　郭玉堂说道："他们上来之时，安提督问他们姓名门派，两人都是笑了笑没说。"胡斐心想："这两位高手犹如神龙见首不见尾，连姓名也没留下。"

　　他正低了头和郭玉堂悄声说话，程灵素忽然轻轻碰了碰他手肘，胡斐抬起头来，只听得一名武官唱名道："这位是五虎门掌门人凤天南凤老爷！"但见凤天南手持熟铜棍，走上去向空着的太师椅中一坐，说道："哪一位前来指教。"胡斐大喜，心想："这厮的武功未达一流高手之境，居然也想来夺玉龙杯，先让他出一番丑，再来收拾他，那更妙了。"

　　只见凤天南接连打败了两人，正自得意洋洋，一个手持单刀的人上去挑战。这个人的武艺可就高了，只三招一过，胡斐心道："这恶贼决不是对手！"

　　果然凤天南吼叫连连，迭遇险招。那使单刀的似乎不为己

527

甚,只盼他知难而退,并不施展杀手,因此虽有几次可乘之机,却都使了缓招。但凤天南只是不住倒退,并不认输,突然间横扫一棍,那使单刀的身形一矮,铜棍从他头顶掠过。他正欲乘势进招,忽地叫声:"啊哟!"就地一滚,跟着跃了起来,但落下时右足一个踉跄,站立不定,又摔倒在地,怒喝:"你使暗器,不要脸!"

凤天南拄棍微笑,说道:"福大帅又没规定不得使暗器。上得场来,兵刃拳脚,毒药暗器,悉听尊便。"

那使单刀的卷起裤脚,只见膝头下"犊鼻穴"中赫然插着一枚两寸来长的银针。这"犊鼻穴"正当膝头之下,俗名膝眼,两旁空陷,状似牛鼻,因以为名,正是大腿和小腿之交的要紧穴道,此穴中针,这条腿便不管用了。

群豪都是好生奇怪,眼见适才两人斗得甚紧,凤天南绝无余暇发射暗器,又没见他抬臂扬手,这枚银针不知如何发出?

那使单刀的拔下银针,恨恨退下。又有一个使鞭的上来,这人的铁鞭使得犹如暴风骤雨一般,二十余招之内,一招紧似一招,竟不让凤天南有丝毫喘息之机。他眼见凤天南棍法并不如何了得,倒是那无影无踪的银针甚是难当,因此上杀招不绝,决不让他缓手来发射暗器,哪知斗到将近三十招时,凤天南棍法渐乱,那使鞭的却又是"啊哟"一声大叫,倒退开去,从自己小腹上拔出一枚银针,伤口血流如注,伤得竟是极重。

厅上群豪无不惊诧,似凤天南这等发射暗器,实是生平所未闻。若说是旁人暗中相助,众目睽睽之下,总会有人发见。眼下这两场相斗,都是凤天南势将不支之时,突然之间对手中了暗器。难道凤天南竟会行使邪法,心念一动,银针便会从天飞到?

偏有几个不服气的,接连上去跟他相斗。一人全神贯注的防备银针,不提防给他铜棍击中肩头,身负重伤,另外三人却也都给他"无影银针"所伤。一时大厅之上群情耸动。

胡斐和程灵素眼见凤天南接二连三以无影银针伤人,凝神观看,竟是瞧不出丝毫破绽。胡斐本想当凤天南兴高采烈之时,突然上前将他杀死,一来为佛山镇上钟阿四全家报仇,二来好显扬华拳门的名头,但瞧不透这银针暗器的来路,只有暂且袖手,若是贸然上前争锋，只要一个措手不及，非但自取其辱，抑且有性命之忧。

程灵素猜到他的心意，缓缓摇了摇头，说道："这只玉龙杯，咱们不要了吧？"胡斐向蔡威和姬晓峰道："这位凤老师的武功，还不怎样，只是……"姬晓峰点头道："是啊，他放射的银针可实在邪门，无声无息，无影无踪，竟是没半点先兆，直至对方一声惨叫，才知是中了他的暗器。"蔡威道："除非是头戴钢盔，身穿铁甲，才能跟他斗上一斗。"

蔡威这句话不过是讲笑，哪知厅上众武官之中，当真有人心怀不服，命人去取了上阵用的铁甲，全身披挂，手执开山大斧，上前挑战。

这名武官名叫木文察，当年随福康安远征青海，搴旗斩将，立过不少汗马功劳，乃是清军中的一员出名的满洲猛将，这时手执大斧走到厅中，威风凛凛，杀气腾腾，同僚袍泽齐声喝彩。福康安也赐酒一杯，先行慰劳。

两人一接上手，棍斧相交，当当之声，震耳欲聋，两般沉重的长兵器攻守抵拒，卷起阵阵疾风，烛光也给吹得忽明忽暗。木文察身穿铁甲，转动究属极不灵便，但仗着膂力极大，开山巨斧舞将开来，实是威不可当。

周铁鹪、曾铁鸥和王剑英、王剑杰四人站在福康安身前，手中各执兵刃，生怕巨斧或是铜棍脱手甩出，伤及大帅。

斗到二十余合，凤天南拦头一棍扫去，木文察头一低，顺势挥斧去砍对方右腿，忽听得啪的一声轻响，旁观群豪"哦"的一下，齐声呼叫。两人各自跃开几步，但见地下堕着一个红色绒球，正是从木文察头盔上落下，绒球上插着一枚银针，闪闪发亮。

想是木文察低头挥斧之时，凤天南发出无影银针，只因顾念他是福大帅爱将，不敢伤他身子。那绒球以铅丝系在头盔之上，须得射断铅丝，绒球方能落下，虽然两人相距甚近，但仓促间竟能射得如此之准，不差毫厘，实是了不起的暗器功夫。

木文察一呆之下，已知是对方手下容情，这一针倘是偏低数寸，从眉心间贯脑而入，这时焉有命在？便是全身铁甲，又有何用？他心悦诚服，双手抱拳，说道："多承凤老师手下留情。"凤天南恭恭敬敬地请了个安，说道："小人武艺跟木大人相差甚远，这些发射暗器的微末功夫，在疆场之上那是绝无用处。倘若咱俩骑马比试，小人早给大人一斧劈下马来了。"木文察笑道："好说，好说。"

福康安听凤天南说话得体，不敢恃艺骄其部属，心下甚喜，说道："这位凤老师的玩艺儿很不错。"将手中的碧玉鼻烟壶递给周铁鹪，道："赏了他吧！"凤天南忙上前谢赏。

木文察贯甲负斧，叮叮当当地退了下去。群豪纷纷议论。

人丛中忽然站起一人，朗声道："凤老师的暗器功夫果然了得，在下来领教领教。"众人回头一看，只见他满脸麻皮，正是适才发射铁菩提而中毒的柯子容。他手上涂了药膏后，这时毒性已解。

他兰州柯家以七般暗器开派，叫做"柯氏七青门"。那七种暗青子？便是袖箭、飞蝗石、铁菩提、铁蒺藜、飞刀、钢镖、丧门钉，号称"箭、蝗、菩、藜、刀、镖、钉"七绝。虽然这七种暗器都是极常见之物，但他家传的发射手法与众不同，刀中夹石，钉中夹镖，而且数种暗器能在空中自行碰撞，射出时或正或斜，令人极难挡避。若在空旷之处相斗，还能窜开数丈，然后看准暗器来路，或加格击，或行躲闪，但在这大厅之上，地位窄小，却是极难对付了。

凤天南将鼻烟壶郑而重之的用手帕包好，放入怀中，显得对福康安敬重之极，这才朗声说道："这位柯老师要跟在下比试暗器，大厅之上，暗器飞掷来去，若是误伤了各位大人，那可吃罪不起。"

周铁鹪笑道："凤老师不必多虑，尽管施展便是。咱们做卫士的，难道尽吃饭不管事么？"凤天南含笑抱拳，说道："得罪得罪！"胡斐心想："无怪这恶贼独霸一方，历久不败。他交结官府，确是心思周密，手段十分高明。"

只见柯子容除了长袍，露出全身黑色紧身衣靠。他这套衣裤甚是奇特，到处都是口袋和带子，这里盛一袋钢镖，那里插三

530

把飞刀，自头颈以至小腿，没一处不装暗器，胸前固然有袋，背上也有许多小袋。福康安哈哈大笑，说道："亏他想得出这套古怪装束，周身倒如刺猬一般。"

只见柯子容左手一翻，从腰间取出一只形似水杓的兵器来，只是杓口锋利，有如利刃。原来那是他家传的独门兵器，有一个特别名称，叫做"石沉大海"。这"石沉大海"一物二用，本身有三十六路招数，用法介乎单刀和板斧之间，但另有一般妙用，可以抄接暗器。敌人不论何种暗器发射过来，他这铁杓一兜一抄，便接了过去，宛似石沉大海般无影无踪，他反可从杓中取过敌人暗器，随即还击。这"石沉大海"不属于十八般兵器之列，乃是旁门的兵刃，江湖上也有称之为"借箭杓"的，意谓可借敌人之箭而用。

他这兵器一取出，厅上群豪倒有一大半不识得。凤天南笑道："柯老师今日让我们大开眼界。"胡斐却想："同是暗器名家，赵三哥潇洒大方，身上不见一枚暗器，却是取之不绝，用之不尽，这姓柯的未免显得小家气了。"

只见柯子容铁杓一翻，斜劈凤天南肩头。凤天南侧身让开，还了一棍，两人便斗将起来。那柯子容口说是跟他比试暗器，但杓法精妙，步步进逼，竟是不放暗器。

斗了一阵，柯子容叫道："看镖！"飕的一响，一枚钢镖飞掷而出。凤天南年纪已然不轻，多年来养尊处优，身材也极肥胖，但少年时的功夫竟没丝毫搁下，纵跃灵活，轻轻一闪，便把钢镖让了开去。柯子容又叫道："飞蝗石，袖箭！"这一次是两枚暗器同时射了出来。凤天南低头避开一枚，以铜棍格开一枚。只听柯子容又叫道："铁蒺藜，打你左肩！飞刀，削你右腿！"果然一枚铁蒺藜掷向他左肩，一柄飞刀削向他的右腿。凤天南先行得他提示，轻轻巧巧地便避过了。

众人心想，这柯子容忒也老实，怎地将暗器的种类去路，一先跟他说了？哪知他掷出八九枚暗器后，口中呼喝越来越快，暗器也越放越多，呼喝却非每次都对了。有时口中呼喝用袖箭射左眼，其实却是发飞蝗石打右胸。众人这才明白，原来他口中呼喝乃是扰敌心神，接连多次呼喝不错，突然夹一次骗人的叫唤，只要稍有疏神，立时便会上当。倘若暗器去路和呼喝全然不同，对方便可根本置之不理，恶在对的多而错的少，只偶尔在六七次正确的呼喝之中，夹上一次使诈，那就极为难防。

郭玉堂道："柯家七青门的暗器功夫，果是另有一功，看来他口中的呼喝，也是从小练起，其厉害之处，实不输于钢镖飞刀。他这'七青门'之名，要改为'八青门'才合。"姬晓峰道："但这般诡计多端，不是名门大派的手段。"

程灵素手中玩弄着从烟霞散人处夺来的大烟袋，说道："那凤老师怎地还不发射银针？这般搞下去，终于要上了这姓柯的大当为止。"姬晓峰道："我瞧这姓凤的似乎是成竹在胸，他发射暗器是贵精不贵多，一击而中，便足制胜。"程灵素"嗯"的一声，道："比暗器便比暗器，这柯子容啰里啰唆的缠夹不清。"

这时大厅上空，十余枚暗器飞舞来去，好看煞人。周铁鹪等严加戒备，保护大帅。安提督等大官身侧，也各有高手卫士防卫。众卫士不但防柯子容发射的镖箭飞来误伤，还恐群豪之中混有刺客，乘乱发射暗器，竟向大帅下手。

程灵素忽道："这姓柯的太过讨厌，我来开他个玩笑。"只听得柯子容叫道："铁蒺藜，打你左臂！"程灵素学着他的声调语气，也叫道："肉馒头，打你的嘴巴！"右手在烟斗上凑了一下，随手一扬，一枚小小的暗器果然射向他的嘴巴。这暗器飞去时并无破空之声，看来分量甚轻，只是上面带有一丝火星。俗语道："肉馒头打狗，有去无回。"众人听到"肉馒头，打你的嘴巴"八字，已十分好笑，何况她学的声调语气，跟柯子容的呼喝一般无二，早有数十人笑了起来。

柯子容见暗器来得奇特，提起"借箭杓"一抄，兜在杓中，左手便伸入杓中捡起，欲待还敬，突然间"嘭"的一声巨响，那暗器炸了开来。众人大吃一惊，柯子容更是全身跳起。但见纸屑纷飞，鼻中闻到一阵硝磺气息，却哪里是暗器，竟是一枚孩童逢年过节玩耍的小爆竹。众人一呆之下，随即全堂哄笑。

柯子容全神贯注在凤天南身上，生恐他偷发无影银针，虽然遭此侮弄，却是目不斜视，不敢搜寻投掷这枚爆竹之人，只是骂道："有种的便来比划比划，谁跟你闹这些顽童行径？"

程灵素站起身来，笑嘻嘻地走到东首，又取出一枚爆竹，在烟袋中点燃了，叫道："大石头，打你的七寸。"常言道："打蛇打七寸"，蛇颈离首七寸，乃是毒蛇致命之处，这一次竟是将他比作了毒蛇。众人哄笑声中，那爆竹飞掷过去。这一回他再不上当。程灵素这爆竹又掷得似乎太早，柯子容手指弹出一枚丧门钉，将爆竹打回，嘭的一响，爆竹在空中炸了。

程灵素又掷一枚，叫道："青石板，打你的硬壳。"那是将他比作乌龟了。柯子容心想："你是要激怒我，好让那姓凤的乘机下手，我偏不上你的当。"当下又弹出一枚丧门钉，将爆竹弹开，仍是在半空炸了。

安提督笑着叫道："两人比试，旁人不得滋扰。"又见柯子容这两枚丧门钉跌落时和安放玉龙杯的长几相距太近，对身旁的两名卫士道："过去护着御杯，别让暗器打碎了。"两名卫士应道："是！"走到长几之前，挡在御杯之前。

程灵素笑嘻嘻地回归座位，笑道："这家伙机伶得紧，上了一回当，第二次不肯伸手去接爆竹。"胡斐暗自奇怪："二妹明知凤天南是我对头，却偏去作弄那姓柯的，不知是何用意？"

柯子容见人人脸上均含笑意，急欲挽回颜面，暗器越射越多。凤天南手忙脚乱，已自难以支持，突然间伸手在铜棍头上一抽。柯子容只道他要发射银针，急忙纵身跃开，却见他从铜棍中抽出一条东西，顺势一挥，那物如雨伞般张了开来，成为一面轻盾。这轻盾极软极薄，似是一只纸鹞，盾面黑黝黝地，不知是用人发还是用什么特异质料编织而成，盾上绘着五个虎头，张口露牙，神态威猛。众人一见，心中都道："他是五虎门的掌门人，'五虎门'这名称，原来还是从这盾牌而来。"

只见他一手挥棍，一手持盾，将柯子容源源射来的暗器尽数挡开。那些镖箭刀石虽然来势强劲，但竟是打不穿这面轻软盾牌，看来这轻盾的质地实是坚韧之极。

胡斐一见到他从棍中抽出轻盾，登时醒悟，自骂愚不可及：

"他在铜棍中暗藏机关,这等明白的事,先前如何猜想不透?他这银针自然也是装在铜棍之中,激斗时只须一按棍上机括,银针激射而出,谁能躲闪得了?人人只道发射暗器定须伸臂扬手,他却只须在铜棍的一定部位一捏,银针射出,自是神不知鬼不觉了。"

想明此节,精神为之一振,忌敌之心尽去,但见凤天南边打边退,渐渐退向一列八张太师椅之前,猛听得柯子容一声惨叫,凤天南纵声长笑。柯子容倒退数步,手按胯下,慢慢蹲下身去,再也站不起来。凤天南却笑吟吟地坐入太师椅中。

两名卫士上前去,扶起柯子容,只见他咬紧牙关,伸手从胯下拔出一枚银针,针上染满鲜血。银针虽细,因是打中下阴要穴,受伤大是不轻。他已不能行走,在两名卫士搀扶下跟跄而退。

汤沛忽然鼻中一哼,冷笑道:"暗箭伤人,非为好汉!"凤天南转过头去,说道:"汤大侠可是说我么?"汤沛道:"我说的是暗箭伤人,非为好汉。大丈夫光明磊落,何以要干这等勾当?"凤天南霍地站起喝道:"咱们讲明了是比划暗器,暗器暗器,难道还有明的吗?"

汤沛道:"凤老师要跟我比划比划,是不是?"凤天南道:"汤大侠名震天下,小人岂敢冒犯?这姓柯的想是汤大侠的至交好友了?"汤沛沉着脸道:"不错,兰州柯家跟在下有点儿交情。"凤天南道:"既是如此,小人舍命陪君子,汤大侠划下道儿来吧!"

两人越说越僵,眼见便要动手。胡斐心道:"这汤沛虽然交结官府,却还有是非善恶之分。"

安提督走了过来,笑道:"汤大侠是比试的公证,今日是不能大显身手的。过几日小弟作东,那时请汤大侠露一手,让大伙儿开开眼界。"汤沛笑道:"那先多谢提督大人赏酒了。"转头向凤天南横了一眼,提起自己的太师椅往地下一蹾,再提起来移在一旁,和凤天南远离数尺,这才坐下,似乎不屑与他靠近。

这一移椅,只见青砖上露出了四个深深的椅脚脚印,厅上烛光明亮如同白昼,站得较近的都瞧得清清楚楚,这一手功夫看似不难,其实是蕴蓄着数十年修为的内力。霎时之间,厅上彩声雷动。站在后面的人没瞧见,急忙查问,等得问明白了,又挤上前来观看。

凤天南冷笑道:"汤大侠这手功夫帅极了!在下再练二十年也练不成。可是天外有天,人上有人,在真正武学高手看来,那也平平无奇。"汤沛道:"凤老师说得半点也不错,在武学高手瞧来,真是一文钱也不值。不过只要能胜得过凤老师,我也心满意足了。"

安提督笑道:"你们两位尽斗什么口?天也快亮啦,七只玉龙杯,六只已有了主儿。咱们今晚定了玉龙杯的名分,明晚再来争金凤杯和银鲤杯。还有哪一位英雄,要上来跟凤老师比划?"他提起嗓子连叫三遍,大厅上静悄悄地没人答腔。安提督向凤天南道:"恭喜凤老师,这只玉龙杯归了你啦!"

马春花求胡斐在她死后，将她葬在丈夫的坟旁。胡斐答应了，突然之间，想起了那日石屋拒敌、商宝震在屋外林中击死徐铮的情景来。

第十九章　相见欢

忽听得一人叫道："且慢，我来斗一斗凤天南。"只见一个形貌委琐的黄胡子中年人空手跃出，唱名的武官唱道："西岳华拳门掌门人程灵胡程老师！"

凤天南站起身来，双手横持铜棍，说道："程老师用什么兵刃？"

胡斐森然道："那难说得很。"突然猱身直上，欺到端坐在太师椅中的田归农身前，左手食中两根手指"双龙抢珠"，戳向田归农双目。

这一着人人都是大出意料之外。田归农虽然大吃一惊，应变仍是奇速，双手挥出，封住来招。哪知他快，胡斐更快，双手一圈，已变"怀中抱月"，分击他两侧太阳穴。田归农不及起身迎敌，双手外格，以挡侧击。

胡斐乘他双手提起挡架，腋下空虚，一翻手，已抓住他腰间宝刀的刀柄，刷的一响，青光闪处，宝刀已入手中，乘势转身，砍向凤天南手中的铜棍。

刀是宝刀，招是快招，只听得察察察三声轻响，跟着当啷啷两声，凤天南的熟铜棍中间断下两截，掉在地下。原来胡斐在瞬息之间连砍三刀，凤天南未及变招，手中兵刃已变成四段，双手各握着短短的一截铜棍，鞭不像鞭，尺不像尺，实是尴尬异常。

凤天南惊惶之下，急忙向旁跃开三步。便在此时，站在厅口的汪铁鹗朗声说道："九家半总掌门到。"

胡斐心头一凛，抬头向厅门看去，登时惊得呆了。

只见门中进来一个妙龄尼姑，缁衣芒鞋，手执云帚，正是袁紫衣。只是她头上已无一根青丝，脑门处并有戒印。

胡斐双眼一花，还怕是看错了人，迎上一步，看得清清楚楚，却不是袁紫衣是谁？

霎时间胡斐只觉天旋地转，心中乱成一片，说道："你……你是袁……"

袁紫衣双手合十，黯然道："小尼圆性。"

胡斐兀自没会过意来，突然间背心"悬枢穴""命门穴"两处穴道疼痛入骨，脚步一晃，摔倒在地，手中宝刀也撒手抛出。

袁紫衣怒喝："住手！"急忙抢上，拦在胡斐身后。

自胡斐夺刀断棍、九家半总掌门现身，以至胡斐受伤倒地，只顷刻之间的事。厅上众人尽皆错愕之际，已是奇变横生。

程灵素见胡斐受伤，心下大急，急忙抢出。袁紫衣俯身正要扶起胡斐，见程灵素纵到，当即缩手，低声道："快扶他到旁边！"右手云帚在身后一挥，似是挡架什么暗器，护在胡程二人身后。

程灵素半扶半抱的携着胡斐，快步走回席位，泪眼盈盈，说道："大哥，你怎么样了？"胡斐苦笑道："背上中了暗器，是悬枢和命门。"程灵素这时也顾不得男女之嫌，忙挢起他长袍和里衣，见他悬枢和命门两穴上果然各有一个小孔，鲜血渗出，暗器已深入肌骨。

袁紫衣道："那是镀银的铁针，没有毒，你放心。"举起云帚，先从帚丝丛中拔出一枚银针，然后将云帚之端抵在胡斐悬枢穴上，轻轻向外一拉，起了一枚银针出来，跟着又起出了他命门穴中的银针。原来云帚帚丝丛之中装着一块极大的磁铁。

胡斐道："袁姑娘……你……你……"袁紫衣低声道："我一直瞒着你，是我不好。"顿了一顿，又道："我自幼出家，法名叫做'圆性'。我说'姓袁'，一则是我娘的姓，二则便是将'圆性'两字颠倒过来。'紫衣'，那便是缁衣芒鞋的'缁衣'！"

胡斐怔怔地望着她，欲待不信此事，但眼前的袁紫衣明明是个妙尼，隔了半响，才道："你……你为什么要骗我？"

圆性低垂了头，双眼瞧着地下，轻轻地道："我奉师父之命，从回疆到中原来，单身一人，若作僧尼之装，长途投宿打尖甚是不便，因此改作俗家打扮。我头上装的是假发，饮食不沾荤腥，想是你没瞧出来。"

胡斐不知说什么好，终于轻轻叹了口气。

安提督朗声说道："还有哪一位来跟五虎门凤老师比试？"胡斐这时心神恍惚，黯然魂销，对安提督的话竟是听而不闻。安提督连问了三遍，见无人上前跟凤天南挑战，向福康安道："回大帅：这七只玉龙御杯，便赏给这七位老师？"福康安道："很好，很好！"

其时天已黎明，窗格中射进朦胧微光，经过一夜剧争，七只玉龙杯的归属才算定局。厅上群豪纷纷议论："红花会抢去的那只玉龙杯，不知哪一派掌门有本事夺得回来？""嘿，任他本领再强，也不能跟红花会斗啊。""红花会陈总舵主武功绝顶，还有无尘道人、赵半山、文泰来、常氏兄弟，哪一个不是响当当的脚色？谁想去夺杯，那不是老寿星上吊，嫌命长么？"

又有人瞧着圆性窃窃私议："怎么这个俏尼姑竟是九家半总掌门？真是邪门。""是那九家半？怎么还有半个掌门人的？""她要是真的武功高强，怎地又不去夺一只玉龙杯？""嘿，人家凤老师的银针，她惹得起么？他手中铜棍给砍成了四段，还施放银针，败中取胜，了不起。"另一个不服气，说道："那也不见得！华拳门那黄胡子听到九家半总掌门进来，吃了一惊，这才着了那姓凤的道儿。否则的话，也不知谁胜谁败。"又一个道："看来还是那田归农差劲，他天龙门的镇门之宝给人空手夺了去，这会儿居然厚着脸皮，又将宝刀捡了回去。"另一人道："不错！华拳门当然胜过了天龙门。"

安提督走到长儿之旁，捧起了托盘，往中间一站，朗声说道："万岁爷恩典，钦赐玉龙御杯，着少林派掌门人大智禅师、武当派掌门人无青子道人、三才剑掌门人汤沛、黑龙门掌门人海兰弼、天龙门掌门人田归农……"说到这里，顿了一顿，低声向石先生道："石老师，贵门派和大名怎么称呼？"石先生微微一笑道："草字万嗔，至于门派嘛，就叫做药王门吧。"安提督续道："……药王门掌门人石万嗔,五虎门掌门人凤天南收执。谢恩!"

听到"谢恩"两字,福康安等官员一齐站起。武林群豪中有些懂礼数的便站了起来,有些却坐着不动,直到众卫士喝道:"都站起来!"这才纷纷起立。大智禅师和无青子各以僧道门中规矩行礼。汤沛、海兰弼等跪下磕头。

安提督待各人跪拜已毕,笑道:"恭喜,恭喜!"将托盘递了过去。大智禅师等七人每人伸手取了一只玉龙杯。

突然之间,七个人手上犹似碰到了烧得通红的烙铁,实在拿捏不住,一齐松手。乒乒乓乓一阵清脆的响声过去,七只玉杯同时在青砖地上砸得粉碎。

这一下变故,不但七人大惊失色,自福康安以下,无不群情耸动,齐问:"怎样? 怎样?"顷刻之间,七人握过玉杯的手掌都是又焦又肿,炙痛难当,不住的在衣服上拂擦。海兰弼伸指到口中吮吸止痛,突然间大声怪叫,原来舌头上也剧痛起来。

胡斐向程灵素望了一眼,微微点头。他此时方才明白,原来程灵素在掷打柯子容的第二枚和第三枚爆竹之中,装上了赤蝎粉之类的毒药,爆竹在七只玉龙杯上空炸开,毒粉便散在杯上。这一个布置意谋深远,丝毫不露痕迹,此刻才见功效。

只见程灵素吞烟吐雾,不住地吸着旱烟管,吸了一筒,又装一筒,半点也无得意之色。她左掌中暗藏药丸,递了两颗给胡斐,两颗给圆性,低声道:"吞下!"两人知她必有深意,依言服了。

这时人人的目光都瞧着那七人和地下玉杯的碎片,惊愕之下,大厅上寂静无声。

圆性忽地走到厅心,云帚指着汤沛,朗声说道:"汤沛,这是皇上御赐的玉杯,你如此胆大妄为,竟敢暗施诡计,尽数砸碎。你心存不轨,和红花会暗中勾结,要拆散福大帅的天下掌门人大会。你这般大逆不道,目无长上,天下英雄都容你不得!"

她一字一句,说得清脆响朗。这番话辞意严峻,头头是道,又说他跟红花会暗中勾结。众人正在茫无头绪之际,忽听得她斩钉截铁地说了出来,真所谓先入为主,无不以为实是汤沛所为。

福康安心中怒极，手一挥，王剑英、周铁鹪等高手卫士都围到了汤沛身旁。

饶是汤沛一生经历过不少大风大浪，此刻也是脸色惨白，既惊且怒，身子发颤，喝道："小妖尼，这种事也能空口白赖，胡说八道么？"

圆性冷笑道："我是胡说八道之人么？"她向着王剑英道："八卦门的掌门人王老师。"转头向周铁鹪道："鹰爪雁行门的掌门人周老师，你们都认得我是谁。这九家半的总掌门我是不当的了。可是我是胡说八道之人呢，还是有担当、有身份之人？你们两位且说一句。"

王剑英和周铁鹪自圆性一进大厅，心中便惴惴不安，深恐她将夺得自己掌门之位的真情抖露出来。他二人是福康安身前最有脸面的卫士首领，又是北京城中武师的顶儿尖儿人物，倘若众人知悉他二人连掌门之位也让人夺了去，今后怎生做人？这时听得圆性称呼自己为本门掌门人，又说："这九家半的总掌门我是不当的了"，那显是点明，给她夺去的掌门之位重行归还原主，当真是如同临刑的斩犯遇到皇恩大赦一般，心中如何不喜？圆性这么相询，又怎敢不顺着她意思回答？何况他二人听了她这番斥责汤沛的言语之后，原也疑心八成是汤沛暗中捣鬼，否则好端端的七只玉杯，怎会陡然间一齐摔下跌碎。

王剑英当即恭恭敬敬地说道："您老人家武艺超群，在下甚是敬服，为人又宽宏大量，实是当世武林中的杰出人材。"周铁鹪日前给她打败，心下虽然十分记恨，但实在怕她当众抖露丑事，也道："在下相信您老人家言而有信，顾全大体，尊重武林同道的颜面，若非万不得已，决不揭露成名人物的隐私。"他这几句话其实说的都是自己之事，求她顾住自己面子，但在旁人听来，自然都以为句句说的是汤沛。

众人听得福康安最亲信的两个卫士首领这般说，他二人又都对这少年尼姑这般恭谨，口口声声的"您老人家"，哪里还有怀疑？

福康安喝道："拿下了！"王剑英、周铁鹪和海兰弼一齐伸手，便要擒拿汤沛。

汤沛使招"大圈手",内劲吞吐,逼开了三人,叫道:"且慢!"向福康安道:"福大帅,小人要和她对质几句,若是她能说得出真凭实据,小人甘领大帅罪责,死而无怨。否则这等血口喷人,小人实是不服。"

福康安素知汤沛的名望,说道:"好,你便和她对质。"

汤沛瞪视圆性,怒道:"我和你素不相识,何故这等妄赖于我?你究是何人?"

圆性道:"不错,我和你素不相识,无怨无仇,何必平白的冤枉你!只是我跟红花会有深仇大恨。你既加盟入了红花会,混进掌门人大会中来捣鬼,我便非揭穿你的阴谋诡计不可。你交友广阔,相识遍天下,交结旁的朋友,也不关我事,你交结红花会匪徒,我却容你不得。"

胡斐在一旁听着,心下存着老大疑团,他明知圆性和红花会众英雄渊源甚深,这砸碎玉杯之事,却又明明是程灵素做下的手脚,却不知她何以要这般诬陷汤沛?他心中转了几个念头,猛然想起,圆性曾说她母亲被凤天南逼迫离开广东之后,曾得汤沛收留。难道她母亲之死,竟和汤沛有关?

他自从蓦地里见到那念念不忘的俊俏姑娘竟是一个尼姑,便即神魂不定,始终无法静下来思索,脑海中诸般念头此去彼来,犹似乱潮怒涌,连背上的伤痛也忘记了。

福康安十年前曾为红花会群雄所擒,大受折辱,心中恨极了红花会人物,这一次招集各派掌门人聚会,主旨之一便是为了对付红花会,这时听了圆性一番言语,心想这姓汤的爱交江湖豪客,红花会的匪首个个是武林中的厉害脚色,若是跟他私通款曲,结交来往,那是半点不奇,若无交往,反倒稀奇了。

只听汤沛说道:"你说我结交红花会匪首,是谁见来?有何凭证?"

圆性向安提督道:"提督大人,这奸人汤沛,有跟红花会匪首来往的书信。你能设法查对笔迹真假么?"安提督道:"可以!"转头向身旁的武官吩咐了几句。那武官走向一旁方桌,翻开卷宗,取出几封信来，乃是汤沛写给安提督的书信，信中答应来京赴会，并做会中比武公证。

汤沛有恃无恐，暗忖自己结交虽广，但行事向来谨细，并不识得红花会人物，这尼姑便是捏造书信，笔迹一对便知真伪，当下只是微微冷笑。

圆性冷冷地道："甘霖惠七省汤沛汤大侠，你帽子之中，藏的是什么？"

汤沛一愕，说道："有什么？帽子便是帽子。"他取下帽子，里里外外一看，绝无异状，为示清白，便交给了海兰弼。海兰弼看了看，交给安提督。安提督也仔细看了看，道："没什么啊。"圆性道："请提督大人割开来瞧瞧。"

满洲风俗，遇有盛宴，例有大块白煮猪肉，各人以自备解手刀片割而食，因此安提督身边亦携解手刀。他听圆性这般说，便取出刀子，割开汤沛小帽的线缝，只见帽内所衬棉絮之中，果然藏有一信。安提督"哦"的一声，抽了出来。

汤沛脸如土色，道："这……这……"忍不住想过去瞧瞧，只听刷刷两声，王剑英和周铁鹪抽刀拦住。

安提督展开信笺，朗声读道："下走汤沛，谨拜上陈总舵主麾下：所嘱之事，自当尽心竭力，死而后已，盖非此不足以报知遇之大恩也。惟彼伧贬大举集众，会天下诸门派掌门人于一堂，自必戒备森严。下走若不幸有负所托，便当血溅京华，以此书此帽拜见明公耳。下走在京，探得……"他读到这里，脸色微变，便不再读下去，将书信呈给了福康安。

福康安接过来看下去，只见信中续道："……探得彼伧身世隐事甚伙，如能相见，一一面陈。举首西眺，想望风采。何日重囚彼酋于六和塔顶，再掳彼伧于紫禁城中，不亦快哉！"

福康安愈读愈怒，几欲气破胸膛。

原来十年前乾隆皇帝在杭州微服出游，曾为红花会群雄设计擒获，囚于六和塔顶，后来福康安又在北京禁城中为红花会所俘。这两件事乾隆和福康安都引为毕生奇耻大辱，凡是当年预闻此事的官员侍卫，都已被乾隆逐年来借故诛戮灭口。此两事又因关涉到红花会总舵主陈家洛的身世隐事，是以红花会亦秘而不宣，江湖上知者极少。事隔十年，福康安创痛渐淡。岂知汤沛竟在信中又揭开了这个大疮疤。福康安又想：信内"探得彼伦身世隐事甚伙"云云，又不知包含着多少丑闻隐私？福康安是乾隆的私生子，单是这一件事，胆敢提到一句的人便足以灭门杀身。

福康安虽然向来镇静，这时也已气得脸色焦黄，双手颤抖，随手接过安提督递上来汤沛的另一封书信，一看之下，两封信上的字迹却并不甚似，但盛怒之际，已无心绪去细加核对。

汤沛见自己小帽之中竟会藏着一封书信，惊惶之后微一凝思，已是恍然，知是圆性暗中做下的手脚；自是她处心积虑，买了一顶一模一样的小帽，伪造书信，缝在帽中，然后自己睡觉或是洗澡之际换了一顶。

他听安提督读信读了一半，不禁满背冷汗，心想今日大祸临头，再见他竟尔不敢再读书信的后半，却呈给了福康安亲阅，可想而知，信中更是写满了大逆不道的言语。他心想："今日要辩明这不白之冤，惟有查明这小尼姑的来历。"侧头细看圆性，蓦地一惊："这尼姑好生面熟，从前见过的。"陡然想起，叫道："你……你是银姑，银姑的女儿！"圆性冷笑道："你终于认出来了。"

汤沛大叫："福大帅，这尼姑是小人的仇家。她设下圈套，陷害于我。大帅，你千万信她不得。"

圆性道："不错，我是你的仇家。我母亲走投无路，来到你家。你这人面兽心的汤大侠，见我母亲美貌，竟使暴力侵犯于她，害得我母亲悬梁自尽。这事可是有的？"

汤沛心知若是在天下英雄之前承认了这件丑行，自然从此声名扫地，再也无颜见人，但权衡轻重，宁可直认此事，好令福康安相信这小尼姑是挟仇诬陷，于是点头道："不错，确有此事。"

群豪对汤沛本来甚是敬重，都当他是个扶危解困、急人之难的大侠，虽听他和红花会勾结，但红花会群雄声名极好，武林中众所仰慕，汤沛即使入了红花会，也丝毫无损于其"大侠"两字的令誉，这时却听得他亲口直认逼奸难女，害人自尽，不由得大哗。

许多直性子的登时便大声斥责，有的骂他"伪君子"，有的骂他"衣冠禽兽"，有的说他自居"大侠"，实是不识羞耻。

圆性待人声稍静，冷冷地道："我一直想杀了你这禽兽，替亡母报仇，可是你武功太强，我斗你不过，只有日夜在你屋顶窗下窥伺。嘿嘿，天假其便，给我听到你跟红花会赵半山、常氏兄弟、石双英这些匪首阴谋私议。适才抢夺玉龙杯的那个少年书生，便是红花会总舵主陈家洛的书僮心砚，是也不是？"众人一听，又是一阵嘈乱。

福康安也即想起："此人正是心砚。他好大的胆子，竟不怕我认他出来！"

汤沛道："我怎认得他？倘若我跟红花会勾结，何以又出手擒住他？"

圆性嘿嘿冷笑，说道："你手脚做得如此干净利落，要是我事先没听到你暗中的密议，也决计想不到这阴谋。我问你，你汤大侠的点穴手法另具一功，你下手点了人家穴道之后，本来旁人再也无法解得开。可是适才你点了那红花会匪徒的穴道，何以大厅上灯火齐熄？那匪徒身上的穴道又何以忽然解了，得以逃去？"汤沛张口结舌，道："这个……这个……想是暗中有人解救。"

圆性厉声道："暗中解救之人，除了汤沛汤大侠，天下再无第二个。当时除你之外，还有谁站在那人的身边？"

胡斐心想："她言辞锋利，汤沛实是百口难辩。那少年书生的穴道，明明是我解的。但我只解了一半，另一半不知是何人所解，但想来决不会是汤沛。"

只听得圆性又道："福大帅，这汤沛和红花会匪徒计议定当，假装将那匪徒心砚擒获，放在你身旁，再由另一批匪徒打灭烛火，那心砚便乘乱就近向你行刺。这批匪徒意料之中，众卫士见那书生已被点了穴道，动弹不得，自不会防他行刺。天幸福大帅洪福齐天，逢凶化吉。众卫士又忠心耿耿，防卫周密，烛火灭熄之后，立即一齐挡在大帅身前保护，贼人的奸计才不得逞。"汤沛大叫："你胡说八道，哪有此事？"

福康安回想适才的情景，对圆性之言不由得信了个十足十，暗叫："好险！"向王剑英和周铁鹪道："你们很好，回头升你们的官。"

圆性乘机又道："王大人，周大人，适才贼人的奸计是否如此？"王剑英和周铁鹪均想："这小尼姑是得罪不得的。何况我们越是说得凶险，保护大帅之功越高，回头封赏越大。"于是一个说："那书生确是曾扑到大帅身前来，幸好未能成功。"另一个说："黑暗之中，的确有人过来，功夫厉害得很，我们只好拼了命抵挡……却没想到竟是汤沛，当真凶险得紧。"

汤沛难以辩解，只得对圆性道："你……你满口胡言！适才你又不在厅上，如何得知？"圆性并不回答，回头向着凤天南上上下下地打量。

凤天南是她亲生之父，可是曾逼得她母亲颠沛流离，受尽了苦楚，最后不得善终。她曾发下誓愿，要救他三次，以尽父女之情，然后再取他性命，替苦命的亡母报仇。她既诬陷了汤沛，原可再将凤天南扳陷在内，但向他瞧了两眼，心中终是不忍，一时拿不定主意。

圆性这么一犹豫，汤沛老奸巨猾，登时瞧出她脸色迟疑不定，又见她眼光不住的溜向凤天南，心念一动，两下里一凑合，登即料定这事全是凤天南暗中布下的计谋，叫道："凤天南，原来是你从中捣鬼！你要我暗中助你，令你五虎门在掌门人大会中压倒群雄，这时却又叫你女儿来陷害于我。"凤天南一惊，道："我女儿？她……她是我女儿？"群豪听了两人之言，无不惊奇。

汤沛冷笑道："你还在这里假痴假呆，装作不知。你瞧瞧这小尼姑，跟当年的银姑有什么分别？"

凤天南双眼瞪着圆性，怔怔地说不出话来，但见她虽作尼姑装束，但秀眉美目，宛然便是昔日的渔家女银姑。

原来当年银姑带了女儿从广东佛山逃到湖北，投身汤沛府中为佣。汤沛这人外表道貌岸然，一副仁人义士的模样，实则行止甚是不端，见银姑美貌，便强逼她相从。银姑羞愤之下，悬梁

547

而死。

圆性却蒙峨眉派中一位辈分极高的尼姑救去,带到天山,自幼便给她落发,授以武艺。那位尼姑的住处和天池怪侠袁士霄及红花会群雄不远,平日切磋武学,时相过从。圆性天资极佳,她师父的武功原已极为高深繁复,但她贪多不厌,每次见到袁士霄,总是缠着他要传授几招,而从陈家洛、霍青桐直至心砚,红花会群雄无人不是多多少少地传过她一些功夫。天池怪侠袁士霄老来寂寞,对她传授尤多。袁士霄于天下武学,几乎说得上无所不知,何况再加上十几位明师,是以圆性艺兼各派之所长,她人又聪明机警,以智巧补功力不足,若不是年纪太轻,内功修为尚浅,直已可跻一流高手之境。

这一年圆性禀明师父,回中土为母报仇,鸳鸯刀骆冰便托她带来白马,遇到胡斐时赠送于他。只是赵半山将胡斐夸得太好,圆性少年性情,心下不服,这才有途中和胡斐数度较量之事。不料两人见面后惺惺相惜,心中情苗暗苗。圆性待得惊觉,已是柔肠百转,难以自遣了。她自行约制,不敢多和胡斐见面,只是暗中跟随。后来见他结识了程灵素,她既感自伤,亦复自慰,自己是方外之人,终身注定以青灯古佛为伴,当年拜师之时,曾立下重誓,为师父的衣钵传人,师恩深重,决计不敢有背。程灵素聪明智慧,犹胜于己,对胡斐更是一往情深,胡斐得以为侣,原亦大佳。因此上留赠玉凤,微通消息,但暗地里却已不知偷弹了多少珠泪。

她此番东来报仇,大仇人是甘霖惠七省汤沛,心想若是暗中行刺下毒,原亦不难,但此人一生假仁假义,沽名钓誉,须得在天下好汉之前揭破他的假面具,那比将他一剑穿心更是痛快。

适逢福康安正要召开天下掌门人大会,分遣人手前往各地,邀请各家各派的掌门人赴京与会。圆性查知福康安此举的用意,一来是收罗江湖豪杰,以功名财帛相羁縻,用以对付红花会群雄;二来是挑拨离间,使各派武师相互争斗,不致共同反抗清政府。她细细筹划,要在掌门人大会之中先揭露汤沛的真相,再杀他为母报仇,如能在会中大闹一场,使福康安奸计不逞,那不但帮了红花会诸伯叔一个大忙，不枉他们平日的辛苦教导，抑且是造福天下武林了。

在湖北汤沛老家，他门人子侄固然不少，便是养在家中的闲汉门客也有数十人之多，要混进他府中极是不易，但到了北京，汤沛住的不过是一家上等客店，圆性改作男装，进出客店，谁也不在意下。她偷听了汤沛几次谈话，知他热衷功名，亟盼乘机巴结上福康安，就此平步青云，于是设下计谋，伪造书信，偷换小帽。再加上程灵素碎玉龙杯、胡斐救心砚等几件事一凑合，汤沛便有苏张之舌也已辩解不来。

她原来打算将凤天南也陷害在内，但父女天性，虽说他无恶不作，对己实无半分父女之情，可是话到嘴边终是说不出口。

汤沛此刻病急乱投医，便如行将溺死之人，就是碰到一根稻草，也是紧抓不放，叫道："凤天南，你说，她是不是你的女儿？"凤天南缓缓点了点头。汤沛大声道："福大帅，他父女俩设下圈套，陷害于我。"凤天南怒道："我为什么要害你？"汤沛道："只因我逼死了你的妻子。"凤天南冷笑道："嘿嘿，你逼死的那个女子，谁说是我妻子？凤某到了手便丢，这种女子……"他说到这里，忽然见到圆性冷森森的目光凝视着自己，不禁打个寒战，不敢再说。

汤沛道："好，事已如此，我也不必隐瞒。那无影银针，是你放的还是我放的？你若能放，那便射我一枚试试。"

他此言一出，群豪又大哗起来。

胡斐背上中针，略一定神之后，已知那银针决非凤天南所发，当时他刀断铜棍，正面对着凤天南，圆性进来时他心神恍惚，背心便中银针，那定是在他身后之人偷袭。他见汤沛初时和凤天南争吵，说他"暗箭伤人，不是好汉"，始终没疑心到汤沛身上，料想若不是海兰弼所为，便是那个委委琐琐的武当掌门无青子做了手脚，哪料到竟是汤凤二人故意布下疑阵，掩人耳目。

原来凤天南从佛山镇北逃，经过湖北时曾在汤沛家中住过几天，无意中听到两个仆人谈到广东佛山的风土人情，不由得关心，赏了那两仆十几两银子，细问情由，竟探听到了银姑之事。

凤天南对银姑犹如过眼云烟，自不将这件事放在心上，一笑了之，也不跟汤沛提起。来北京时，一路之上曾设法讨好胡斐，义堂镇的大宅田地，便是他所送的了，到了北京后又使了不少银子，请了周铁鹪出面化解。

但胡斐侠义心肠，虽然钟阿四跟他无亲无故，却是死缠到底，不肯罢休。凤天南心想，此人不除，自己这一生终是寝食难安，当下去跟汤沛商量，怕他不肯相助，故意危言耸听，说胡斐定要到掌门人大会中来捣乱。汤沛初时还不肯插手，凤天南便提到银姑之事，暗示汤沛若不相助，说不得要将这件事抖露出来，但若汤沛能设法除了胡斐，他回到佛山重整基业，每年送他一万两银子。

汤沛交结朋友，花费极大。他为了博仁义之名，又不能像凤天南这般开赌场、霸码头，公然的巧取豪夺，听凤天南答应每年相送一万两银子，自不免心动，再加上顾忌银姑之事败露，于是答应相助。

汤沛甚工心计，靴底之中，装设有极为精巧的银针暗器，他行路足跟并不着地，足跟若在地下一碰，足尖上便有银针射出，当真是无影无踪，人所难测。他想既然相助凤天南，索性大助一番，让他捧一只玉龙杯回到佛山，声威大振之下，每年相赠的酬金自也不止是一万两银子了。凤天南在会中连败高手，全是汤沛暗放银针。银针既细，他踏足发针之技又是巧妙异常，虽在众目睽睽之下，竟无一人发觉，便连程灵素这等心思周密之人，也没看出端倪。

不料变生不测，凭空闯了一个小尼姑进来，一番言语，将汤沛紧紧地缠在网里，竟是丝毫抗辩不得。他危急之中，突然发觉这尼姑是凤天南的女儿，不管三七二十一，便将这事说出来。他想逼死弱女，比武作弊事小，勾结红花会、图谋叛乱的罪名却是极大，两害相权取其轻，当下便向凤天南父女反击。

凤天南一听汤沛之言，便知他的用意，大声说道："我知道了你勾结红花会、意图不轨的奸谋，你便想偷放银针，暗中助我，卖

550

一个好,盼望我不向福大帅揭露。嘿嘿,可是我凤天南赤胆忠心,一心报国,岂肯受你这种奸贼收买……"

汤沛听他竟然反咬一口,料他必定越说越是不堪,暴怒之下,双足一蹬,四枚银针激射而出,一齐射进了他小腹。

凤天南大叫一声,抱住肚子,弯下腰来,咕咚一声,摔倒在地。圆性急忙抢上扶住,叫道:"爹,爹……你……怎么啦?"

王剑英、周铁鹪等见汤沛此时尚要行凶,一齐拥上,将他抓住。汤沛也不反抗,只叫:"冤枉,冤枉! 冤孽,冤孽!"他心知福康安甚是多疑,此事纵然辩明,也决计放不过自己,何况铁案似山,无论如何辩明不了,总是自己生平做的恶事太多,到头来遭此报应。

圆性将凤天南扶起,只见他双眼一翻,已然气绝而死。

厅上早已乱成一团,谁也听不见谁的说话。

福康安心想:"这汤沛定然另有同谋之人,那小尼姑多半也知他信内之言,虽说奸谋由她揭露,却也不能留下活口,任她宣泄于外。"于是低声向安提督道:"关上了大门,谁都不许出去,拿下了逐个儿审问。"

胡斐见势不对,纵身抢到圆性身边,低声道:"快走! 迟了便脱不了身啦。"圆性点了点头,两人走到程灵素身旁。圆性突然伸出一指,点在蔡威胁下,跟着又在他肩头和背心的重穴上连点两指。蔡威登时跌倒。

姬晓峰一怔,道:"你……"圆性道:"胡大哥,是此人泄露机密,暗中将福康安的两个儿子送了回去。"胡斐"啊"的一声,怒道:"此人如此可恶!"伸足在蔡威背心上重重踢了一脚,这一脚虽不取了他性命,但蔡威自此筋脉大损,已与废人无异。混乱之中,他二人对付蔡威,旁人也未知觉。胡斐对姬晓峰道:"姬兄快走。一切多谢。咱们后会有期。"姬晓峰见情势不对,拱了拱手,抢步出门。

只听安提督叫道:"大家各归原座,不可嘈吵!"

程灵素装了一筒烟,狂喷了几口,跟着又走到厅左厅右,一面喷烟,一面掂起了脚在人丛中瞧热闹。忽然有人叫道:"啊哟,肚子好痛!"他叫声甫歇,四周都有人叫了起来:"啊哟,啊哟!肚痛,肚痛。"程灵素回到胡斐和圆性身边,使个眼色,抱住肚子叫道:"啊唷,好痛,好痛,中了毒啦!"

那自称"毒手药王"的石万嗔肚中也剧烈疼痛,急忙取出一束药草,打火点燃了。他点燃药草,原是意欲解毒,程灵素早料到了此着,躲在人丛中叫道:"毒手药王放毒,毒手药王放毒!"胡斐跟着叫道:"快,快制住他,毒手药王要毒死福大帅。"

一片混乱之中,众人哪里还能分辨到底毒从何来,心中震于"毒手药王"的威名,认定他一出手便是下毒,何况自己肚中正在痛不可当,眼见他手中药草已经点燃,烧出白烟,料想这烟自然剧毒无比,中者立毙,谁也不敢走近制止。只听飕飕飕响声不绝,四面八方的暗器都向石万嗔射了过去。

那石万嗔的武功也真了得,虽然在霎时之间成为众矢之的,竟是临危不乱,一矮身,掀翻一张方桌,横过来挡在身前,只听得噼噼啪啪,犹似下了一层密密的冰雹,数十枚暗器尽数打在桌面之上。他大声叫道:"有人在茶酒之中下了毒药,和我何干?"

此番前来赴会的江湖豪客之中,原有许多人想到福康安招集天下掌门人聚会,只怕暗中安排下阴谋毒计,要将武林中的好手一网打尽。须知"儒以文乱法,侠以武犯禁",历来人主大臣,若不能网罗文武才士以用,便欲加之斧钺而灭,以免为患民间,煽动天下。这时听到石万嗔大叫:"有人在茶酒之中下了毒药",个个心惊肉跳,至于福康安自己和众卫士其实也是肚中疼痛,旁人自然不知。

当下厅上更加大乱起来,许多人低声互相招呼:"快走快走,福大帅要毒死咱们。""要命的快逃!""快回寓所去服解毒药物。"

程灵素在烟管中装了药物,喷出毒烟,大厅上人人吸进,无一得以幸免。这毒烟倒不是致命之物,但吸进者少不免头疼脑痛,痛上大半个时辰方罢。这一招大是厉害,不但使众卫士疑心石万嗔下毒,更使群豪以为福康安有意暗害,大乱之中,她和胡斐、圆性便可乘机脱身。

眼见群豪纷纷夺门而走,但圆性却正和汤沛斗得甚是激烈。

552

原来汤沛乘着混乱，打倒了拿住他的卫士，便欲逃走，却给圆性抢上截住。汤沛为人虽然奸恶，武功修为却是极高，心下恼恨圆性阴谋诬陷，一柄青钢剑招势凌厉，剑剑刺向她的要害。圆性左手持着云帚，右手舞动软鞭，也是立意要将这杀母之仇毙于鞭下。

　　说到武功，圆性胜在鞭法精妙，汤沛却是内力浑厚得多，一二百招之内难分胜负，长斗下去还是汤沛会占到上风，只是他吸了毒烟，肚腹剧痛，也道中了厉害的毒药，生怕一经使力，毒性发作更快，加之众卫士虎视在旁，若非人人肚痛，早已一拥而上。他眼见圆性鞭法精妙，一时杀她不得，心中慌乱，急欲脱身。

　　但圆性如何肯让他逃走？她事先服了程灵素所给的解药，不怕毒烟，只是对汤沛脚底所发的无影银针却是颇为忌惮。她虽是有备而来，云帚中安上了一块专破镀银铁针的大磁石，但那银针究属太细，施放时又是无影无踪，绝无半点先兆，因此不敢过分逼近，只是舞动软鞭远攻。

　　这时王剑英、周铁鹪等早已保护福康安退入后堂。福康安传下号令，紧闭府门，谁都不许出去，一面急召太医，服食解毒药物。

　　群豪见府中卫士要关闭府门，更加相信福康安存心加害，此时面临生死关头，也顾不得背负一个"犯上作乱"的罪名，当即蜂拥而出。众卫士举兵刃拦阻，群豪便即还手冲门。自大厅以至府门须经三道门户，每一道门边都是乒乒乓乓地斗得甚是激烈。这次大会聚集了武林各家各派的高手，虽然真正第一流的清高之士并不赴会，但到来的却也均非寻常，众人齐心外冲，众卫士如何阻拦得住？

　　安提督按住了肚子，向大智禅师、无青子、田归农等一干高手说道："奸人捣乱会场，各位但请安坐勿动。福大帅爱才下士，求贤若渴，对各位极是礼敬。各位千万不可起疑。"

　　海兰弼道："这姓汤的是罪魁祸首，先拿他下来再说。"呛啷啷一响，从身边抖出黑龙双杖，走向厅心，攻向汤沛。

　　胡斐见圆性久战汤沛不下，在府中多耽一刻，便是多一分危机，顾不得身上有伤，抽出单刀，便也上前夹攻。汤沛大叫："看我的银针！"胡斐、圆性、海兰弼三人都是一惊，凝神提防。

汤沛猛地纵起，破窗而出。圆性和胡斐一齐跃起，待要追出，只见银光闪动，一丛银针激射而至。胡斐倒翻一个筋斗避开。圆性急舞云帚，挡住射向身前的银针。就是这么慢得一慢，汤沛已逃得不知去向。只听"啊哟，啊哟！"砰、砰、砰数响，屋顶跌下三名卫士来，均是企图阻拦汤沛而被他一一刺落。

程灵素叫道："毒死福大帅的凶手，你们怎地不捉？"众卫士大惊，都问："福大帅被毒死了？"程灵素一扯圆性和胡斐的衣袖，低声道："快走！"三人冲向厅门。

出门之际，胡斐和圆性不自禁都回过头来，向尸横就地、被人践踏了一阵的凤天南看去。胡斐心想："你一生作恶，今日终遭此报。"圆性的心情却是杂乱得多："你害死我可怜的妈妈好苦。可是你……你终究是我亲生的爹爹。"

三人奔出大门，几名卫士上来拦阻。圆性挥软鞭卷倒一人，胡斐左掌拍在一人肩头，掌力一吐，将那卫士震出数丈，跟着右脚反踢，又踢飞了一名卫士。

此刻天已大明，府门外援兵陆续赶到。三人避入了一条小胡同中。胡斐道："马姑娘失了爱子，不知如何？"圆性道："那姓蔡的老头派人将马姑娘和两个孩儿送给福康安，我途中拦截，一人难以分身，只救了马姑娘出来。"胡斐道："那好极了。多谢你啦！"

圆性道："我将马姑娘安置在城西郊外一所破庙之中，往返转折，由此到得迟了。"胡斐沉吟道："那蔡威不知如何得悉马姑娘的真相，难道是我们露了破绽么？"程灵素道："定是他偷偷去查问马姑娘。马姑娘昏昏沉沉之中，便说了出来。"

胡斐道："必是如此。福康安在会中倒没下令捉我。"圆性道："若不是程家妹子施这巧计，只怕你难以平安出此府门。"胡斐点了点头道："咱们今日搞散福康安的大会，叫他图谋成空，只可惜让汤沛逃了。"转头对圆性道："这恶贼身败名裂，姑娘……"

你的大仇已报了一半，咱们合力找他，终不成他能逃到天边。"

圆性黯然不语，心想我是出家人，现下身份已显，岂能再长时跟你在一起。

程灵素道："少时城门一闭，到处盘查，再要出城便难了。咱们还是赶紧出城。"

当下三人回到下处取了随身物品，牵了骆冰所赠的白马。程灵素笑道："胡大爷，你赢来的这所大宅，只好还给那位周大人啦。"胡斐笑道："他帮了咱们不少忙，且让他升官之后，再发笔财。"他虽强作笑语，但目光始终不敢和圆性相接。

三人知道追兵不久便到，不敢在宅中多作逗留，赶到城门，幸好闭城之令尚未传到。出得城来，由圆性带路，来到马春花安身的破庙。

那座庙宇远离大路，残瓦颓垣，十分破败，大殿上的神像青面凹首，腰围树叶，手里拿了一束青草放在口中做咀嚼之状，原来是尝百草的神农氏。圆性道："程家妹子，到了你老家来啦，这是座药王庙。"

三人走进厢房，只见马春花卧在炕上的稻草之中，气息奄奄，见了三人也不相识，只是不住口地低声叫唤："我的孩儿呢，我的孩儿呢？"

程灵素搭了搭她的脉，翻开她眼皮瞧了瞧。三人悄悄退出，回到殿上。程灵素低声道："不成啦！她受了震荡，又吃惊吓，再加失了孩子，三件事夹攻，已活不到明日此刻。便是我师父复生，只怕也已救她不得。"

胡斐瞧了马春花的情状，便是程灵素不说，也知已是命在顷刻，想起商家堡中她昔日相待之情，不禁怔怔地流下泪来。他自在福康安府中见到袁紫衣成了尼姑圆性，心中一直郁郁，此刻眼泪一流，触动心事，竟是再也忍耐不住，呜呜咽咽地哭了起来。

程灵素和圆性如何不明白他因何伤心？程灵素道："我再去瞧瞧马姑娘。"缓步走进厢房。

圆性给他这么一哭，眼圈也早红了，颤声说道："胡大哥，多谢你待我的一片……一片……"说到这里，不知如何再接续下去。

胡斐泪眼模糊地抬起头来，道："你……你难道不能……不能还俗吗？待杀了那姓汤的，报了父母大仇，不用再做尼姑了。"

圆性摇头道："千万别说这样亵渎我佛的话。我当年对师父立下重誓，皈依佛祖。身入空门之人，再起他念，已是犯戒，何况……何况其他？"说着长长叹了口气。

两人呆对半晌，心中均有千言万语，却不知从何说起。

圆性低声道："程姑娘人很好，你要好好待她。你以后别再想着我，我也永远不会再记到你。"

胡斐心如刀割，道："不，我永远永远要记着你，记着你。"圆性道："徒然自苦，复有何益？"一咬牙，转身走出庙门。

胡斐追了出去，颤声道："你……你到哪里去？"圆性道："你何必管我？此后便如一年之前，你不知世上有我，我不知世上有你，岂不干净？"

胡斐一呆，只见她飘然远去，竟是始终没转头回顾。胡斐身子摇晃，站立不定，坐倒在庙门外的一块大石之上，凝望着圆性所去之处，惟见一条荒草小路，黄沙上印着她浅浅的足印。

他心中一片空白，似乎在想千百种物事，却又似什么也不想。

也不知过了多少时候，忽听得前面小路上隐隐传来一阵马蹄声。胡斐一跃而起，心中第一个念头便是："她又回来了。"但立即知道是空想，圆性去时并未骑马，何况所来的又非一乘一骑。但听蹄声并非奔驰甚急，似乎也不是追兵。

过了片时，蹄声渐近，九骑马自西而来。胡斐凝目一看，只见马上一人相貌俊秀，四十岁不到年纪，却不是福康安是谁？

胡斐一见福康安，心下狂怒不可抑止，暗想："此人执掌天下兵马大权。清政府欺压汉人，除了当今皇帝乾隆之外，罪魁祸首，便要数到此人了。他对马姑娘负情薄义，害得她家破人亡，命在顷刻。他以兵部尚书之尊，忽然来到郊外，随身侍从自必都是一等一的高手，我虽然只有二妹相助，也要挫挫他的威风。纵使杀他不了，便是吓他一吓，也是好的。"当下走到路心，双手在腰间一叉，怒目向着福康安斜视。

乘马的九人忽见有人拦路，一齐勒马。

但见福康安不动声色，显是有恃无恐，只说声："劳驾！"胡斐戟指骂道："你做的好事！你还记得马春花么？"

福康安脸色忧郁，似有满怀心事，淡淡地道："马春花？我不记得是谁。"

胡斐更加愤怒，冷笑道："嘿嘿，你跟马春花生下两个儿子，不记得了么？你派人杀死她的丈夫徐铮，不记得了么？你母子两人串通，下毒害死了她，也不记得了么？"

福康安缓缓摇了摇头，说道："尊驾认错人了。"他身旁一个独臂道人哈哈笑道："这是个疯子，在这里胡说八道，什么马春花、牛秋花。"

胡斐更不打话，纵身跃起，左拳便向福康安面门打去。这一拳乃是虚势，不待福康安伸臂挡架，右手五指成虎爪之形，拿向他的胸口。他知道如果一击不中，福康安左右卫士立时便会出手，因此这一拿既快且准，有如星驰电掣，实是他生平武学的力作，料想福康安身旁的卫士本事再高，也决计不及抢上来化解这一招迅雷不及掩耳的虎爪擒拿。

福康安"噫"的一声，径不理会他的左拳，右手食指和中指陡然伸出，成剪刀之形，点向他左腕的"会宗穴"和"阳池穴"，出手之快，指法之奇，胡斐生平从所未见。

在这电光石火般的一瞬之间，胡斐心头猛地一震，立即变招，五指一勾，便去抓他两根点穴的手指，只消抓住了一扭，非叫他指骨折断不可。岂知福康安武功俊极，竟不缩手，其余三根手指一伸，翻成掌形，手臂不动，掌力已吐。

凡是伸拳发掌，必先后缩，才行出击，但福康安这一掌手臂已伸在外，竟不弯臂，掌力便即送出，招数固是奇幻之极，内力亦是雄浑无比。

胡斐大骇，这时身当临空，无法借力，当下左掌急拍，砰的一响，和福康安双掌相交，刹那间只感胸口气血翻腾，借势向后飘出两丈有余。他吸一口气，吐一口气，便在半空之中，气息已然调匀，轻飘飘地落在地下，仍是神完气足，稳稳站定。只听得八九个声音齐声喝彩："好！"

看那福康安时，但见他身子微微一晃，随即坐稳，脸上闪过一丝惊讶，立时又回复了先前郁郁寡欢的神气。

胡斐自纵身出击至飘身落地，当真只是一霎眼间，可是这中间两人虚招、擒拿、点穴、扭指、吐掌、拚力、跃退、调息，实已交换了七八式最精深的武学变化。相较之下虽是胜败未分，但一个出全力以搏击，一个随手挥送，潇洒自如，胡斐显已输了一筹。

胡斐万料不到福康安竟有这等精湛超妙的武功，怔怔地站着，心中又是惊奇，又是佩服，可又掩不住满腔愤怒之情。

只听那独臂道人笑道："傻小子，知道认错人了吗？还不磕头赔罪？"

胡斐侧头细看，这人明明是福康安，只是装得满脸风尘之色，又换上了一身敝旧衣衫，但始终掩不住那股发号施令、统率豪雄的尊贵气象，如果这人相貌跟福康安极像，难道连大元帅的气度风华也学得如此神似？

胡斐呆了一呆，心想："这一干人如此打扮，必是另有阴谋，我可不上这个当。"纵声叫道："福康安，你武功很好，我比你不上。可是你做下这许多伤天害理之事，我明知不敌，终是放你不过，你记住了。"

福康安淡淡地道："小兄弟，你武功很俊啊。我可不是福康安。你尊姓大名？"胡斐怒道："你还装模作样，戏耍于我，难道你不知我名字么？"

福康安身后一个四十来岁的高大汉子朗声说道："小兄弟，你气概很好，当真是少年英雄，佩服佩服。"胡斐向他望了一眼，但见他双目中神光闪烁，威风凛凛，显是一位武功极强的高手，心中油然而生钦服之心，说道："阁下如此人才，何苦为满洲贵官做鹰犬？"那大汉微微一笑，道："北京城边，天子脚下，你胆敢说这样的话，不怕杀头么？"胡斐昂然道："今日事已至此，杀头便杀，又怕怎地？"

要知胡斐本来生性谨细,绝非莽撞之徒,只是他究属少年,血气方刚,眼看马春花被福康安害得这等惨法,激动了侠义之心,一切全豁了出去,什么也不理会了。

也说不定由于他念念不忘的美丽姑娘忽然之间变成了一个尼姑,令他觉得世情惨酷,人生悲苦,要大闹便大闹一场,最多也不过杀头丧命,又有什么大不了?

他手按刀柄,怒目横视着这马上九人。只见那独臂道人一纵下马,也没见他伸手动臂,只是眼前青光一闪,他手中已多了一柄长剑,拔剑手法之快,实是生平从所未见。

胡斐暗暗吃惊:"怎地福康安手下收罗了这许多高手人物?昨日掌门人大会之中,如有这些人在场镇压,说不定便闹不成乱子。"他生怕独臂道人挺剑刺来,斜身略闪,拔刀在手。那道人笑道:"看剑!"但见青光闪动,在一瞬之间,竟已连刺八剑。

这八剑迅捷无比,胡斐哪里瞧得清剑势来路,只得顺势挥刀招架。他家传的胡家刀法实是非同小可,那独臂道人八剑虽快,还是一一被他挡住。八剑来,八刀挡,当当当当当当当当,连响八下,清晰繁密,干净利落,胡斐虽然略感手忙脚乱,但第九刀立即自守转攻,回刀斜削出去。那独臂道人长剑一掠,刀剑粘住,却半点声音也不发出来。

马上诸人又是齐声喝彩:"好剑法,好刀法!"

福康安道:"道长,走吧,别多生事端了。"那道人不敢违拗主子之言,应道:"是!"可是他见胡斐刀法精奇,斗得兴起,颇为恋恋不舍,翻身上马,说道:"好小子,刀法不错啊!"胡斐心中钦佩,道:"好道人,你的剑法更好!"但跟着冷笑道:"可惜,可惜!"

那道人瞪眼道:"可惜什么?我剑法中有何破绽?"胡斐道:"可惜你剑法中毫无破绽,为人却有大大的破绽。一个武林高手,却去做清政府贵官的奴才。"

那道人仰天大笑,说道:"骂得好,骂得好!小兄弟,你有胆子再跟我比比剑么?"胡斐道:"有什么不敢?最多是比你不过,给你杀了。"那道人道:"好,今晚三更,我在陶然亭畔等你。你要是怕了，便不用来。"

胡斐昂然道："大丈夫只怕正人君子，岂怕鹰犬奴才！"

那些人都是大拇指一翘，喝道："说得好！"纵马而去，有几人还是不住的回头。

当胡斐和那独臂道人刀剑相交之时，程灵素已从庙中出来，见到福康安时也是大为吃惊，这时见九人远去，说道："大哥，怎地福康安到了这里？今晚你去不去陶然亭赴约？"

胡斐沉吟道："难道他真的不是福康安？那决计不会。我骂他那些卫士侍从是鹰犬奴才，他们怎地并不生气，反而赞我说得好？"程灵素又问："今晚去不去赴约？"便道："自然去啊。二妹，你在这里照料马姑娘吧。"程灵素摇头道："马姑娘是没什么可照料的了。她神智已失，支撑不到明天早晨。你约斗强敌，我怎能不去？"

胡斐道："你拆散了福康安苦心经营的掌门人大会，此刻他必已查知其中原委。你若和我同去，岂不凶险？"程灵素道："你孤身赴敌，我如何放心得下？有我在一旁照料，总是多一个帮手。"胡斐知她决定了的事无法违拗，这义妹年纪小小，心志实比自己坚强得多，也只得由她。

程灵素轻声问道："袁……袁姑娘，她走了吗？"胡斐点点头，心中一酸，转过身来，走入庙内。他走进厢房，只听马春花微弱的声音不住在叫："孩子，孩子！福公子，福公子，我要死了，我只想再见你一面。"胡斐又是一阵心酸："情之为物，竟是如此不可理喻。福康安这般待她，可是她在临死之时，还是这样的念念不忘于他。"

两人走出数里，找到一家农家，买了些白米蔬菜，做了饭饱餐一顿，回来在神农庙中陪着马春花，等到初更天时，便即动身。胡斐和程灵素商量，福康安手下的武士邀约比武，定是不怀善意，不如早些前往，暗中瞧瞧他们有何阴谋布置。

那陶然亭地处荒僻，其名虽曰陶然，实则是一尼庵，名叫"慈悲庵",庵中供奉观音大士。

胡斐和程灵素到得当地,但见四下里白茫茫的一片,都是芦苇,西风一吹,芦絮飞舞,有如飞雪,满目尽是肃杀苍凉之气。

忽听"啊"的一声,一只鸿雁飞过天空。程灵素道:"这是一只失群的孤雁了,找寻同伴不着,半夜里还在匆匆忙忙地赶路。"忽听芦苇丛中有人接口说道:"不错。地匝万芦吹絮乱,天空一雁比人轻。两位真是信人,这么早便来赴约了。"

胡程二人吃了一惊:"我们还想来查察对方的阴谋布置,岂知他们早便到处伏下了暗桩,这人出口成诗,看来也非泛泛之辈。"胡斐朗声道:"奉召赴约,敢不早来?"

只见芦苇丛中长身站起一个满脸伤疤、身穿文士打扮的秀才相公,拱手说道:"幸会,幸会。只是请两位稍待,敝上和众兄弟正在上祭。"胡斐随口答应,心下好生奇怪:"福康安半夜三更的,到这荒野之地来祭什么人?"

蓦地里听得一人长声吟道:"浩浩愁,茫茫劫。短歌终,明月缺。郁郁佳城,中有碧血。碧亦有时尽,血亦有时灭,一缕香魂无断绝。是耶?非耶?化为蝴蝶。"

吟到后来,声转呜咽,跟着有十余人的声音,或长叹,或低泣,间中还夹杂着几个女子的哭声。

胡斐听了那首短词,只觉词意情深缠绵,所祭的墓中人显是一个女子,而且"碧血"云云,又当是殉难而死,静夜之中,听着那凄切的伤痛之音,触动心境,竟也不禁悲从中来,便想大哭一场。

过了一会,悲声渐止,只见十余人陆续走上一个土丘。

胡斐身旁的那秀才相公叫道:"道长,你约的朋友到啦。"那独臂道人说道:"妙极,妙极!小兄弟,咱们来拼斗三百合。"说着纵身奔下土丘。胡斐便迎了上去。

那道人奔到离胡斐尚有数丈之处,蓦地里纵身跃起,半空拔剑,借着这一跃之势,疾刺过来。这一刺出手之快,势道之疾,实是威不可当。胡斐见他如此凶悍,激起了少年人的刚强之气,也是纵身跃起,半空拔刀。两人在空中一凑合,当当当当四响,刀

561

剑撞击四下，两人一齐落下地来。

这中间那道人攻了两剑，胡斐还了两刀。两人四只脚一落地，立时又是当当当当当当六响。土丘之上，彩声大作。

那道人剑法凌厉，迅捷无伦，在常人刺出一剑的时刻之中，往往刺出了四五剑。胡斐心想："你会快，难道我便不会。"展开"胡家快刀"，也是在常人砍出一刀的时刻之中砍出了四五刀。相较之下，那道人的剑刺还是快了半分，但剑招轻灵，刀势沉猛，胡斐的刀力，却又比他重了半分。

两人以快打快，什么腾挪闪避，攻守变化，到后来全说不上了，直是闭了眼睛狠斗，只听叮叮当当刀剑碰撞，如冰雹乱落，如众马奔腾，又如数面羯鼓同时击打，繁音密点，快速难言。

那独臂道人一面狠斗，一面大呼："痛快，痛快!"剑招越来越是凌厉。胡斐暗暗心惊，陡逢强敌，当下将生平所学尽数施展出来，刀法之得心应手实是从所未有，自己独个儿练习之时，哪有这等快法？原来他这胡家刀法精微奇奥之处甚多，不逢强敌，数招间即足取胜，其妙处不显，这时给那独臂道人一逼，才现出刀法中的绵密精巧来。

那独臂道人一生不知经历过多少大阵大仗，当此快斗之际，竭力要寻这少年刀法中的破绽，可是只见他刀刀攻守并备，不求守而自守，不务攻却猛攻，每一招之后，均伏下精妙的后着，哪里有破绽可寻？

这独臂道人的功力实比胡斐深厚得多，倘若并非快斗，胡斐和他见招拆招，自求变化，独臂道人此时已然得胜。但越打越快之后，胡斐来不及思索，只是将平素练熟了一套"快刀"使将出来应付。这路"快刀"乃明末大侠"飞天狐狸"所创，传到胡斐之父胡一刀手上，又加了许多变化妙着。此时胡斐持之临敌，与胡一刀亲自出阵已无多大分别，所差者只是火候而已。

不到一盏茶时分，两人已拆解了五百余招，其快可知。时刻虽短，但那道人已是额头见汗，胡斐亦是汗流浃背，两人都可听到对方粗重的呼吸。

此时剧斗正酣，胡斐和那独臂道人心中却都起了惺惺相惜之意,只是剑刺刀劈,招数绵绵不绝,谁也不能先行罢手。

刀剑相交,叮当声中,忽听得一人长声嗯哨,跟着远处传来兵刃碰撞和吆喝之声。那独臂道人一声长笑,托地跳出圈子,叫道:"且住!小兄弟,你刀法很高,这当口有敌人来啦!"

胡斐一怔之间,只见东北角和东南角上影影绰绰,有六七人奔了过来。黑夜中刀光一闪一烁,这些人手中都持着兵刃。又听得背后传来吆喝之声,胡斐回过头来,见西北方和西南方也均有人奔到,约略一计,少说也有二十人之谱。

独臂道人叫道:"十四弟,你回来,让二哥来打发。"那指引胡斐过来的书生手持一根黄澄澄的短棒模样兵刃,本在拦截西北方来的对手,听到独臂道人的叫唤,应道:"好!"手中兵刃一挥,竟然发出呜呜声响,反身奔上小丘,和众人并肩站立。

月光下胡斐瞧得分明,福康安正站在小丘之上,他身旁的十余人中,还有三四个是女子。胡斐大喜:"四面八方来的这些人都和福康安为敌,不知是哪一家的英雄好汉?瞧这些人的轻身功夫,武功都非寻常。我和他们齐心协力,将福康安这奸贼擒住,岂不是好?"但转念又想:"福康安这恶贼想不到武功竟是奇高,手下那些人又均是硬手,瞧他们这般肆无忌惮的模样,莫非另行安排下阴谋?"

正自思凝不定,只见四方来人均已奔近,一看之下,更是大惑不解,奔来的二十余人之中,半数是身穿血红僧袍的藏僧,余人穿的均是清宫卫士的服色。他纵身靠近程灵素,低声道:"二妹,咱们果然陷入了恶贼的圈套,敌人里外夹攻,无法抵挡。向正西方冲!"

程灵素尚未回答,清宫卫士中一个黑须大汉越众而出,手持长剑,大声说道:"是无尘道人么?久仰你七十二路追魂夺命剑天下无双,今日正好领教。"那独臂道人冷冷地道:"你既知无尘之名,尚来挑战,可算得大胆。你是谁?"

胡斐听了那黑须卫士的话,禁不住脱口叫道:"是无尘道长?"无尘笑道:"正是!赵三弟夸你英雄了得,果然不错。"胡斐惊喜交集,道:"可是……可是,那福康安……我赵三哥呢?"

那黑须大汉回答无尘的话道:"在下德布。"无尘道:"啊,你便是德布。我在回疆听人言道:最近皇帝老儿找到了一只牙尖爪利的鹰犬,叫做什么德布,称做什么'满洲第一勇士',是个什么御前侍卫的头儿。便是你了?"他连说三个"什么",只把德布听得心头火起,喝道:"不错!你既知我名,还敢到天子脚下来撒野,当真是活得不耐烦了……"

他"不耐烦了"四字刚脱口,寒光一闪,无尘长剑已刺向身前。德布横剑挡架,当的一响,双剑相交,嗡嗡之声不绝,显是两人剑上劲力均甚浑厚。无尘赞了声:"也还可以!"剑招源源递出。德布的剑招远没无尘快捷,但门户守得极是严密,偶尔还刺一剑,却也十分的狠辣,那"满洲第一勇士"的称号,果然并非幸致。

胡斐曾听圆性说过,红花会二当家无尘道人剑术之精,当世数一数二,想不到自己竟能和他拆出数百招不败,不由得心头暗喜,又想:"幸亏我不知他便是无尘道长,否则震于他的威名,心中一怯,只怕支持不到一百招便败下来了。"又想:"他是红花会英雄,赵三哥的朋友,然则那福康安,难道当真我是认错了人?"

正自凝神观看无尘和德布相斗,两名清宫侍卫欺近身来,喝道:"抛下兵器!"胡斐道:"干什么?"一名侍卫道:"你胆敢拒捕么?"胡斐道:"拒捕便怎样?"那侍卫道:"小贼好横!"举刀砍将过来。胡斐闪身避开,还了一刀。岂知另一名侍卫手中一柄铁锤蓦地里斜刺打到,击在胡斐的刀口之上,此人膂力甚大,兵器又是奇重。胡斐和无尘力战之余,手臂隐隐酸麻,一个拿捏不住,单刀脱手,直飞起来。那人一锤回转,便向他背心横击。

胡斐兵刃离手,却不慌乱,身形一闪,避开了他的铁锤,顺势一个肘槌,撞正他腰眼。那人大声叫道:"啊哟,好小子!"痛得手中铁锤险些跌落。跟着又有两名侍卫上来夹攻,一个持鞭,一个挺着一枝短枪。

程灵素叫道:"大哥,我来帮你。"抽出柳叶刀,欲待上前相助。胡斐叫道："不用,且瞧瞧你大哥空手入白刃的手段。"程灵素见他在四个敌人之间游走闪避,情势似乎甚险,但听他说得悠闲自在,又知他武功了得,便站在一旁,挺刀戒备。

胡斐展开从小便学会的"四象步法",东跨一步,西退半步,在四名高手侍卫之间穿来插去。他这"四象步"按着东苍龙、西白虎、北玄武、南朱雀四象而变,每象七宿,又按二十八宿之形再生变化。敌人的四件兵刃有轻有重,左攻右击,可是他步法奇妙,往往在间不容发之际避过敌人兵刃,有时相差不过数寸之微,可就是差着这么几寸,便即夷然无损。程灵素初时还担着老大心事,但越瞧越是放心,到后来瞧着他精妙绝伦的步法,竟有点心旷神怡起来。

这四名侍卫都是满洲人,未入清宫之时,号称"关东四杰",都算得是一流高手。胡斐凭着巧妙的"四象步"自保,可是几次乘隙反击,却也未曾得手,每一次都是反遇凶险,一转念间,已明其理,原来适才和无尘道人剧斗,耗力太多,这时元气未复,一到紧要关头,待要动用真力,总是差之厘毫,不能发挥拳招中的精妙之着。他一经想通,当即平心静气,只避不攻,在四名侍卫夹击之下缓缓调匀气息。

那边无尘急攻数十招,都给德布一一挡开,却不禁焦躁起来,暗道:"十年不来中原,今日首次出手便是不利。难道当真老了,不中用了?"其实这德布的武功实是大有过人之处,何况无尘不过心下焦躁,德布却已背上冷汗淋漓,越打越怕,但觉对手招数神出鬼没,出剑之快,实非人力之所能及,暗想自己纵横天下,从未遇到过这般劲敌,待要认输败退,却想今日一败,这"赐穿黄马褂、御前侍卫班领、满洲第一勇士、统领大内十八高手"一长串的衔头却往哪里搁去? 想到此处,把心一横,豁出了性命,奋力抵挡。

无尘眼见胡斐赤手空拳,以一敌四,自己手中有剑,却连一个敌人也抢夺不下,他生性最是好胜,这脾气愈老弥甚,当下一剑快似一剑,着着抢攻,步步占先。德布见敌人攻势大盛,剑锋织成了一张光幕,自己周身要害尽在他剑光笼罩之下,自知不敌,数度想要招呼下属上来相助,但一想到"大伙儿齐上"这五个字一出口,一生英名便是付于流水,总是强行忍住,心想自己方当壮年,这独臂道人年事已高,剑招虽狠,自己只要久战不屈,拖得久了,对方气力稍衰,便有可乘之机。

无尘高呼酣战,精神愈长。众侍卫瞧得心下骇然,但见两人剑光如虹,使的是什么招数早已分辨不清。

小丘上众人也是一声不响,静观两人剧斗,眼见无尘渐占上风,都想:"道长英风如昔,神威不减当年,可喜可贺!"

猛听得无尘大叫一声:"着!"当的一响,一剑刺在德布胸口,跟着又是喀喇一声,手中长剑已然折断。原来德布衣内穿着护胸钢甲,这一剑虽然刺中,他却毫无损伤,反而折了对方长剑。无尘一怔之下,德布已一剑刺中他右肩。

小丘上众人大惊,两人疾奔冲下救援。只听得无尘喝道:"牛头掷叉!"手中断剑飞出,刺入了德布的咽喉。德布大叫一声,往后便倒。

无尘哈哈大笑,说道:"是你赢,还是我赢?"德布颈上中了断剑,虽不致命,却已斗志全失,颤声道:"是你赢!"无尘笑道"你接得我许多剑招,又能伤我肩头,大是不易! 好,瞧在你刺伤我一剑的份上,饶了你的性命!"

两名侍卫抢上扶起德布,退在一旁。

无尘得意洋洋,肩伤虽然不轻,却是满不在乎,缓缓走上土丘,让人替他包扎伤口,兀自指指点点,评论胡斐的步法。

胡斐内息绵绵,只觉精力已复,深深吸一口气,猛地抢攻,霎息间拳打足踢,但听得"啊哟!""哎呀!"四声呼叫,单刀、铁锤、钢鞭、花枪,四般兵刃先后飞出。胡斐飞足踢倒两人,拳头打晕一人,跟着左掌掌力一吐,将最后一名卫士打得口喷鲜血,十几个筋斗滚了出去。

但听得小丘上众人彩声大作。无尘的声音最是响亮:"小胡斐,打得妙啊!"

土丘上彩声未歇,又有五名侍卫欺近胡斐身边,却都空手不持兵刃。左边一人说道:"大家空手斗空手!"胡斐道:"好!"刚说得一个"好"字,突觉双足已被人紧紧抱住,跟着背上又有一人扑上,手臂如铁,扼住了他的头颈,同时又有一人抱住了他腰,另外两人便来拉他双手。

原来这一次德布所率领的"大内十八高手"倾巢而出。那"大内十八高手",乃是"四满、五蒙、九藏僧"。乾隆皇帝自与红花会打了一番交道后,从此不信汉人,近身侍卫一个汉人也不用,都是选用满洲、蒙古、西藏的勇士充任。这四满、五蒙、九藏僧,尤为大内侍卫中的精选。这五个蒙古侍卫擅于摔交相扑之技,胡斐一个没提防,已被缠住。

他一惊之下,随即大喜:"这擒拿手法,正是我家传武功之所长。"但觉双手均被拉住,当下身子向后仰跌,双手顺势使劲,自外朝内一合,砰的一声,拉住他双手的两名侍卫脑门碰脑门,同时昏晕过去。

胡斐双手脱缚,反过来抓住扼在自己颈中的那只手,一扭之下,喀的一声,那人腕骨早断,跟着喀喀两响,又扭断了抱住他腰那侍卫的臂骨。

这五名蒙古侍卫摔交之技甚是精湛,汉满蒙回藏各族武士中极少敌手。但摔交讲究的是将对手摔倒压住,胡斐这般小巧阴损的断骨擒拿,却是摔交的规矩所不许。两名侍卫骨节折断,心中大是不忿,虽已无力再斗,却齐声怒叫:"犯规,犯规!"倒是叫得理直气壮。

胡斐笑道:"打架还有规矩么?你们五个打我一个,犯不犯规?"两名蒙古侍卫一想不错,五个打一个是先坏了规矩,那"犯规"两字便喊不出口了。

余下那人兀自死命抱住胡斐双腿,一再用劲,要将他摔倒。胡斐喝道:"你放不放手?"那人叫道:"自然不放。"胡斐左手抓下,捏住了他背心上"大椎穴"。那人登时全身麻软,双手只得松开。胡斐提起他身子,双手使劲,"嘿"的一声,将他掷出数丈之外。但听得扑通一响,水花飞溅,原来他落下之处,竟是生长芦苇的一个烂泥水塘。那人摔得头昏脑胀,陷身污泥之中,哇哇大叫。

胡斐与四名满洲侍卫游斗甚久，打发这五名蒙古侍卫却是兔起鹘落，干净利落。旁观众人但见五名侍卫一拥而上，拖手拉足，将他擒住，跟着便是砰嘭、喀喇、啊哟，"犯规，犯规！"扑通，"哇哇！"诸般怪声不绝。四名侍卫委顿在地，一名侍卫飞越数丈，投身水塘。

这一次小丘上众人不再喝彩，却是轰然大笑。

哄笑声中，红云闪处，九名藏僧已各挺兵刃将胡斐团团围住。这九人兵刃各不相同，或使戒刀，或使锡杖，更有些兵刃奇形怪状，胡斐从未见过，自也叫不出名目。眼见这九名藏僧气度凝重，人人一言不发，瞧着这合围之势，步履间既轻且稳，实是劲敌。九僧错错落落，东站一个，西站一个，似是布成了阵势。

胡斐手中没有兵刃，不禁心惊，脑中一闪："向二妹要刀呢，还是夺敌人的戒刀？"

忽听得小丘上一人喝道："小兄弟，接刀！"只见一柄钢刀自小丘上掷了下来，破空之声，呜呜大作，足见这一掷的劲道大得惊人。胡斐心想："赵三哥的朋友果然个个武艺精强。要这么一掷，我便办不到。"

这一刀飞来，首当其冲的两名藏僧竟是不敢用兵刃去砸，分向左右一跃闪开。胡斐心念快如电光般的一闪："这阵法不知如何破得？他二人闪避飞刀，正好乘机扰乱。"

他念头转得极快，那单刀也是来得极快。他心念甫动，白光闪处，一柄背厚刃薄的钢刀挟着威猛异常的破空之声已飞到面前。胡斐却不接刀，手指在刀柄上一搭，轻轻拨动。那钢刀飞来之势甚猛，到他面前时兀自力道强劲，给他拨得掉过方向，激射而上，直冲上天。

九名藏僧均感奇怪，情不自禁地抬头而望。胡斐所争的便在这稍纵即逝的良机，欺身抢向手持戒刀的藏僧身畔，一伸手将他戒刀夺过，霎时间展开"胡家快刀"，手起刀落，一阵猛砍快剁，迅捷如风。这时下手竟不容情，九名藏僧无一得免，不是断臂，便是折齿。九僧各负绝艺，只因一时失察，中了诱敌分心之

568

计,顷刻之间,尽皆身受重伤,惨呼倒地。

这一场胡斐可说胜得极巧,也是胜得极险。

一轮快刀砍完,头顶那刀刚好落下,他掷开戒刀,伸手接住,刀一入手,只觉甚是沉重,比寻常单刀重了两倍有余,想见刀主膂力奇大,月光下映照一看,只见刀柄上刻着三字:"奔雷手!"

胡斐大喜,叫道:"多谢文四爷掷刀相助!"

蓦地背后一个苍老的声音叫道:"看剑!"话声未绝,风声飒然,已至背心。胡斐一声:"此人剑法如此凌厉!"急忙回刀挡架,岂知敌剑已然撤回,跟着又是一剑刺到。胡斐反手再挡,又是挡了个空。

他急欲转身迎敌,但背后那敌人的剑招来得好不迅捷,竟是逼得他无暇转身。他心中大骇,急纵而前,跃出半丈,左足一落地,待要转身,不料敌人如影随形,剑招又已递到。这人在背后连刺五剑,胡斐接连挡了五次空,始终无法回身见敌之面。

胡斐恶斗半宵,和快剑无双的无尘道人战成平手,接着连伤四满、五蒙、九藏僧大内十八高手,不料到后来竟给人一加偷袭,逼得难以转身。

这已是处于必败之势,他惶急之下,行险侥幸,但听得背后敌剑又至,这一次竟不招架,向前一扑,俯卧向地,跟着一个翻身,脸已向天,这才一刀横砍,荡开敌剑。

只听敌人赞道:"好!"左掌拍向他的胸口。胡斐也是左掌拍出,双掌相交,只觉敌人掌力甚是柔和浑厚,但柔和之中,却隐藏着一股辛辣的煞气。胡斐猛然想起一事,脱口叫道:"原来是你!"

那人也叫道:"原来是你!"

原来两人手掌相交,均即察觉对方便是在福康安府暗中相救少年书生心砚之人,各自向后跃开数步。

胡斐凝神看时,见那人白须飘动,相貌古雅,手中长剑如水,却是武当派掌门人无青子,不由得一呆,一时不知他是友是敌。

只听无尘道人笑道:"菲青兄,你说我这个小老弟武功如何?"无青子笑道:"能跟无尘道人斗得上五百招,天下能有几人?老道当真是孤陋寡闻,竟不知武林中出了这等少年英雄。"说着长剑入鞘,上前拉着胡斐的手,好生亲热。

胡斐见他英气勃勃,哪里还是掌门人大会中所见那个昏昏欲睡的老道,甚以为奇。

无尘从小丘上走了下来,笑道:"小兄弟,这个牛鼻子,出家以前叫做绵里针陆菲青。你叫他一声大哥吧。"胡斐一惊,心道:"'绵里针陆菲青'当年威震天下,成名已垂数十年,想不到今日有幸和他交手。"急忙拜倒,说道:"晚辈胡斐,叩见道长。"忽听身后一个声音道:"按理说,你原是晚辈,可是,好兄弟,他是我的拜把子老哥啊。"

胡斐一跃而起,只见身后一人长袍马褂,肥肥胖胖,正是千臂如来赵半山。胡斐对这位义兄别来无日不思,伸臂紧紧抱住,叫道:"三哥,你可想煞小弟了。"

赵半山拉着他转过身来,让月光照在他的脸上,凝目瞧了半晌,喜道:"兄弟,你终于长大成人了。做哥哥的今日亲眼见你连败大内十八高手,实在是欢喜得紧。"

胡斐心中也是欢喜不尽。这时清宫众侍卫早已逃得干干净净。他当下拉了程灵素过来,和无尘、赵半山等引见。

赵半山道:"兄弟,程家妹子,我带你们去见我们总舵主。"胡斐吃了一惊,道:"陈总舵主……他……老人家也来了么?"无尘笑道:"他早挨过你一顿痛骂啦,什么伤天害理,什么负心薄幸,只骂得他狗血淋头。哈哈!我们总舵主一生之中,只怕从未挨过这般厉害的臭骂。"胡斐这一惊更是非同小可,颤声道:"那……那福康安……"

陆菲青微笑道:"陈总舵主的相貌和福康安果然很像,别说小兄弟和他二人都不相熟,便是日常见面之人,也会认错。"无尘笑道:"想当年在杭州城外,总舵主便曾假扮了福康安,擒住那个什么威震河朔王维扬……"

胡斐十分惶恐,道:"三哥,你快带我去跟陈总舵主磕头赔罪。"赵半山笑道:"不知者不罪。总舵主跟你交了一掌,很称赞你武功了得,又说你气节凛然,背地里说了你许多好话呢。"

两人还未上丘,陈家洛已率领群雄从土丘上迎了下来。胡斐拜倒在地,说道:"小人瞎了眼珠,冒犯总舵主,实是罪该……"

陈家洛不等他说完,急忙伸手扶起,笑道:"'大丈夫只怕正人君子,哪怕鹰犬奴才?'我今日一到北京,便听到这两句痛快淋漓之言。小兄弟,便凭你这两句话,我们便不枉了万里迢迢地走这一遭。"

当下赵半山拉着他一一给群雄引见。胡斐对这干人心仪已久,今晚亲眼得见,喜慰无已,对文泰来掷刀相助、骆冰赠送宝马,更是连连称谢,恭恭敬敬地交还了文泰来的钢刀,从地下拾起清宫侍卫遗下的一柄单刀,插入了腰间刀鞘。他自己的单刀为铁锤所击,刀口卷边,已然无用。跟着心砚过来向他道谢在福康安府中解穴相救之德。无尘逸兴横飞,指手画脚,谈论适才和胡斐及德布两人的斗剑,说今晚这两场架打得酣畅过瘾,生平少有。

陆菲青笑道:"道长,说到武功,咱们这位小兄弟实是十分了得。可是还有一位少年英雄,比他更厉害十倍,你是决计斗他不过的。"无尘又是高兴,又是不服,忙问:"是谁,是谁?这人在哪里?"陆菲青摇头道:"你决非对手,我劝你还是别找他的好。"无尘道:"呸!咱们老哥儿俩分手多年,一见面你就来胡吹。我不信有这等厉害人物。"

陆菲青道:"昨晚福康安府中,天下各门各派掌门人大聚会,会中高手如云,各有各的能耐,各有各的绝技。这话不错吧?"无尘道:"不错便怎样?"陆菲青道:"心砚老弟去捣乱大会,失手被擒。赵三弟这等本事,也只抢得一只玉龙杯。西川双侠常氏兄弟驾临,只救了两个人出来。可是那位少年英雄,只不过眼睛一眨,便从七位高手的手中抢下七只玉龙杯,摔在地下砸得粉碎。他只喷得几口气,便叫福康安的掌门人大会烟飞灰灭,风消云散。道长,你斗不斗得过这位少年英雄?"

程灵素知他在说自己,脸儿飞红,躲到了胡斐身后。黑夜之中,人人都在倾听陆菲青说话,谁也没对她留心。

一个少年美妇说道："师父，我们只听说那掌门人大会给人搅散了局，到底是怎么回事？你快说吧！"这美妇是金笛秀才余鱼同之妻李沅芷。

陆菲青于是将一位"少年英雄"如何施巧计砸碎七只玉龙杯，如何喷烟下毒、使得人人肚痛、因而疑心福康安毒害天下英雄，如何众人在混乱中一哄而散，诸般情由，一一说了。群雄听了，无不赞叹。

无尘道："陆兄，你说了半天，这位少年英雄到底是谁，却始终没说。"陆菲青笑道："远在天边，近在眼前，这位程姑娘便是。"拉着胡斐的手，将他轻轻一拉，露出了程灵素的身子。

群雄"啊"的一声，一齐望着她，谁都不信这样一个瘦弱文秀的小姑娘，竟会将福康安这筹划经年的天下掌门人大会毁于指掌之间，可是陆菲青望重武林，岂能信口胡言？这却又不由得人不信。

原来陆菲青于十年前因同门祸变，师兄马钰、师弟张召重先后惨死，武当派眼见式微，于是他接掌门户，着意整顿。因恐清廷疑忌，索性便出了家，道号无青子，十年来深居简出，朝廷也就没加注目。

这次福康安召开掌门人大会，一来武当派自来与少林派齐名，是武林中最大门派之一；二来念着武当名手火手判官张召重昔年为朝廷出力的功劳，又不知陆菲青的来历，便敦请武当派掌门人下山。陆菲青年纪虽老，雄心犹在，知道福康安此举必将不利于江湖同道，若是推辞不去，徒惹麻烦，当下孤身赴会，要探明这次大会真相，俟机行事，及至心砚为汤沛所擒，他便暗中出手相救。

陈家洛、霍青桐等红花会群雄自回疆来到北京，却为这日是香香公主逝世十年的忌辰，各人要到她墓上一祭。

福康安的掌门人大会被人搅散，又和武林各门派都结上了冤，自是恼怒异常，便派德布率队在城外各处巡查，见有可疑之人立即格杀擒拿。不意陶然亭畔一战，文泰来、赵半山等尚未出手，大内十八高手已尽数铩羽而遁。

陈家洛等深知清廷官场习气。德布等败得如此狼狈,红花会人物既未惊动皇亲大官,他们回去定是极力隐瞒,无人肯说在陶然亭畔遇敌,决不致调动车马前来复仇。此处虽离京城不远,却尽可放心逗留。群雄和陆菲青是故友重逢,和胡斐、程灵素是新知初会,自各有许多话说。

　　言谈之间,忽听得远远传来两下掌声,稍停一下,又是连拍三下。那书生打扮的“金笛秀才”余鱼同拍掌三下相应,一停之后,连拍两下。无尘道:“五弟、六弟来啦。”

　　只见掌声传来处飞驰过来两人,身形高瘦。胡斐在福康安府中见过,知是西川双侠常伯志、常赫志到了。只见他兄弟身后又跟着两人,手中各抱着一个孩子,奔到近处,见是双子门倪不大、倪不小兄弟。他二人手中抱的,竟然是马春花的一对双生儿子。

　　原来倪不大、倪不小看中了这对孩子,宁可性命不要,也是要去夺来。常氏兄弟原是双生兄弟,听了倪氏兄弟之言,激动心意,乘着掌门人大会一哄而散的大乱,混入福府内院。其时福康安和众卫士腹中正自大痛,均道身中剧毒,人人忙于服药解毒,常氏兄弟又是一等一的高手,毫不费力地打倒了七八名卫士,便又将这对孩子抢了出来。

　　胡斐见了这对孩子,想起马春花命在顷刻,不由得又喜又悲,猛地想起一事,对陈家洛道:“总舵主,晚辈有个极荒唐的念头,想求你一件事。”陈家洛道:“胡兄弟但说不妨。你我今日虽是初会,但神交已久,但教力之所及,无不依从。”

　　胡斐只觉这番话极不好意思出口,不禁颇为忸怩,红了脸道:“晚辈这个念头,实在是异想天开,说出来只怕各位见笑。”

　　陈家洛微笑道:“我辈所作所为,在旁人看来,哪一件不是荒唐之极? 哪一件不是异想天开?”

　　胡斐道:“总舵主既不见怪,我便说了。”指着那两个孩童说道:“这两个孩童是福康安之子,他们的母亲却是命在垂危。”于是从当年在商家堡中如何和马春花相遇一段事说起,直说到马春花中毒不治。只听得群雄血脉贲张，无不大为愤怒。依无尘之见，立时便要赶进北京城中，将这无情无义的福康安一剑刺死。

红花会七当家武诸葛徐天宏道："昨晚北京闹了这等大事出来，咱们若再贸然进城，福康安定然刺不到，说不定大伙还难以全身而退。"

陈家洛点头道："此刻福康安府门前后，不知有多少军马把守，如何下得了手？单是要混进城门，便是大大不易。我此番和各位兄弟同来，志在一祭，不可为了泄一时之愤，使众兄弟有所损折。胡兄弟，你求我做什么事？"

胡斐道："我见总舵主万里迢迢，从回疆来到北京，只是一祭墓中这位姑娘，情深义重，世所罕见。在下昔日曾受这位马姑娘一言之恩，无以为报，心中不安。眼见她临死之际，挂念两事，死难瞑目。一件是想念她两个爱子，天幸常氏双侠两位前辈已救了出来，另一件却是她想念福康安那奸贼，仍盼和他一叙。虽说她至死不悟，可笑亦复可怜，但情之所钟……"说到这里，心下黯然，已不知如何措词。

陈家洛道："我明白啦！你是要我假冒那个伤天害理、负心薄幸的福康安，去慰一慰这位多情多义的马姑娘？"胡斐低声道："正是！"

群雄觉得胡斐这个荒唐的念头果是异想天开之至，可是谁也笑不出来。

陈家洛眼望远处，黯然出神，说道："墓中这位姑娘临死之际，如能见我一面，那是多么的快活！可惜终难如愿……"转头向胡斐道："好，我便去见见这位马姑娘。"

胡斐好生感激，暗想陈家洛叱咤风云，天下英雄豪杰无不推服，自己只是个无名晚辈，今日初会，便求他去做这样一件荒诞不经之事，话一出口，心中便已后悔，他居然一口答允，以后这位总舵主便是要自己赴汤蹈火，也是在所不辞了。

群雄上了马，由胡斐在前带路，天将黎明时到了药王庙外。

胡斐双手携了孩子,伴同陈家洛走进庙去。只见一间阴森森的小房之中,一灯如豆,油已点干,灯火欲熄未熄。马春花躺在炕上,气息未断。

两个孩子扑向榻上,大叫:"妈妈,妈妈!"马春花睁开眼睛,见是爱子,陡然间精神一振,也不知哪里来的力气,将两个孩子紧紧搂在怀里,说道:"孩子,孩子,妈想得你好苦!"三个人相拥良久,她转眼见到胡斐,对两个孩子道:"以后你们跟着胡叔叔,好好听他的话……你们……拜了他做义……义……"

胡斐知她心意,说道:"好,我收了他们做义儿,马姑娘,你放心吧!"马春花脸露微笑,道:"快……快磕头,我好……好放心……"两个孩子跪在胡斐面前,磕下头去。

胡斐让他们磕了四个头,伸手抱起两人,低声道:"马姑娘,你还有什么吩咐么?"马春花道:"我死了之后,求你……求你将我葬……葬在我丈夫徐……师哥的坟旁……他很可怜……从小便喜欢我……可是我不喜欢……不喜欢他。"

胡斐突然之间,想起了那日石屋拒敌、商宝震在屋外林中击死徐铮的情景来,心中又是一酸,说道:"好,我一定办到。"没料到她临死之际,竟会记得丈夫,伤心之中倒也微微有些喜欢。他深恨福康安,听马春花记得丈夫,不记得那个没良心的情郎,那是再好不过,哪知马春花幽幽叹了口气,轻轻地道:"福公子,我多想再见你一面。"

陈家洛进房之后,一直站在门边暗处,马春花没瞧见他。胡斐摇了摇头,抱着两个孩儿,悄悄出房,陈家洛缓步走到她的床前。

胡斐跨到院子中时,忽听得马春花"啊"的一声叫。这声叫唤之中,充满了幸福、喜悦、深厚无比的爱恋。

她终于见到了她的"心上人"……

胡斐惘然走出庙门,忽听得笛声幽然响起,是金笛秀才余鱼同在树上横笛而吹。胡斐心头一震,在很久以前,在山东商家堡,依稀曾听人这样缠绵温柔的吹过。

这缠绵温柔的乐曲,当年在福康安的洞箫中吹出来,挑动了马春花的情怀，终于酿成了这一场冤孽。

金笛秀才的笛子声中，似乎在说一个美丽的恋爱故事，却也在抒写这场爱恋之中所包含的苦涩、伤心和不幸。庙门外每个人都怔怔地沉默无言，想到了自己一生之中甜蜜的凄凉的往事。胡斐想到了那个骑在白马上的紫衫姑娘，恨不得扑在地上大哭一场。即使是豪气逼人的无尘道长，也想到了很久很久以前，在很远很远的地方，那个美丽而又狠心的官家小姐，骗得他斩断了自己的一条臂膀……

笛声悠缓地凄凉地响着。

过了好一会儿，陈家洛从庙门里慢慢踱了出来。他向胡斐点了点头。胡斐知道马春花是离开这世界了。她临死之前见到了心爱的两个儿子，也见到了"情郎"。胡斐不知道她跟陈家洛说了些什么，是责备他的无情薄幸呢，还是诉说自己终生不渝的热情？除了陈家洛之外，这世上是谁也不知道了。

胡斐拜托常氏双侠和倪氏昆仲，将马春花的两个孩子先行带到回疆，他料理了马春花的丧事之后，便去回疆和众人聚会。

陈家洛率领群雄，举手和胡斐、程灵素作别，上马西去。

胡斐始终没跟他们提到圆性。奇怪的是，赵半山、骆冰他们也没提起。是不是圆性已经会到了他们，要他们永远别向他提起她的名字？

　　胡斐追将上去，牵过骆冰所赠的白马，说道："你骑了这马去吧，你身上有伤，还是……还是……"圆性摇摇头，纵马便行。

第二十章　恨无常

忙乱了半晚，胡斐和程灵素到庙后数十丈的小溪中洗了手脸。程灵素从背后包裹中取出烧饼，两人和着溪中清水吃了。胡斐连番剧斗，又兼大喜大悲，这时只觉手酸脚软，神困力倦，当下躺在溪畔休息了大半个时辰，这才精力稍复，又回去药王庙。

两人回进僧舍，轻轻推开房门，只见马春花死在床上，脸含微笑，神情甚是愉悦。胡斐垂泪道："她要我将她葬在丈夫墓旁。眼下风声紧急，到处追拿你我二人。这当儿又哪里找棺木去？不如将她火化了，送她骨灰前去安葬。"程灵素道："是。"

胡斐弯下腰去，伸手正要将马春花的尸身抱起，程灵素突然抓住他手臂，叫道："且慢！"

胡斐听她语音严重紧迫，便即缩手，问道："怎么？"程灵素尚未回答，胡斐已听到身后极细微的缓缓呼吸之声，回过头来，只见板门之后赫然躲着两人，却是程灵素的大师兄慕容景岳和三师姊薛鹊。

便在此时，程灵素手一扬，一股褐色的赤蝎粉飞出，打向马春花所躺的床板底下。胡斐心念一动："床板底下，定是藏着极厉害的敌人。"

但见薛鹊伸手推开房门，正要纵身出来，胡斐行动快极，右手弯处，抱住了程灵素的纤腰，倒纵出门，经过房门时飞起一腿，踢在门板之上。那门板砰的一声向后猛撞，将慕容景岳和薛鹊二人夹在门板和墙壁之间。慕容景岳倒也罢了，薛鹊高高的一个驼背被砖墙挤得痛极，忍不住高声大叫。

胡斐和程灵素刚在门口站定，只见床底下赤雾弥漫，那股赤蝎粉已被人用掌力震了出来，跟着人影闪动，一人长身窜出。只听得呛啷啷、呛啷啷一阵急响，那人提起手中虎撑，当头往胡斐头顶砸下。胡斐一瞥之下，已看清那人面目，正是自称"毒手药王"的石万嗔。

程灵素叫道："别碰他身子兵刃！"胡斐对她的师兄师姊早是深具戒心，知道这些人周身是毒，沾上了一丝半忽便是后患无穷，当下向左滑开三步，避开了石万嗔的虎撑，刷的一声，单刀出手，一招"谏果回甘"，回头反击。这一招回刀砍得快极，石万嗔不及躲闪，危急中虎撑一举，硬架了这一刀，当的一声大响，两人各自向后跃开。石万嗔虎撑中的铁珠只震得呛啷啷、呛啷啷的乱响。

这时慕容景岳和薛鹊已自僧舍中出来，站在石万嗔的身后。石万嗔和胡斐硬接硬架地交了这一招，但觉对方刀法精奇，臂力强劲，自己右臂震得隐隐酸麻，当下不再进击。

胡斐心中，却也暗自称异："这人擅于用毒，武功竟也这般了得。我这一招'谏果回甘'如此出其不意的反劈出去，他居然接得下来。"

只听慕容景岳说道："程师妹，见了师叔怎么不快磕头？"程灵素道："咱们哪里钻出一个师叔来啦？从来没听见过。"

石万嗔冷冷地道："'毒手神枭'的名字听见过没有？你师父难道从来不敢提我吗？"程灵素道："'毒手神枭'？这名字倒似乎听见过的。我师父说他从前确是有过一个师弟，只是他滥用毒药害人，无恶不作，早给师祖逐出门墙了。石前辈，那便是你么？"石万嗔微微一笑，淡然道："咱们这一门讲究使用毒药，既然有了这个'毒'字，又何必假惺惺地硬充好人？姓石的宁可做真小人，不如你师父这般假装伪君子。"

程灵素怒道："我师父儿时害过一条无辜的人命？"石万嗔道："你师父害死的人难道少了？他自己自然说他下手毒死之人，个个罪大恶极，死有余辜，可是在旁人看来，却也未必如此。至于死者的家人子女，更是决不这么想。"胡斐心中一凛，暗想："此人这话倒也有几分道理。"

程灵素道："不错。我师父也深悔一生伤人太多，后来便出家做了和尚，礼佛赎罪。他老人家谆谆告诫我们师兄妹四人，除非万不得已，决计不可轻易伤人。晚辈一生，就从未害过一条性命。"

石万嗔冷笑道："假仁假义，又有何益？我瞧你聪明伶俐，倒是我门中的杰出人材。掌门人大会中那几招，耍得可漂亮啊，连你师叔也险些着了道儿。"

程灵素道："你自称是我师叔，冒用我师父'毒手药王'的名头。要是真正的'毒手药王'在世，伸手去拿玉龙杯之时，岂能瞧不出杯上已沾了赤蝎粉？我在大厅上喷那'三蜈五蟆烟'，我师父他老人家怎会懵然不觉？"

这两句话只问得石万嗔脸颊微赤，难以回答。要知他少年时和无嗔大师同门学艺，因用毒无节，多伤好人，给师父逐出门墙。此后数十年中，曾和无嗔争斗过好几次。两人都是使毒的大行家，双方所使药物之烈，毒物之奇，可想而知。数次斗法，石万嗔每一回均是屈居下风，若不是无嗔大师始终念着同门之谊，手下留情，早已取了他的性命。在最后一次斗毒之际，石万嗔终于被"断肠草"熏瞎了双目。他逃往缅甸野人山中，以银蛛丝逐步拔去"断肠草"的毒性，双眼方得复明，虽能重见天日，目力却已大损。玉龙杯上沾了赤蝎粉，旱烟管中喷出的烟雾颜色稍有不同，这些细微之处，他便无法分辨。

何况程灵素栽培成了"万毒之王"的毒草"七心海棠"之后，赤蝎粉中混上了七心海棠叶子的粉末，"三蜈五蟆烟"中加入了七心海棠的花蕊，这一来，两种毒药的异味全失，毒性却更加厉害。

石万嗔在野人山中花了十年功夫，才治愈双目，回到中原时听到无嗔大师的死讯，只道斯人一死，自己便可称雄天下，哪料师兄一个年纪轻轻的关门弟子，竟有如此厉害的功夫？那晚程灵素化装成一个龙钟干枯的老太婆，当世擅于用毒的高手，石万嗔无不知晓，他当真做梦也想不到，这个小老太婆在旁吸几口烟，便令他栽上一个大筋斗。

程灵素这两句话只问得他哑口无言，慕容景岳却道："师妹，你得罪了师叔，还不磕头谢罪，当真狂妄大胆。他老人家一怒，立时叫你死无葬身之地。我和薛师妹都已投入他老人家的门下，你乖乖献出《药王神篇》，说不定他老人家一喜欢，也收了你这弟子，岂不是好？"

程灵素心中怒极，暗想这师兄师姊背叛师门，投入本派弃徒门下，那是武林中犯规最严的"欺师灭祖"大罪，不论哪一门哪一派，均要处死不贷。可是她脸上不动声色，说道："原来两位已改投石前辈门下，那么小妹不能再称你们为师兄师姊了。姜师哥呢？他也投入石前辈门下了么？"慕容景岳道："姜师弟不识时务，不听教诲，已为吾师处死。"

程灵素心中一酸，姜铁山为人耿直，虽然行事横蛮，在她三个师兄姊中却是最为正派，不料竟死于石万嗔之手，又问："薛三姊，你的儿子小铁呢？他很好吧？"薛鹊冷冷地道："他也死了。"程灵素道："不知生的是什么病？"薛鹊怒道："是我的儿子，要你多管什么闲事？"程灵素道："是，小妹原不该多管闲事。我还没恭喜两位呢，慕容大哥和薛三姊几时成的亲啊？咱们同门学艺一场，连喜酒也不请小妹喝一杯。"

慕容景岳、姜铁山、薛鹊三人一生恩怨纠葛，凄惨可怖。初时薛鹊苦恋慕容景岳，慕容景岳却另娶了他人。薛鹊一怒之下，便下毒害死了他的妻子。慕容景岳为妻复仇，用毒药毁了薛鹊的容貌，使她身子伛偻，成为一个驼背丑女。姜铁山自来喜欢这个师妹，她虽丑陋不堪，姜铁山却不以为嫌，娶了她为妻。哪知慕容景岳在他们成亲生子之后，却又想起这师妹的种种好处来，不断地向她纠缠，终于和姜铁山反脸成仇。姜薛夫妇迫得铸铁为屋，便是为了抗拒大师兄的侵犯。哪知结局姜铁山终于为石万嗔所杀，而慕容景岳和薛鹊还是结成了夫妇。

程灵素知道这中间的种种曲折，寻思："二师哥死在石万嗔手下，想是他不肯背叛先师改投他的门下，但也未始不是出于大师哥的从中挑拨。三师姊竟会改嫁大师哥，说不定也有一份谋杀亲夫之罪。"于是叹道："小铁那日中毒，小妹设法相救，也算花过一番心血。想不到他还是死在'桃花瘴'下，那也是命该如此了。"慕容景岳脸色大变，道："你怎么知……"说了这四个字，突然住口，和薛鹊对望了一眼。

程灵素道："小妹也只瞎猜罢了。"原来慕容景岳有一项独门的下毒功夫，乃是在云贵交界之处，收集了"桃花瘴"的瘴毒，制成一种毒弹。姜铁山、薛鹊夫妇和他交手多年，后来也想出了解毒之法。程灵素出言试探，慕容景岳一来此事属实，二来出其不意，便随口承认了。程灵素心下更怒，道："三师姊你好不狠毒，二师哥如此待你，你竟和大师哥同谋，害死了亲夫亲儿。"须知姜小铁中了慕容景岳的桃花瘴毒弹，薛鹊自有解救之药，她既忍心不救，那么姜铁山、姜小铁父子之死，她虽非亲自下手，却也是同谋。程灵素从慕容景岳冲口而出的四个字中，便猜知了这场人伦惨变的内情。

薛鹊急欲岔开话头，说道："小师妹，我师有意垂顾，那是你的运气。你还不快磕头拜师？"程灵素道："我若不拜师，便要和二师哥一样了，是不是？"慕容景岳道："那倒也未必尽然。你有福不享，别人又何苦来勉强于你？只是那部《药王神篇》，你该交了出来。我师宽大为怀，你在掌门人大会中冒犯他老人家的过处，也可不加追究了。"

程灵素点头道："这话是不错，只是《药王神篇》乃我师无嗔大师亲手所撰，咱师兄妹三人既然都改投石前辈门下，自当尽弃先师所授的功夫，从头学起。石前辈和先师门户不同，虽不一定胜过先师，但定然各有所长，否则两位也不会另拜明师，又有什么'有福不会享'、'是我的运气'这些话了。那《药王神篇》既已没什么用处，小妹便烧了它吧！"说着从衣包中取出一本黄纸的手抄本来，晃亮火摺，便往册子上点去。

石万嗔初时听她说要烧《药王神篇》，心下暗笑："这《药王神篇》是无嗔贼秃毕生心血之所聚，你岂舍得烧了它？"待见她取出抄本和火摺，又想："似你这等狡狯的小丫头，明知你师兄姊定要抢夺《药王神篇》，岂有不假造一本伪书来骗人的？在我面前装模作样，那不是班门弄斧么？"因此虽见她点火烧书，竟是微笑不语，理也不理。待那抄本热气一熏，翻扬开来，只见纸质陈旧，抄本中的字迹宛然是无嗔的手迹，不由得吃了一惊，转念想道："啊哟不好！这丫头多半已将书中文字记得滚瓜烂熟，此书已于她无用，那可万万烧不得！"忙道："住手！"呼的一掌劈去，一股疾风，登时将火摺扑熄了。

程灵素道："咦，这个我可不懂了。若是石前辈的医药之术胜过先师，此书要拿来何用？若是不能胜过先师，又怎能收晚辈为弟子？"

慕容景岳道："我们这位师父的使毒用药，比之先师可高得太多了。但大海不择细流，他山之石，可以攻玉。这《药王神篇》既是花了先师毕生的心血，吾师拿来翻阅翻阅，也可指出其中过误与不足之处啊。"他是秀才出身，说起话来，自有一番文绉绉的强辞夺理。

程灵素点头道："你的学问越来越长进了。哼！两个躲在门角落里，一个钻在床板底下，想要暗算胡大哥和我。石前辈，有一件事晚辈想来请教，若蒙指明迷津，晚辈双手将《药王神篇》献上，并求前辈开恩，收录晚辈为徒。"

石万嗔知她问的必是一个刁钻古怪的题目，自己未必能答，但见《药王神篇》抓住在她的手里，她只须一举手便能毁去，不愿就此和她破脸，便道："你要问我什么事？"

程灵素道："贵州苗人有一种'碧蚕毒蛊'……"石万嗔听到"碧蚕毒蛊"四字，脸色登时一变，只听她续道："将碧蚕毒蛊的虫卵碾为粉末，置在衣服器皿之上，旁人不知误触，那便中了蛊毒。这算是苗人的三大蛊毒之一，是么？"

石万嗔点头道："不错。小丫头知道的事倒也不少。"

他从野人山来到中原，得知无嗔大师已死，便迁怒于他的门人，要尽杀之而后快。不料慕容景岳为人极无骨气，一给石万嗔制住便即哀求饶命，并说师父遗下一部《药王神篇》，落入小师妹之手，愿意拜他为师，引导他去夺取。石万嗔虽恨无嗔大师切骨，但心中对他实是大为敬畏，听说他有遗著，料想其中于使毒的功夫学问，必有无数宝贵之极的法门，当下便收了慕容景岳为徒。其后又听从他的挑拨，杀了姜铁山父子，收录薛鹊。石万嗔和慕容景岳、姜铁山、薛鹊三人都动了手，见他三人武功固是平平，使毒的本领也和他们师父相差极远，听说程灵素只不过是个十七八岁的姑娘，更是毫没放在心上，料想只要见到了，还不手到擒来？

在掌门人大会中着了她的道儿，石万嗔仍未服输，只恨双目受了"断肠草"的损伤，眼力不济，因而没瞧出"赤蝎粉"和"三蜈五蟆"烟来。但胡斐在会中所显露的武功，却令他颇为忌惮。他暗暗跟随在后，当胡斐和程灵素赴陶然亭之约时，师徒三人便躲入药王庙的后院。他三人的主旨是在夺取《药王神篇》，见红花会群雄人多势众，一直隐藏在后院，不敢现身。直至胡程二人送别群雄，又在溪畔饮食休息，他三人才藏身在马春花房中，只待胡程二人进房，准拟一击得手。哪知程灵素极是精乖，在千钧一发之际及时警觉。

这时听程灵素提到"碧蚕毒蛊"，心下才大是吃惊："想不到这小丫头如此了得，她同门的师兄师姊，可远远不及了。"当下全神戒备，已无丝毫轻敌之念。

程灵素又道："碧蚕毒蛊的虫卵粉末放在任何物件器皿之上，均是无色无臭，旁人决计不易察觉。只不过毒粉不经血肉之躯，毒性不烈，有法可解，须经血肉沾传，方得致命。世上事难两全，毒粉一着人体，却有一层隐隐碧绿之色。石前辈在马姑娘的尸身置毒，若是只放在她衫上，倒是不易瞧得出来，但为了做到尽善尽美，却连她脸上和手上都放置了。"

胡斐听到这里，这才明白，原来这走方郎中用心如此阴险，竟在马春花的尸身放置剧毒，自己和程灵素势必搬动她的尸体，自须中毒无疑，忍不住骂道："好恶贼，只怕你害人反而害己。"

石万嗔虎撑一摇，呛啷啷一阵响声过去，说道："小丫头真是有点眼力，识得我的'碧蚕毒蛊'。汉人之中，除我之外，你是绝无仅有的第二人了，很好，有见识，有本事。你师兄师姊哪里得上你？"

程灵素道："前辈谬赞。晚辈所不明白的是，先师遗著《药王

584

神篇》中说道，'碧蚕毒蛊'放在人体之上，若要不显碧绿颜色，原不为难，却不知石前辈何以舍此法而不用？"

石万嗔双眉一扬，说道："当真胡说八道。苗人中便是放蛊的祖师，也无此法。你师父从未去过苗疆，知道什么？"程灵素道："前辈既如此说，晚辈原是不能不信，但先师遗著之中，确是传下一法。却不知前辈对呢，还是先师对。"石万嗔道："是什么法子，你倒说来听听。"程灵素道："晚辈说了，前辈定然不信。是对是错，一试便知。"石万嗔道："如何试法？"程灵素道："前辈取出'碧蚕毒蛊'，下在人手之上，晚辈以先师之法取药混入，且瞧有无碧绿颜色。"

石万嗔一生钻研毒药，听说有此妙法，将信将疑之余，确是亟欲一知真伪，便道："放在谁的手上作试？"程灵素道："自是由前辈指定。"

石万嗔心想："要下在你的手上，你当然不肯。下在那气势虎虎的少年手上，那也不用提起。"微一沉吟，向慕容景岳道："伸左手出来！"慕容景岳跳起身来，叫道："这……这……师父，别上这丫头的当！"石万嗔沉着脸道："伸左手出来！"

慕容景岳见师父的神色大是严峻，原是不敢抗拒，但想那"碧蚕毒蛊"何等厉害，稍一沾身，便算师父给解药治愈，不致送命，可是这一番受罪，却也定然难当无比。他一只左手伸出尺许，立即又颤抖着缩了回去。石万嗔冷笑道："好吧，你不从师命，那也由你。"慕容景岳听到"不从师命"四字，脸色更是苍白，原来他拜师时曾立下重誓，若是违背师命，甘受惩处。他们这种人每日里和毒药毒物为伍，"惩处"两字说来轻描淡写，其实中间所包含的惨酷残忍之处，令人一想到便会不寒而栗。

他正待伸手出去，薛鹊忽道："师父，我来试好了。"坦然伸出了左手。石万嗔道："偏不要你！瞧他男子汉大丈夫，有没这个种。"

慕容景岳道："我又不是害怕。我只想这小师妹诡计多端，定是不安好心，犯不着上她的当。"程灵素点头道："大师哥果然厉害得紧。从前跟着先师的时候，先师每件事要受你的气，眼下

585

拜了个新师父,仍然是徒儿强过了师父。"

石万嗔明知她这番话是挑拨离间,但还是冷冷地向慕容景岳横了一眼。慕容景岳给他这一眼瞧得心中发毛,只得将左手伸了出来。

石万嗔从怀中取出一只黄金小盒,轻轻揭开,盒中有三条通体碧绿的小蚕,蠕蠕而动。他用一只黄金小匙在盒中挑了些绿粉,放在慕容景岳掌心。慕容景岳一条左臂颤抖得更加厉害,脸上充满又怕又怒、又惊又恨的神色,面颊肌肉不住跳动,眼光中流露出野兽般的光芒,似乎要择人而噬。

胡斐心想:"二妹这一着棋,不管如何,总是在他们师徒之间伏了深仇大恨。这慕容景岳日后一有机会,定要向他师父报复今日之仇。"

只见那些绿粉一放上掌心,片刻间便透入肌肤,无影无踪,但掌心中隐隐留着一层青气,似乎揉捏过青草、树叶一般。

石万嗔道:"小妞儿,且瞧你的,有什么法子叫他掌心不显绿之色。"

程灵素不去理他,却转头向胡斐道:"大哥,那日在洞庭湖畔白马寺我和你初次相见,曾和你约法三章,你可还记得么?"胡斐道:"记得。"心想:"那日她叫我不可说话,不可跟人动武,不可离开她三步之外,可是这三件事,我一件也没做到。"程灵素道:"记得就好了,今日你仍当依着这三件事做,千万不能再忘了。"胡斐点了点头。

程灵素道:"石前辈,你身边定有鹤顶红和孔雀胆吧?这两种药物和'碧蚕毒蛊'既相克而又相辅。你若不信,请看先师的遗著。"说着翻开那本黄纸小册,送到石万嗔眼前。

石万嗔一看,只见果然有一行字写着道:"鹤顶红、孔雀胆二物,和碧蚕卵混用,无色无臭,惟见效较缓。"他想再看下去,程灵素却将书合上了。

石万嗔心想:"无嗔贼秃果是博学,这一下须得一试真伪,倘若所言不错,那么这本《药王神篇》也非假书了。"他毕生钻研毒药。近二十年来更是废寝忘食,以求胜过师兄,实已迹近疯狂的地步,此时见到这本残旧的黄纸抄本,便是天下所有的珍宝聚在一起,亦无如此珍贵。他天性原是十分残忍凉薄,和慕容景岳相互利用,本就并无什么师徒之情,又想这番在他掌心试置"碧蚕毒蛊"之后,他日后一有机会,定会反噬,当下全不计及三种剧毒的药物放在一起,事后如何化解,右手食指的指甲一弹,便有一阵殷红色的薄雾散入慕容景岳掌心,跟着中指的指甲一弹,又有一青黑色薄雾散入他掌心。

程灵素见他不必从怀中探取药瓶,指甲轻弹,随手便能将所需毒药放出,手脚之灵便快捷,尚在先师和自己之上,不自禁暗暗惊佩,凝神看他身上,心念一动,已瞧出其中玄妙。原来他一条腰带缝成一格格的小格,匝腰一周,不下七八十格,每一格中各藏药粉。他练得熟了,手掌一伸,指甲中挑了所需的药粉。练到这般神不知鬼不觉的地步,真不知花了多少功夫,如此一举手便弹出毒粉,对方怎能防备躲避?

那鹤顶红和孔雀胆两种药粉这般散入慕容景岳的掌心,当真是迅雷不及掩耳,哪容他有缩手余地?慕容景岳本已立下心意,决不容这两种剧毒的毒物再沾自己肌肤,拼着和石万嗔破脸,也要抗拒,眼见他对自己如此狠毒,宁可向小师妹屈服,师兄妹三人联手,也胜于此后受他无穷无尽的折磨。哪知石万嗔下毒的手法快如电闪,慕容景岳念头尚未转完,两般剧毒已沾掌心。

但见一红一青的薄雾片刻间便即渗入肌肤,手掌心原有那层隐隐的青绿之色,果然登时不见,已跟平常的肌肤毫无分别。

石万嗔欢叫一声:"好!"伸手便往程灵素手中的《药王神篇》抓来。程灵素竟不退缩,只是微微一笑。石万嗔五根手指将和书皮相碰,突然想起:"这丫头是那贼秃的关门弟子,书上怎能没有机关?"急忙缩手,心中暗骂:"老石啊老石,你若敢小觑了这丫头,便有十条性命,也要送在她手里了。"

慕容景岳掌心一阵麻一阵痒,这阵麻痒直传入心里,便似有千万只蚂蚁同时在咬啮心脏一般,颤声叫道:"小师妹快取解药给我。"

程灵素奇道:"咦,大师哥,你怎会忘了先师的叮嘱?本门中人不能放蛊,又有九种没解药的毒药决计不能使用。"慕容景岳一听此言,背上登时出了一阵冷汗,说道:"鹤顶红,孔…孔……雀胆属于九大禁药,你……你怎地用在我身上?这不是违背先师的训诲么?"

程灵素冷冷地道:"大师哥居然还记得先师,居然还记得不可违背先师的训诲,当真是大出小妹的意料之外了。那碧蚕毒蛊是我放在你身上的么?鹤顶红和孔雀胆,是我放在你身上的么?先师谆谆嘱咐咱们,便是遇上生死关头,也决不可使用不能解救的毒药,这是本门的第一大戒。石前辈和大师哥、三师姊都已脱离本门,这些戒条,自然不必遵守。小妹可不敢忘记啊。"

慕容景岳伸右手抓紧左手的脉门,阻止毒气上行,满头冷汗,已是说不出话来。薛鹊右手一翻,伸短刀在慕容景岳左手心中割了两个交差的十字,图使毒性随血外流,明知这法子解救不得,却也可使毒性稍减,一面说道:"小师妹,师父的遗著上怎么说?他老人家既传下了这三种毒物共使的法子,定然也有解救之道。"

程灵素道:"薛三姊口中的'师父',是指哪一位?是小妹的师父无嗔大师呢,还是你们贤夫妇的师父石前辈?"

薛鹊听她辞锋咄咄逼人,心中怒极毒骂,但丈夫的性命危在顷刻,此时有求于她,口头只得屈服,说道:"是愚夫妇该死,还望小师妹念在昔日同门之情,瞧在先师无嗔大师的面上,高抬贵手,救他一命。"

程灵素翻开《药王神篇》,指着两行字道:"师姊请看,此事须怪不得我。"

薛鹊顺着她手指看去,只见册上写道:"碧蚕毒蛊和鹤顶红、孔雀胆混用,剧毒入心,无法可治,戒之戒之。"薛鹊大怒,转头向石万嗔道:"师父,这书上明明写着这三种毒药混用,无药可治,你却如何在景岳身上试用?"她虽口称"师父",但说话的神情已是声色俱厉。

《药王神篇》上这两行字,石万嗔其实并未瞧见,但即使看到

588

了,他也决不致因此而稍有顾忌,这时听薛鹊厉声责问,如何肯自承不知,丢这个大脸? 只道:"将那书给我瞧瞧,看其中还有什么古怪?"

薛鹊怒极,心知再有犹豫,丈夫性命不保,短刀一挥,将慕容景岳的一条手臂齐肩斩断。要知那三种毒药厉害无比,虽自掌心渗入,但这时毒性上行,单是割去手掌已然无用,幸好三药混用,发作较慢,同时他掌心并无伤口,毒药并非流入血脉,割去一条手臂,暂时保住了性命,否则早已毒发身亡。

薛鹊是无嗔大师之徒,自有她一套止血疗伤的本领,片刻间包扎好了慕容景岳的伤口,手法极是干净利落。

程灵素道:"大师哥,三师姊,非是我有意陷害于你。你两位背叛师门,改拜师父的仇人为师,原已罪不容诛,加之害死二师哥父子二人,当真天人共愤。眼下本门传人,只有小妹一人,两位叛师的罪行,若不是小妹手加惩戒,难道任由师父一世英名,身后反而栽在他仇人和徒儿的手中? 二师哥父子惨遭横死,若不是小妹出来主持公道,难道任由他二人永远含冤九泉?"

她身形瘦弱,年纪幼小,但这番话侃侃而言,说来凛然生威。

胡斐听得暗暗点头,心想:"这两人卑鄙狠毒,早该杀了。"只听她又道:"大师哥一臂虽去,毒气已然攻心,一月之内,仍当毒发不治。两位已叛出本门,遭人毒手,本与小妹无关,只是瞧在先师的份上,这里有三粒'生生造化丹',是师父以数年心血制炼而成,小妹代先师赐你,每一粒可延师兄三年寿命。师兄服食之后,盼你记着先师的恩德,还请扪心自问:到底是你原来的师父待你好,还是新拜的师父待你好?"说着从怀中取出三粒红色药丸,托在手里。

薛鹊正要伸手接过,石万嗔冷笑道:"手臂都已砍断,还怕什么毒气攻心? 这三粒'死死索命丹'一服下肚,那才是毒气攻心呢。"

程灵素道:"两位若是相信新师父的话,那么这三粒丹药原是用不着了。"说罢便要收入怀中。慕容景岳急道:"不! 小师妹,请你给我。"薛鹊道:"多谢小师妹,从今而后,我二人改过自新,重新好人。"低头走到程灵素身前,取过三枚丹药,突然身形一晃,怒喝:"石万嗔,你好毒的……"一句话未说完,俯身摔倒在地。

程灵素和胡斐都是大吃一惊,没见石万嗔有何动弹,怎地已下了毒手?程灵素弯下腰来,翻过薛鹊身子,要看她如何被害,是否有救,刚将她身子扳转,突然右手手腕一紧,已被薛鹊抓住。程灵素知道不好,左手待要往她头顶拍落,但右手脉门被她抓住,全身酸麻,竟是动弹不得。薛鹊右手握着短刀,刀尖已抵在程灵素胸口,喝道:"将《药王神篇》放下!"程灵素一念之仁,竟致受制,只得将《药王神篇》摔在地下。

胡斐待要上前相救,但见薛鹊的刀尖抵正了程灵素的心口,只要轻轻向前一送,立时没命,心中虽是大急,却不敢动手。

薛鹊紧紧抓着程灵素手腕,说道:"师父,弟子助你夺到《药王神篇》,请你将碧蚕毒蛊、鹤顶红、孔雀胆三种药物,放在这小贱人的掌心,瞧她是不是也救不了自己性命。"石万嗔笑道:"好徒儿,好徒儿,这法子实在高明。"取出金盒,用金匙挑了碧蚕毒蛊,两枚指甲中藏了鹤顶红和孔雀胆的毒粉,便要往程灵素掌心放落。

慕容景岳重伤之后,虽是摇摇欲倒,却知这是千钧一发的机会,只要程灵素掌心也受了这三种毒药,她若有解药,势须取出自疗,自己便可夺而先用,就算真的没有解药,也是报了适才之仇,叫她作法自毙,当下奋力拦在胡斐身前,防他阻挠石万嗔下毒。

胡斐正当无法可施之际,突见慕容景岳抢在自己身前,左手呼的一掌,便往他面门击去。慕容景岳抬右手招架,胡斐此时情急拼命,哪容他有还招余地,左手拳尚未打实,右手掌出如风,无声息的推在他胸口。这一掌虽是无声响,力道却是奇重,只推得慕容景岳直向薛鹊撞去。薛鹊被他一撞,登时摔倒,可是左手仍然牢牢抓住程灵素的手腕不放。

胡斐纵身上前,在薛鹊的驼背心上重重踢了一脚,薛鹊吃痛不过,只得松开了程灵素的手腕。这几下犹似电光石火,实只瞬息间的事，薛鹊手掌刚被震开，石万嗔的手爪已然抓到。胡斐生怕他手中毒药碰到程灵素身子，右手急掠，在他肩头一推。石万嗔反掌擒拿，向他右手抓来。

程灵素急叫："快退！"胡斐若是施展小擒拿手中的"九曲折骨法"，原可将他手掌的五根指头立时扭断，但这人指上带有剧毒，如何敢碰？急忙后跃而避，石万嗔一抓不中，顺手将金匙掷出，跟着手指连弹，毒粉化作烟雾，喷上了胡斐的手背。

胡斐不知自己已然中毒，但想这三人奸险狠毒无比，立心毙之于当场，单刀挥出，白光闪闪，全是进手招数。石万嗔虎撑未及招架，只觉左手上一凉，三根手指已被削断。他又惊又怕，右手又是一弹，弹出一阵烟雾。程灵素惊叫："大哥，退后！"胡斐挡在程灵素身前，不敢向前追击。眼见石万嗔、慕容景岳、薛鹊一齐逃出了庙外。

程灵素握着胡斐的手，心如刀割，自己虽然得脱大难，可是胡斐为了相救自己，手背上已沾上了碧蚕毒蛊、鹤顶红、孔雀胆三种剧毒。《药王神篇》上说得明明白白："剧毒入心，无药可治。"

难道挥刀立刻将他右手斫断，再让他服食"生生造化丹"，延续九年性命？三般剧毒入体，以"生生造化丹"延命九年，此后再服"生生造化丹"也是无效了。

他是自己在这世界上惟一亲人，和他相处了这些日子之后，在她心底，早已将他的一切瞧得比自己重要得多。这样好的人，难道便只再活九年？

程灵素不加多想，脑海中念头一转，早已打定了主意，取出一颗白色药丸，放在胡斐口中，颤声道："快吞下！"胡斐依言咽落，心神甫定，想起适才的惊险，犹是心有余怖，说道："好险，好险！"见那《药王神篇》掉在地下，一阵秋风过去，吹得书页不住翻转，说道："可惜没杀了这三个恶贼！幸好他们也没将你的书抢去。二妹，倘若你手上沾了这三种毒药，那可怎么办？"

程灵素柔肠寸断，真想放声痛哭，可是却哭不出来。

胡斐见她脸色苍白,柔声道:"二妹,你累啦,快歇一歇吧!"程灵素听到他温柔体贴地说话,更是说不出的伤心,哽咽道:"我……我……"

胡斐忽觉右手手背上略感麻痒,正要伸左手去搔,程灵素一把抓住了他左手手腕,颤声道:"别动!"胡斐觉得她手掌冰凉,奇道:"怎么?"突然间眼前一黑,咕咚一声,仰天摔倒。

胡斐这一交倒在地下,再也动弹不得,可是神智却极为清明,只觉右手手背上一阵麻,一阵痒,越来越是厉害,惊问:"我也中了那三大剧毒么?"

程灵素泪水如珍珠断线般顺着面颊流下,扑簌簌地滴在胡斐衣上,缓缓点了点头。胡斐见此情景,不禁凉了半截,暗想:"她这般难过,我身上所中剧毒,定是无法救治了。"刹时之间,心头涌上了许多往事:商家堡中和赵半山结拜、佛山北帝庙中的惨剧、潇湘道上结识袁紫衣、洞庭湖畔相遇程灵素,以及掌门人大会、红花会群雄、石万嗔……这一切都是过去了,过去了……

他只觉全身渐渐僵硬,手指和脚趾寒冷彻骨,说道:"二妹,生死有命,你也不必难过。只可惜你一个人孤苦伶仃,做大哥的再也不能照料你了。那金面佛苗人凤虽是我的杀父之仇,但他慷慨豪迈,实是个铁铮铮的好汉子。我……我死之后,你去投奔他吧,要不然……"说到这里,舌头大了起来,言语模糊不清,终于再也说不出来了。

程灵素跪在他身旁,低声道:"大哥,你别害怕,你虽中三种剧毒,但我有解救之法。你不会动弹,不会说话,那是服了那颗麻药药丸的缘故。"胡斐听了大喜,眼睛登时发亮。

程灵素取出一枚金针,刺破他右手手背上的血管,将口就上,用力吮吸。胡斐大吃一惊,心想:"毒血吸入你口,不是连你也沾上了剧毒么?"可是四肢寒气逐步上移,全身再也不听使唤,哪里挣扎得了。

程灵素吸一口毒血,便吐在地下,若是寻常毒药,她可以用手指按捺,从空心金针中吸出毒质,就如替苗人凤治眼一般,但碧蚕毒蛊、鹤顶红、孔雀胆三大剧毒入体,又岂是此法所能奏效?

她直吸了四十多口，眼见吸出来的血液已全呈鲜红之色，这才放心，吁了一口长气，柔声道："大哥，你和我都很可怜。你心中喜欢袁姑娘，哪知道她却出家做了尼姑……我……我心中……"

她慢慢站起身来，柔情无限地瞧着胡斐，从药囊中取出两种药粉，替他敷在手背，又取出一粒黄色药丸，塞在他口中，低低地道："我师父说中了这三种剧毒，无药可治，因为他只道世上没有一个医生，肯不要自己的性命来救活病人。大哥，他不知我……我会待你这样……"

胡斐只想张口大叫："我不要你这样，不要你这样！"但除了眼光中流露出反对的神色之外，实在无法表示。

程灵素打开包裹，取出圆性送给她的那只玉凤，凄然瞧了一会，用一块手帕包了，放在胡斐怀里。再取出一支蜡烛，插在神像前的烛台之上，一转念间，从包中另取一支较细的蜡烛，拗去半截，晃火摺点燃了，放在后院天井中，让蜡烛烧了一会，再取回来放在烛台之旁，另行取一支新烛插上烛台。

胡斐瞧着她这般细心布置，不知是何用意，只听她道："大哥，有一件事我本来不想跟你说，以免惹起你伤心。现下咱们要分手了，不得不说。在掌门人大会之中，我那狠毒的师叔和田归农相遇之时，你可瞧出蹊跷来么？他二人是早就相识的。田归农用来毒瞎苗大侠眼睛的断肠草，定是石万嗔给的。你爹爹妈妈所以中毒，那毒药多半也是石万嗔配制的。"

胡斐心中一凛，只想大叫一声："不错！"

程灵素道："你爹爹妈妈去世之时，我尚未出生，我那几个师兄师姐，也还年纪尚小，未曾投师学艺。那时候当世擅于用毒之人，只有先师和石万嗔二人。苗大侠疑心毒药是我师父给的，因之和他失和动手，我师父既然说不是，当然不是了。我虽疑心这个师叔，可是并无佐证，本来想慢慢查明白了，如果是他，再没法替你报仇。今日事已如此，不管怎样，总之是要杀了他……"说到这里，体内毒性发作，身子摇晃了几下，摔在胡斐身边。

胡斐见她慢慢合上眼睛，口角边流出一条血丝，真如是万把钢锥在心中钻刺一般，张口大叫："二妹，二妹！"可是便如深夜梦魇,不论如何大呼大号,总是喊不出半点声息,心里虽然明白,却是一根小指头儿也转动不得。

便是这样,胡斐并肩和程灵素的尸身躺在地下,从上午挨到下午,又从下午挨到黄昏。要知那碧蚕毒蛊、鹤顶红、孔雀胆三大剧毒的毒性何等厉害,虽然程灵素替他吸出了毒血,但毒药已侵入过身体,全身肌肉僵硬,非等一日一夜,不能动弹。这几个时辰中他心中之苦,真非常人所能想象。

眼见天色渐渐黑了下来,他身子兀自不能转动,只知程灵素躺在自己身旁,可是想转头瞧她一眼,却是不能。

又过了两个多时辰,只听得远处树林中传来一声声枭鸣,突然之间,几个人的脚步声悄悄到了庙外。只听得一人低声道:"薛鹊,你进去瞧瞧。"正是石万嗔的声音。

胡斐暗叫:"罢了,罢了!我一动也不能动,只有静待宰割的份儿。二妹啊二妹,你为了救我性命,给我服下麻药,可是药太烈,不知何时方消,此刻敌人转头又来,我还是要跟你同赴黄泉。虽然死不足惜,可是这番大仇,却是再难得报了。"其实此时麻药的药性早退,他所以肌肉僵硬有如死尸,全是三大剧毒之故。

只听得薛鹊轻轻闪身进来,躲在门后,向内张望。她不敢晃亮火摺,黑暗中却又瞧不见什么,侧耳倾听,但觉寂无声息,便回出庙门,向石万嗔说了。

石万嗔点头道:"那小子手背上给我弹上了三大剧毒,这当儿不是命赴阴曹,便是一条手臂齐肩切了下来。剩下那小丫头一人,何足道哉!就只怕两个小鬼早已逃得远了。"他话是这么说,仍是不敢托大,取出虎撑唥唥唥的摇动,护住前胸,这才缓步走进庙门。

走到殿上,黑暗中只见两个人躺在地下,他不敢便此走近,拾起一粒石子,向两人投去,只见两人仍是一动不动,当下晃亮火摺一看,见地下那两人正是胡斐和程灵素。眼见两人全身僵直,显已死去多时。石万嗔大喜,一探程灵素鼻息,早已颜面冰冷,没了呼吸,再伸手去探胡斐鼻息时,胡斐双目紧闭,凝住呼吸。

石万嗔为人也当真郑重，只觉他颜面微温，并未死透，随手取出一根金针，在程胡两人手心中各自刺了一下，他们若是乔装假死，这么一刺，手掌非颤动不可。程灵素真的已死，胡斐肌肉尚僵，金针虽刺入他掌心知觉最为锐敏之处，亦是绝无反应。

慕容景岳恨恨地道："这丫头吮吸情郎手背的毒药，岂不知情郎没救活，连带送了自己的性命。"

石万嗔急于找那册《药王神篇》，眼见火摺将要烧尽，便凑到烛台上去点蜡烛。火焰刚和烛芯相碰，心念一动："这枝蜡烛没点过，说不定有什么古怪。"见烛台下放着半截点过的蜡烛，心想："这半截蜡烛是点过的，定然无妨。"于是拔下烛台上那枝没点过的蜡烛，换上半截残烛，用火摺点燃了。

烛光一亮，三人同时看到了地下的《药王神篇》，齐声喜呼。石万嗔撕下一块衣襟，垫在手上，这才隔着布料将册子拾起。凑到烛火旁翻书一看，只见密密写着一行行的蝇头小楷，果然是各种医术和药性，但略一检视，其中治病救伤的医道占了九成以上。说到毒药之时，要旨也阐述解毒救治，至于如何炼毒施毒，以及诸般种植毒草、培养毒虫之法，却说的极为简略。原来无嗔大师晚年深悔一生用毒太多，以致在江湖上得了个"毒手药王"的名号，是以传给弟子的遗书，名为《药王神篇》，乃是一部济世救人的医书。

石万嗔、慕容景岳、薛鹊三人处心积虑想要劫夺到手的，原想是一部包罗万有、神奇奥妙的"毒经"，此时一看，竟是一部医书，纵然其中所载医术精深，于他却是全无用处，石万嗔自是大失所望。

他凝思片刻，对薛鹊道："你搜搜那死丫头的身边，是否另有别的书册。这一部只是医书，没什么用。"说着随手扔在神台之上。薛鹊一搜程灵素的衣衫和包裹，道："没有了。"

慕容景岳猛地想起一事，道："我那师父善写隐形字体，莫非……"这句话一出口，登时好生后悔，暗想："该死！该死！我何必说了出来？任他以为此书无用，我捡回去细细探索，岂不是好?"但石万嗔何等机伶,立时醒悟,说道:"不错!"又拣起那部《药王神篇》。

一转身间,只见慕容景岳和薛鹊双膝渐渐弯曲,身子软了下来,脸上似笑非笑,神情极是诡异。石万嗔大吃一惊,叫道:"怎么啦?七心海棠,七心海棠?难道死丫头种成了七心海棠?这……这蜡烛……"

脑海中犹如电光一闪,想起了少年时和无嗔同门学艺时的情景。有一天晚上,师父讲到天下的毒物之王,他说鹤顶红、孔雀胆、墨蛛汁、腐肉膏、彩虹菌、碧蚕卵、蝮蛇涎、番木鳖、白薯芽等等,都还不是最厉害的毒物,最可怕的是七心海棠。这毒物无色无臭,无影无踪,再精明细心的人也防备不了,不知不觉之间,已是中毒而死。死者脸上始终带着微笑,似乎十分平安喜乐。师父曾从海外得了这七心海棠的种子,可是不论用什么方法,都是种它不活。那天晚上,师兄和他自己都向师父讨了九粒七心海棠的种子。师父微笑道:"幸好这七心海棠难以培植,否则世上还有谁能得平安。"

瞧慕容景岳和薛鹊的情状,正是中了七心海棠之毒,他立即屏住呼吸,伸手按住口鼻,正想细察毒从何来,突然间眼前一黑,再也瞧不见什么。一瞬之间,他还道是蜡烛熄灭,但随即发觉,却是自己双眼陡然间失明。

"七心海棠!七心海棠!"他知道幸亏在进庙之前,口中先含了化解百毒的丹药,七心海棠的毒性一时才不致侵入脏腑,但双目已然抵受不住,竟自盲了。

胡斐事先却给程灵素喂了抵御七心海棠毒性的解药,双目无恙,一切看得清清楚楚,眼见慕容景岳和薛鹊慢慢软倒,眼见石万嗔双手在空中乱抓乱扑,大叫:"七心海棠,七心海棠!"冲出庙去。只听他凄厉的叫声渐渐远去,静夜之中,虽然隔了良久,还听得他的叫声隐隐从旷野间传来,有如发狂的野兽嗥叫一般:"七心海棠!七心海棠!"

胡斐身旁躺着三具尸首,一个是他义结金兰的小妹子程灵素,两个是他义妹的对头、背叛师门的师兄师姊。破庙中一枝黯淡的蜡烛,随风摇曳,忽明忽暗,他身上说不出的寒冷,心中说不出的凄凉。

终于蜡烛点到了尽头,忽地一亮,火焰吐红,一声轻响,破庙中漆黑一团。

胡斐心想:"我二妹便如这蜡烛一样,点到了尽头,再也不能发出光亮了。她一切全算到了,料得石万嗔他们一定还要再来,料到他小心谨慎不敢点新蜡烛,便将那枚混有七心海棠花粉的蜡烛先行拗去半截,诱他上钩。她早已死了,在死后还是杀了两个仇人。她一生没害过一个人的性命,她虽是毒手药王的弟子,生平却从未杀过人。她是在自己死了之后,再来清理师父的门户,再来杀死这两个狼心狗肺的师兄师姊。

"她没跟我说自己的身世,我不知她父亲母亲是怎样的人,不知她为什么要跟无嗔大师学了这一身可惊可怖的本事。我常向她说我自己的事,她总是关切地听着。我多想听她说说她自己的事,可是从今以后,那是再也听不到了。

"二妹总是处处想到我,处处为我打算。我有什么好,值得她对我这样?值得她用自己的性命,来换我的性命?其实,她根本不必这样,只须割了我的手臂,用他师父的丹药,让我在这世界上再活九年。九年的时光,那是足够足够了!我们一起快快乐乐地度过九年,就算她要陪着我死,那时候再死不好么?"

忽然想起:"我说'快快乐乐',这九年之中,我是不是真的会快快乐乐?二妹知道我一直喜欢袁姑娘,虽然发觉她是个尼姑,但思念之情,并不稍减。那么她今日宁可一死,是不是为此呢?"

在那无边无际的黑暗之中,心中思潮起伏,想起了许许多多事情。程灵素的一言一语,一颦一笑,当时漫不在意,此刻追忆起来,其中所含的柔情蜜意,才清清楚楚地显现出来。

"小妹子对情郎——恩情深,
你莫负了妹子——一段情,
你见了她面时——要待她好,
你不见她面时——天天要十七八遍挂在心!"

王铁匠那首情歌,似乎又在耳边缠绕,"我要待她好,可是……可是……她已经死了。她活着的时候，我没待她好，我天天十七八遍挂在心上的，是另一个姑娘。"

天渐渐亮了，阳光从窗中射进来照在身上，胡斐却只感到寒冷，寒冷……

终于，他觉得身上的肌肉柔软起来，手臂可以微微抬一下了，大腿可以动一下了。他双手撑地，慢慢站起身来，深情无限地望着程灵素。突然之间，胸中热血沸腾。"我活在这世上有什么意思？二妹对我这么多情，我却是如此薄幸的待她！我不如跟她一齐死了！"

但一瞥眼看到慕容景岳和薛鹊的尸身，立时想起："爹娘的大仇还未报，害死二妹的石万嗔还活在世上。我这么轻生一死，什么都撒手不管，岂是大丈夫的行径？"

却原来，程灵素在临死之时，这件事也料到了。她将七心海棠蜡烛换了一枝细身的，毒药分量较轻的，她不要石万嗔当场便死，要胡斐慢慢地去找他报仇。石万嗔眼睛瞎了，胡斐便永远不会再吃他的亏。她临死时对胡斐说道，害死他父母的毒药，多半是石万嗔配制的。那或许是事实，或许只是猜测，但这足够叫他记着父母之仇，使他不至于一时冲动，自杀殉情。

她什么都料到了，只是，她有一件事没料到。胡斐还是没遵照她的约法三章，在她危急之际，仍是出手和敌人动武，终致身中剧毒。

又或许，这也是在她意料之中。她知道胡斐并没爱她，更没有像自己爱他一般深切地爱着自己，不如就是这样了结。用情郎身上的毒血，毒死了自己，救了情郎的性命。

很凄凉，很伤心，可是干净利落，一了百了，那正不愧为"毒手药王"的弟子，不愧为天下第一毒物"七心海棠"的主人。

少女的心事本来是极难捉摸的，像程灵素那样的少女，更加永远没人能猜得透到底她心中在想什么。

突然之间，胡斐明白了一件事："为什么前天晚上在陶然亭畔，陈总舵主祭奠那个墓中姑娘时竟哭得那么伤心？"原来，当你想到最亲爱的人永远不能再见面时，不由得你不哭，不由得你不哭得这么伤心。

他将程灵素和马春花的尸身搬到破庙后院。心想:"两人尸身上都沾着剧毒,须得小心,别沾上了。我还没报仇,可死不得!"生起柴火,分别将两人火化了。他心中空空洞洞,似乎自己的身子,也随着火焰成烟成灰,随手在地下掘了个大坑,把慕容景岳和薛鹊夫妇葬了。

眼见日光西斜,程灵素和马春花尸骨成灰,于是在庙中找了两个小小瓦坛,将两人的骨灰收入坛内,心想:"我去将二妹的骨灰葬在我爹娘坟旁,她虽不是我亲妹子,但她如此待我,岂不比亲骨肉还亲么?马姑娘的骨灰,要带去湖北广水,葬在徐大哥的墓旁。"

回到厢房,但见程灵素的衣服包裹兀自放在桌上,凝目瞧了良久,忍不住又掉下泪来。

隔了半响,这才伸手收拾,见到包中有几件易容改装的用具,胶水假须,一概具备,心想"我若坦然以本来面目示人,走不上一天,便会遇上福康安派出来追捕的鹰爪,虽然不怕,但一路斗将过去,如何了局?"于是脸上搽了易容药水,粘上三绺长须,将两只骨灰坛包入包裹,扬长出庙。

他一路向南追踪石万嗔。这日中午,在陈官屯一家饭铺中打尖,刚坐定不久,只听得靴声橐橐,走进四名武官来。领先一人瘦长身材,正是鹰爪雁行门的曾铁鸥。胡斐心中微微一惊,侧过了头,心想自己虽已乔装改扮,他未必认得出来,但此人甚是精明,说不定会给他瞧出破绽。

饭铺中的店小二手忙脚乱,张罗着侍候四位武官。

胡斐心想:"这四人出京南下,多半和我的事有关,倒要听他们说些什么。"可是曾铁鸥等四人风花雪月,尽说些没要紧之事,只听得他好生纳闷。便在此时,忽听得店外青石板上笃笃声响,有个盲人以杖探地,慢慢走了进来。

那人一进饭铺,胡斐心中怦怦乱跳,这几日来他一路打探石万嗔的踪迹,追寻而来,查知他相距已经不远,此人盲了双眼,行走不快,迟早终须追上,不料竟在这小镇上的饭店中狭路相逢。只见他衣衫褴褛,面目憔悴,左手兀自摇着那只走方郎中所用的虎撑。

他摸索到一张方桌,再摸到桌边的板凳,慢慢坐了下来,说道:"店家,先打一角酒来。"店小二见他是个乞儿模样,没好气地问道:"你要喝酒,有银子没有?"石万嗔从怀中取出一锭银子,放在桌上。店小二道:"好,我去打酒给你。"

石万嗔一走进饭铺,曾铁鸥便向三个同伴大打手势,示意要上前捉拿。那日掌门人大会之中,程灵素口喷毒烟,使得人人肚痛,群豪疑心福康安在酒水中下毒,福康安等却认定是这"毒手药王"做了手脚。因此福康安派遣大批武官卫士南下,交代了三件要务:第一是追捕红花会群雄和胡斐、程灵素、马春花一行人,寻回福康安的两个儿子,这是第一件要事;第二是捉拿拆散掌门人大会的"罪魁祸首"石万嗔;第三是捉拿得悉重大阴私隐秘的汤沛及尼姑圆性。

这时曾铁鸥眼见石万嗔双目已盲,心下好生喜好,但犹恐他是假装,慢慢站起身来,说道:"店家,怎地你店里桌椅这么少?要找个座头也没有?"一面说,一面向店小二作手势,命他不可作声。另一名武官接口道:"张掌柜的,今儿做什么生意,到陈官屯来啊?"曾铁鸥道:"还不是运米来么?李掌柜,你生意好?"那武官道:"好什么?左右混口饭吃罢啦。"两人东拉西扯地说了几句。曾铁鸥道:"没座位啦,咱们跟这位大夫搭个座头。"说着便打横坐在石万嗔的桌旁。

其实饭店中空位甚多,但石万嗔并不起疑,对两人也不加理睬。曾铁鸥才知他是真盲,胆子更加大了,向另外两名武官招手道:"赵掌柜,王掌柜,一起过来喝两盅吧,小弟作东。"那两名武官道:"叨扰,叨扰!"也过来坐在石万嗔身旁。

石万嗔眼睛虽盲,耳音仍是极好,听着曾铁鸥等四人满嘴北京官腔,并非本地口音,说的是做生意,但没讲得几句,便露出了马脚。他微一琢磨,已猜到了八九分,站起身来,说道:"店家,我今儿闹肚子,不想吃喝啦,咱们回头见。"曾铁鸥按住他肩头,笑道:"大夫你不忙,咱们喝几杯再走。"石万嗔知道脱身不得,微微冷笑,便又坐下。

一会儿酒菜端了上来,曾铁鸥斟了一杯酒,道:"大夫,我敬你一杯。"石万嗔道:"好好!"举杯喝干,道:"我也敬各位一杯。"右手提着酒壶,左手摸索四人的酒杯,替每人斟上一杯,斟酒之时,指甲轻弹,在各人酒杯中弹上了毒药,手法便捷,却是谁也没瞧出来。

可是他号称"毒手药王",曾铁鸥虽然没见下毒,如何敢喝他所斟之酒,轻轻巧巧的,便将自己一杯酒和石万嗔面前的一杯酒换过了。

这一招谁都看得分明,便只石万嗔没法瞧见。

胡斐心中叹息:"你双眼已盲,还在下毒害人,当真是自作孽,不可活。我又何必再出手杀你?"

他站起身来,付了店帐。只听曾铁鸥笑道:"请啊,请啊,大家干了这杯!"四名武官脸露奸笑,手中什么也没有,一齐说道:"干杯!"只见石万嗔拿着他下了毒药的一杯酒,嘴角边露出一丝狡猾的微笑。胡斐知他料定这四名武官转眼便要毒发身亡,是以兀自还在得意,见到石万嗔这般情状,心中忽生怜悯之感,大踏步走出了饭店。

数日之后,到了沧州乡下父母的坟地。当他幼时,每隔几年,平四叔便带他前来扫墓。三年前他又曾来过一次。每次到这地方,他总要在父母墓前呆呆坐上几天,想着各种各样的事情:如果爹爹妈妈这时还活着……如果他们瞧见我长得这么高大了……如果爹爹见我这么使刀,不知会说什么……

这日他来到墓地时,天色已经向晚,远远瞧见一个穿淡蓝衫子的女人,一动不动地站在他父母墓旁。这块墓地中没别的坟墓,"难道这女子竟是我父母的相识?"

他心中大奇,慢慢走近,只见那女子是个相貌极美的中年妇人,一张瓜子脸儿,秀丽出众,只是脸色过于苍白,白得没半点血色。她见胡斐走来,也是微感讶异,抬起了头瞧着他。

这时胡斐离北京已远,途中不遇追骑,已不再乔装,回复了本来面目,但风尘仆仆,满身都是泥灰。那女子见是个不相识的少年,也不在意,转过了头去。

这么一转头,胡斐却认出她来——她是当年跟着田归农私奔的苗人凤之妻。当年在商家堡,苗人凤的女儿大叫"妈妈",张开了双臂要她抱,她却硬起心肠,转过了头去。她的相貌胡斐已记不起了。但这么狠心一转头,他永远都忘不了。

他忍不住冷冷地道:"苗夫人,你独个儿在这里干什么?"

她陡然听到"苗夫人"三字,全身一震,慢慢回过身来,脸色更加白了,颤声道:"你……你怎知道我……"说了这几个字,缓缓低下了头,下面的话再也说不出来了。

胡斐道:"我出世三天,父母便长眠于地下,终身不知父母之爱,但比起你的女儿来,我还是快活得多。那天商家堡中,你硬着心肠不肯抱女儿一抱……不错,我比你的女儿是快活得多了。"

苗夫人南兰身子摇摇欲倒,道:"你……你是谁?"

胡斐指着坟墓,说道:"我是到这里来叫一声'爹爹,妈妈!'只因他们死了,这才不答我,这才不抱我。"南兰道:"你是胡大侠胡一刀……的……的令郎?"胡斐道:"不错,我姓胡名斐。我见过金面佛苗大侠,也见过他的女儿。"南兰低声道:"他们……他们很好吧?"

胡斐斩钉截铁地道:"不好!"

南兰走上一步,道:"他们怎么啦?胡相公,求求你,求你跟我说。"胡斐道:"苗大侠为奸人所害,瞎了双目。苗姑娘孤苦伶仃,没妈妈照顾。"南兰惊道:"他……他武功盖世,怎能……"

胡斐大怒,厉声道:"在我面前,你何必假惺惺装模作样?田归农行此毒计,难道不是出于你的奸谋?此处若不是我父母的坟墓所在,我一刀便将你杀了。你快快走开吧!"

南兰颤声道:"我……我确是不知。胡相公,这时候他已好了吗?"

胡斐见她脸色极是诚恳,不似作伪,但想这女子水性杨花、

602

奸滑凉薄,什么样子都装得出,不愿跟她多说,哼了一声,转身便走。南兰喃喃地道:"他……他竟被人弄瞎了眼睛,兰儿,我苦命的兰儿……"突然间翻身摔倒,晕了过去。

胡斐听得声响,回头一看,倒吃了一惊,微一踌躇,过去一探她鼻息,竟是真的气厥,脉息微弱,越跳越慢,若是不加施救,立即便要身亡。他万不料到这个无情无义的女子竟会如此,当下捏她的人中,在她胁下推拿。

过了良久,南兰才悠悠醒转,低声道:"胡相公,我死不足惜,只求你告我实情,他和我兰儿到底怎样了?"胡斐道:"难道你还关怀他们?"

南兰道:"说来你定然不信,但这几年来,我日日夜夜,想着的便是这两个人。我自知已不久人世,只盼能再见他们一面,可是我哪里又有面目再去见他父女? 今日我到这里来,因为苗大哥当年和我成婚不久,便带着我到这里,来祭奠令尊令堂,苗大哥说他一生之中,便只佩服胡大侠夫妇两人。当年在这墓前,他跟我说了许多话……"

胡斐见她情辞真挚,确非虚假,他人虽粗豪,心肠却软,便道:"好,我便跟你说一说苗大侠父女的近状。"于是将苗人凤如何双目中毒、如何力败强敌等情简略说了,只是自己如何从旁援手,却轻轻一言带过。南兰絮絮询问苗人凤和苗若兰父女的起居饮食,对苗若兰相貌如何、喜欢什么等等,问得更是仔细。但胡斐在苗家匆匆而来,匆匆而去,对这个小姑娘的情状,却是说不上什么。

他一直说到夕阳西下,南兰意犹未足,兀自问个不休。胡斐说到后来,实已无话可答,南兰问他,她女儿穿什么样的衣服,是绸的还是布的? 是她父亲到店中买来,还是托人缝制? 穿了合不合身? 好不好看?

胡斐叹了口气,说道:"我都不知道。你既是这样关心,当年又何必……"站起身来,道:"我要投店去啦。本来今日我要来埋葬义妹的骨灰,此刻天色已晚,只好明天再来!"南兰道:"好,明天我也来。"胡斐道:"不! 我再也没什么话跟你说了。"他顿了一顿,终于问道:"苗夫人,我爹爹妈妈,是死在苗人凤手下的,是不是?"

南兰缓缓点了点头,道:"他……他曾跟我说起此事……不过,这是……"

正说到这里,忽听得远处有人叫道:"阿兰,阿兰!……阿兰,阿兰!你在哪里?"胡斐和南兰一听,同时脸色微变,原来那正是田归农的叫声。

南兰道:"他找我来啦!明儿一早,请你再到这里,我跟你说令尊令堂的事。"胡斐道:"好,明日一早,一准在此会面。"他不愿跟田归农朝相,隐身在坟墓之后,心想:"明日问明爹爹妈妈身故的真相,若是当真和田归农这奸贼有关,须饶他不得。料想苗夫人定要替他遮掩隐瞒,但我只要细心查究,必能瞧出端倪。只不知田归农到沧州来,却是为了何事?"

只见南兰快步走出墓地,却不是朝着田归农叫声的方向走去,待走出数十丈远,只听得田归农还在不住口的呼唤:"阿兰,阿兰,你在不在这儿?"南兰才应道:"我在这里。"田归农"啊"了一声,循声奔去。南兰道:"我随便走走,你也不许,便管得我这么紧。"隐隐约约听得田归农赔笑道:"谁敢管你啦?我记挂着你啊。这儿好生荒凉,小心别吓着了……"两人并肩远去,再说些什么,便听不见了。

胡斐心想:"天色已晚,不如便在这里陪着爹娘睡一夜。"从包裹取出些干粮吃了,抱膝坐于墓旁,沉思良久,秋风吹来,微感凉意。墓地上黄叶随风乱舞,一张张扑在他脸上身上,直到月上东山,这才卧倒。

睡到中夜,忽听得马蹄击地之声,远远传来,胡斐一惊而醒,心道:"半夜三更,还有谁在荒郊驰马?"只听得蹄声渐近,那马奔得甚是迅捷。待得相距约有两三里路,蹄声缓了,跟着是一步一步而行,似乎马上乘客已下了马背,牵着马的找寻什么。胡斐听得那马正是向自己的方向而来,当下缩在墓后的长草之中,要瞧来的是谁。

新月之下，只见一个身材苗条的人影牵着马慢慢走近，待那人走到墓前十余丈时，胡斐看得明白，那人缁衣圆帽，正是圆性。

他一颗心剧烈跳动，但觉唇干舌燥，手心中都是冷汗，要想出声呼唤，不知如何，竟是叫不出声来，霎时间思如潮涌："她到这里来做什么？她是知道我在这里么？是无意中到这儿呢，还是为了寻我而来？"

只听得圆性轻轻念着墓碑上的字道："辽东大侠胡一刀夫妇之墓！"幽幽叹了口气，道："是这里。"在墓前仔细察看，自言自语道："墓前并无纸灰，那么他还没来扫过墓……"突然之间，剧烈咳嗽起来，越咳越是厉害，竟是不能止歇。

只听得她咳了好半晌，才渐渐止了，轻轻地道："倘若当年我不是在师父跟前立下重誓，终身伴着你浪迹天涯，行侠仗义，岂不是好？唉，胡大哥，你心中难过。但你知不知道，我可比你更是伤心十倍啊？"

胡斐和她数度相遇，见她总是若有情若无情，哪里听到过她吐露心中真意？若不是她只道荒野之中定然无人听见，也决不会泄漏心中的郁积。圆性说了这几句话，心神激荡，倚着墓碑，又大咳起来。

胡斐再也忍耐不住，纵身而出，柔声道："怎地受了风寒？要保重才好。"

圆性大吃一惊，退了一步，双掌交叉，一前一后，护在胸前，待得看清楚竟是胡斐，不由得满脸通红。

过了一会，圆性道："你……你这轻薄小子，怎地……怎地躲在这里，鬼鬼祟祟地偷听人家说话？"

胡斐心中如沸，再也不顾忌什么，大声道："袁姑娘，我对你的一片真心，你也决非不知。你又何必枉然自苦？我跟你一同去禀告尊师，还俗回家，不做这尼姑了。你我天长地久，永相厮守，岂不是好？"

圆性抚着墓碑，咳得弯下了腰，抬不起身来。胡斐甚是怜惜，走近两步，柔声道："你不用烦恼啦……"忽见她一声咳嗽，吐出一口血来，不禁一惊，道："怎地受了伤？"

圆性道:"是汤沛那奸贼伤的。"胡斐怒道:"他在哪里？我这便找他去。"圆性道:"我已杀了他。"

胡斐大喜,道:"恭喜你手刃大仇。"随即又问:"伤在哪里,快坐下歇一歇。"扶着她慢慢坐下。又道:"你既已受伤,就该好好休养,不可鞍马劳顿,连夜奔波。"

圆性转过头来,向他看了一眼,心中在说:"我何尝不知该当好好休养,若不是为了你,我何必鞍马劳顿,连夜奔波?"问道:"程家妹子呢?怎么不见她啊?"

胡斐泪盈于睫,颤声道:"她……她已去世了。"圆性大惊,站了起来,道:"怎……怎么……去世了?"胡斐道:"你坐下,慢慢听我说。"于是将自己如何中了石万嗔的剧毒、程灵素如何舍身相救等情一一说了。圆性黯然垂泪。良久良久,两人相对无语,回思程灵素的侠骨柔肠,都是难以自已。

一阵秋风吹来,寒意侵袭,圆性轻轻打了个颤。胡斐脱下身上长袍,披在她的身上,低声道:"你睡一忽儿吧。"圆性道:"不,我不睡。我是来跟你说一句话,这……这便要去。"胡斐惊道:"你到哪里去?"圆性凝望着他,轻轻道:"借如生死别,安得长苦悲?"

胡斐听了这两句话,不由得痴了,跟着低声念道:"借如生死别,安得长苦悲?"

圆性道:"胡大哥,此地不可久留,你急速远离为是。我在途中得到讯息,赶来跟你说知。"胡斐道:"什么讯息?"圆性道:"那日和你别后,我便去追寻汤沛。可是这贼子滑溜得紧,竟给他逃得不知去向。我想他老家是在湖北,既是得罪了福康安,全家都有干系,他定要设法通知家中老小,急速逃命。"胡斐道:"你料得不错。"圆性道:"他外号叫做'甘霖惠七省',江湖上交游极其广阔,但想他既是个如此奸滑之徒,未必能当真结交到什么好朋友。此刻大祸临头,非自己赶回家中不可。于是我向西南方疾追。三天之后,果然在清风店追上了他。高粱田里一场恶战,终于使计击毙了这贼子,不过我受伤也是不轻。"胡斐叹了口气。

圆性又道:"我在客店养了几天伤,见到福康安手下的武士

606

接连两批经过,其中有那鹰爪雁行门的周铁鹪在内,便上前招呼,约他说话。"胡斐惊道:"你身上有伤,不怕他记仇么?"

圆性微笑道:"我是送他一件大大功名。他就算本来恨我,也就不恨了。我将埋葬汤沛尸体的地方指了给他看,他只要割了首级回去北京,不是大功一件么?他果然很感激我。我说:'周老爷,你若是将我擒去,自然又是一件大功,只不过胡斐胡大哥一定放你不过,从前的许多事情,都不免抖露出来。'那周铁鹪倒很聪明,说道:'胡大哥的为人,兄弟是很佩服的,决不敢得罪他的朋友。请你转告胡大哥,田归农率领了大批好手,要到沧州他祖坟之旁埋伏,捉拿胡大哥。'"

胡斐吃了一惊,道:"在这里埋伏?"圆性道:"正是。我听周铁鹪这么说,知道不假,很是着急,生怕来迟了一步,唉,谢天谢地,没出乱子……"

胡斐瞧着她憔悴的容颜,心想:"你为了救我,只怕有几日几夜没睡觉了。"圆性又道:"那田归农何以知道你祖坟葬在此处?又怎知你定要前来扫墓?胡大哥,好汉敌不过人多,眼前且避过一步再说。"

胡斐道:"今日我见到苗夫人,约她明日再来此处会晤。"圆性道:"苗夫人是谁?"胡斐约略说了。圆性急道:"这女人连丈夫女儿尚且不顾,能守什么信义?快趁早走吧。"

胡斐觉得苗夫人对他的神态却不似作伪,又很想知道父母去世的真相,极盼再和苗夫人一会。圆性道:"田归农已在左近,那苗夫人岂有不跟他说知之理?胡大哥,你怎地不听我的话?我连夜赶来叫你避祸,难道你竟半点也不把我放在心上么?"胡斐心中一凛,道:"你说得对,是我的不是。"圆性道:"我也不是要你认错。"胡斐过去牵了马缰,道:"好,你上马吧。"圆性正要上马,忽听得四面八方唿哨声此起彼伏,敌人四下里攻到,竟已将坟地团团围住了。

胡斐咬牙道:"这女人果然将我卖了。咱们往西闯。"听着这唿哨之声,不禁暗自心惊,来攻之敌人着实不少,倘若圆性并未受伤，两人要突围逃走原是不难，此刻却殊无把握。圆性道："你只管往西闯，不用顾我。我自有脱身之策。"

胡斐胸口热血上涌，喝道："咱俩死活都在一块！你胡说些什么？跟着我来。"圆性被他这么粗声暴气的一喝，心中甜甜的反觉受用，自知重伤之余，不能使动软鞭，于是一提缰绳，纵马跟在胡斐身后。

胡斐拔刀在手，奔出数丈，便见五个人影并肩拦上，他心想："今日要脱出重围，须得刀刀杀手，可不能有半分容情。"当下大踏步直闯过去，虽是以寡敌众，仍是并不先行出手，守着后发制人的要诀，左肩前引，左掌斜伸，右手提刀，垂在腿旁。

两名福康安府中的武士一执铁鞭，一挺鬼头刀，齐声吆喝，分从左右向他头顶砸下。胡斐一见出手，便知两人的武功都甚了得，只要一接上手，非顷刻间可以取胜，余人一经合围，要脱身便千难万难，于是斜身高纵，呼的一刀，往五人中最左一人砍去。那武士手使长剑，举剑挡架。胡斐身在半空，内劲运向刀上，拍拍两腿，快如闪电般踢在第四名武士胸口，那武士直飞出去，口中狂喷鲜血。使剑的武士但觉兵刃上一股巨力传到手臂，又压上心口，立觉前胸后背数十根肋骨似已一齐折断，一声也没出，便此晕死过去。

众武士见他在两招之内伤了两个同伴，无不震骇。那使鬼头刀的武士喝道："胡大爷，果然好功夫，在下司徒雷领教。"那使铁鞭的道："在下谢不挡领教高招。"胡斐叫道："好！"单刀环身一绕，飕飕飕刀光闪动，三下虚招，和身压将过去。司徒雷和谢不挡急退两步。第三名武士叫道："在下东方……"只说到第四个字，胡斐的刀背已砰一声，击在他的后脑，脑骨粉碎，立时毙命，竟是不知他叫东方什么名字。

司徒雷和谢不挡严守住门户，又退了两步，却不容胡斐冲过。嗯哨声中，四名武士奔到司徒雷和谢不挡身后，并肩展开。

胡斐虽在瞬息之间接连伤毙三名敌人，但那司徒雷和谢不挡颇有见识，竟不上前接战，连退两次，拦住他的去路。胡斐心中暗暗叫苦，使招"夜战八方藏刀式"，向前一攻，以左足为轴，转了个圈子。

这么一转，已数清了敌方人数，西边六人，东边八人，南北各是五人，伤毙的三人不算，对方竟是尚有二十四人。

忽听一人朗声长笑，声音清越，跟着说道："胡兄弟，幸会，幸会。每见你一次，你武功便长进一层，当真是英雄出在少年，了不起啊了不起！"正是田归农的声音自南边传来。

胡斐不加理会，凝视着西方的六名敌人，只听那四名没报过名的武士分别说道："在下张宁！""在下丁文沛领教。""在下丁文深见过胡大爷！""嘿嘿，老夫陈敬夫！"

胡斐向前一冲，突然转而向北，左手伸指向北方第二名武士胸口点去。那人手持一对判官笔，正是打穴的好手，见对方伸指点来，右手判官笔倏地伸出，点向他右肩的"缺盆穴"。这一招反守为攻，实是极厉害的杀着，胡斐虽然出手在先，但那人的判官笔长了二尺二寸，眼看胡斐手指尚未碰到那人穴道，自己缺盆穴先要被点。不料胡斐左手一掠，已抓住了判官笔，用力向前一送，那人"嘿"的一声闷哼，判官笔的笔杆已插入他的咽喉。

便在此时，只听得身后两人叫道："在下黄樵！""在下伍公权！"金刃劈风之声，已掠到背心。胡斐向前一扑，两柄单刀都砍了个空，他顺势回过单刀，刷的一下，从下而上的斩向黄樵手腕。这一招是胡家刀法中的精妙之着，武功再强的人也须着了道儿。不料黄樵精于十八路大擒拿手，应变最快，眼见刀锋削上手腕，危急中抛去兵刃，手腕一翻，伸指径来抓胡斐单刀的刀背。别瞧他两撇鼠须，头小眼细，形貌颇为猥崽，这一下变招竟是比胡斐还要迅捷，五根鸡爪般的手指一抖，已抓住了刀背。胡斐仗着力大，挥刀向前砍出，不料这黄樵膂力也是不小，抓住了刀背，胡斐这一刀居然没能砍出。就这么呆得一呆，身后又有三人同时攻到。

胡斐估计情势，待得背后三人攻到，尚有一瞬余暇，须当在这片刻间料理了黄樵，此时陷身重围，眼前这人又实是劲敌，若能伤得了他，便减去一分威胁。当下突然撒手离刀，双掌击出，砰的一响，打在他的胸口。黄樵一呆，竟然并不摔倒，但抓着单刀的手指却终于放开了。胡斐一探手，又已抓住刀柄，回过身来，架住了三般兵器。

那三名武士一个伍公权，一个是老头陈敬夫，另一个身材魁梧，比胡斐几乎高出一个半头，手中使的是根熟铜棍，足足有四十余斤，极是沉重。胡斐一挡之下，胸口便是一震，待要跃开，左右又是两人攻到。

圆性骑马在后，众武士都在围攻胡斐，一时没人理她。她虽伤重乏力，但胡斐力伤五人的经过，却是一招一式，全都看得清清楚楚。她全心关怀胡斐安危，胡斐的一闪一避，便如她自己躲让一般，一刀一掌，便似她自己出手。眼见他身受五人围攻，情势危急，当即一提缰绳，纵马便冲了过去。

她马鞭一挥，使一招软鞭鞭法中的"阳关折柳"，已圈住那魁梧大汉的头颈。那大汉正在自报姓名："在下高一力领教……"突然喉头一紧，已说不出话来。他力气虽大，但一来猛地里呼吸闭塞，二来总是敌不住马匹的一冲，登时立足不定，被马匹横拖而去，连旁边的张宁也一起带倒。

胡斐身旁少了两敌，刷刷两刀，已将丁文沛、丁文深兄弟砍翻在地，突觉背后风声飒然，有人欺到，不及转身，反手"倒卧虎怪蟒翻身"，一刀回斫，只听得"叮"的一声轻响，手上一轻，单刀已被敌人的利刃削断，敌刃跟着便顺势掷到。

胡斐大惊，左足一点，向前直纵出丈余，但总是慢了片刻，左肩背一阵剧痛，已看清楚偷袭的正是田归农，不由得暗暗心惊，田归农武功也不怎么，可是他这柄宝刀锋锐绝伦，实所难当。

他右足落地，左掌拍出，右手反勾，已从一名武士手中抢到一柄单刀，跟着反手一刀，这招空手夺白刃干净利落之极，反回攻又是凌厉狠辣无比，要知敌人手持利刃跟踪而至，其间相差只是一线，只消慢得瞬息，便是以自己血肉之躯，去喂田归农手中那天龙门镇门之宝的宝刀了。胡斐不敢以单刀和敌人宝刀对碰，一味腾挪闪跃，展开轻身功夫和他游斗。但拆得七八招，十余名敌人一齐围了上来，另有三人去攻击圆性。胡斐微一分心，当的一响，单刀又被宝刀削断。这柄宝刀的锋利，实是到了削铁如泥的地步。

田归农有心要置胡斐死地，寒光闪闪，手中宝刀的招数一招紧似一招。他平时使剑，用刀并不顺手，但这柄刀锋利绝伦，只须随手挥舞，胡斐已决计不敢撄其锋芒。他使开宝刀，直逼而前。

胡斐想再抢件兵刃招架，但刀枪丛中，竟是缓不出手来，嗤的一声，左肩又被一名武士的花枪枪尖划了长长一条口子。

众武士大叫起来："姓胡的投降吧！""你是条好汉子，何苦在这里枉自送了性命？""我们人多，你寡不敌众，认输罢啦，不失面子。"田归农却一言不发，刀刀狠辣地进攻。

胡斐肩背伤口奇痛，眼看便要命丧当地，忽听得一个女子声音叫道："大哥，别伤这少年的性命。"胡斐虽在咬牙酣斗，仍听得出是苗夫人的声音，喝道："谁要你假仁假义？"忙乱之中，腰眼里又被人踢中一腿。胡斐怒极，右手疾伸，抓住了那人足踝，提将起来，扫了个圈子。众武士心有顾忌，一时倒也不敢过分逼近。胡斐手中所抓之人正是张宁，他兵刃脱手，被胡斐甩得头晕脑胀，挣扎不脱。

胡斐见圆性在马上东闪西避，那坐骑也已中了几刀，不住悲嘶，当下提起张宁，冲到圆性身前，叫道："跟我来！"圆性一跃下马，两人奔到了胡一刀的墓旁。墓边的柏树已高，两人倚树而斗，敌人围攻较难。胡斐提起张宁，喝道："你们要不要他的性命？"

田归农叫道："杀得反贼胡斐，福大帅重重有赏！"言下之意，竟是说张宁是死是活，并无干系。他眼见众人迟疑，自己便挥刀冲了上来。

胡斐知道抓住张宁，不足以要胁敌人退开，心想田归农宝刀在手，武功又高，要抓他是极不容易，最好是抓住苗夫人为人质，可是她站得远远的，相距十余丈之遥，无论如何冲不过去。但见田归农一步步地走近，当下在张宁身边一摸，瞧他腰间是否带得有短刀、匕首之类，也可用以抵挡一阵。一摸之下，触手是个沉甸甸的镖囊，胡斐左手点了他穴道，右手摘下镖囊，摸出一枝钢镖,掂了掂分量,觉得颇为沉重,看准田归农的小腹,力运右臂,呼的一声,掷了出去。

镖重劲大,去势极猛,田归农待得惊觉,钢镖距小腹已不过半尺,急忙挥刀一格。钢镖虽然立时斩为两截,但镖尖余势不衰,撞在他右腿之上,还是划破了皮肉。便在此时,只听得"啊"的一声惨呼,一名武士咽喉中镖,向后直摔。田归农骂道:"小贼,瞧你今日逃得到哪里去?"但一时倒也不敢冒进,指挥众武士,团团将两人围住。

福康安府中这次来的武士,连田归农在内共是二十七人,被胡斐刀砍掌击、镖打腿踢,一共已伤毙了九人,胡斐自己受伤也不轻。对方十八人四周围住,此时已操必胜之算,有几人爱惜胡斐,又叫他投降。

胡斐低声道:"我向东冲出,引开众人,你快往西去。那匹白马系在松树上。"圆性道:"白马是你的,不是我的。"胡斐道:"这当儿还分什么你的我的!我不用照顾你,管教能够突围。"圆性道:"我不用你照顾,你这就去罢。"

若是依了胡斐的计议,一个乘白马奔驰如风,一个持勇力当者披靡,未始不能脱险。可是圆性不愿意,其实在胡斐心中,也是不愿意。也许,两人决计不愿在这生死关头分开;也许,两人早就心中悲苦,觉得还是死了干净。

胡斐拉住圆性的手,说道:"好!袁姑娘,咱俩便死在一起。我……我很是喜欢!"

圆性轻轻摔脱了他手,喘息道:"我……我是出家人,别叫我袁姑娘。我也不是姓袁。"

胡斐心下黯然,暗想我二人死到临头,你还是这般矜持,对我丝毫不假辞色。

只见一名武士将单刀舞成一团白光,一步步逼近。胡斐拾起一块石头,向白光圈掷了过去。那武士单刀一格,将石头击开。胡斐抓住这个空隙,一镖掷出,正中其胸,那武士扑倒在地,眼见不活了。

田归农叫道:"这小贼凶横得紧,咱们一拥而上,难道他当真便有三头六臂不成?"

胡斐抬头望了一眼头顶的星星,心想再来一场激战,自己杀得三四名敌人,星星啊,月亮啊,花啊,田野啊,那便永别了。

田归农毫无顾忌的大声呼喝指挥,命十六名武士从四方进攻,同时砍落,乱刀分尸。众武士齐声答应。田归农叫道:"他没兵器,这一次非将他斩成肉酱不可!"

苗夫人忽地走近几步,说道:"大哥,且慢,我有几句话跟这少年说。"田归农皱起了眉头,道:"阿兰,你别到这儿来,小心这小贼发起疯来,伤到了你。"苗夫人却甚是固执,道:"他立时便要死了。我跟他说一句话,有什么干系?"田归农无奈,只是道:"好,你说罢!"

苗夫人道:"胡相公,你的骨灰坛还没埋,这便死了吗?"胡斐昂然道:"关你什么事?我不愿破口辱骂女人。你最好走得远些。"苗夫人道:"我答应过你,要跟你说你爹爹的事。你虽转眼便死,要不要听?"

田归农喝道:"阿兰,你胡闹什么?你又不知道。"

苗夫人不理田归农,对胡斐道:"我只跟你说三句话,都是和你爹爹有关的。你听不听?"胡斐道:"不错!我不能心中存着一个疑团而死。你说吧!"苗夫人道:"我这话只能给你一人听,你却不可拿住了我要挟,倘若你不答应,我就不说了。"

胡斐道:"你在我死去之前,释明我心中疑团,我十分感谢,岂能反来害你?天下男儿汉大丈夫甚多,你道都是田归农这般卑鄙小人么?"

田归农脸上更加阴沉了。他不知南兰要跟胡斐说些什么话,他向来不敢得罪了她,既是无法阻止,心想:"不论她说什么,总是于我声名不利,自是别让旁人听见为妙。"

苗夫人缓步过来,走到胡斐身前,将嘴巴凑到他耳边,低声道:"你将骨灰坛埋在墓碑之后的三尺处,向下挖掘,有柄宝刀。"说了这三句话,便即退开,朗声道:"此事只与金面佛苗人凤有关。你既知道了这件秘密,死而无憾,快将骨灰坛埋好,让死者入土为安。你了结这件心事,安心领死吧!"

胡斐心中一片迷惘，实是不懂她这三句话的用意，看来又不像是故意作弄自己，心想："不管如何，确是先葬了二妹的骨灰再说。"于是看准了墓碑后三尺之处，运劲于指，伸手挖土。

田归农心道："原来阿兰是跟他说，他父亲是死于苗人凤之手。"心中大慰，转头向她微微一笑。他听南兰叫胡斐埋葬骨灰坛，不便拂逆其意而指挥武士阻止，反正胡斐早死迟死，也不争在片刻之间。

十六名武士各执兵刃，每人都相距胡斐丈余，目不转睛地监视。

圆性见胡斐挖坑埋葬程灵素的骨灰，心想自己与他立时也便身归黄土，当下悄悄跪倒，合十为礼，口中轻轻诵经。

胡斐左肩的伤痛越来越厉害，两只手渐渐挖深，一转头，瞥见圆性合十下跪，神态庄严肃穆，忽感喜慰："她潜心皈佛，我何苦勉强要她还俗？幸亏她没答应，否则她临死之时，心中不得平安。"

突然之间，他双手手指同时碰到一件冰冷坚硬之物，脑海中闪过苗夫人的那句话："有柄宝刀！"他不动声色，向两旁摸索，果然是一柄带鞘的单刀，抓住刀柄轻轻一抽，刀刃抽出寸许，毫没生锈，心想："苗夫人说道：'此事只与金面佛苗人凤有关'，难道这把刀是苗大侠埋在这里的？难道苗大侠为了纪念我爹爹，将这柄刀埋在我爹爹的坟里？"

他这一下猜测，确是没猜错。只是他并不知道，苗人凤所以和苗夫人相识而成婚，正是由于这口"冷月宝刀"；而他夫妇良缘破裂，也是从这口宝刀而起，始于苗人凤将这刀埋葬在胡一刀坟中之时。

当世除了苗人凤和苗夫人之外，没第三人知道此事。

胡斐握住了刀柄，回头向苗夫人瞧去，只听得她幽幽说道："要明白别人的心，那是多么难啊！"她长长地叹了口气，缓步远去。

田归农叫道："阿兰，你在客店里等我。待我杀了这小贼，大伙儿喝酒庆功。"苗夫人不答，在荒野中越走越远。

田归农转过头来，喝道："小贼，快埋！咱们不等了！"

胡斐道："好，不等了！"抓起刀柄，只觉眼前青光一闪，寒气逼人，手中已多了一柄青森森的长刀，刀光如水，在冷月下流转不定。

田归农和众武士无不大惊。胡斐乘众人心神未定，挥刀杀上。当啷当啷几声响处，三名武士兵刃削断，两人手臂断落。田归农横刀斫至，胡斐举刀一格，铮声清响，声如击磬，良久不绝。两人跃开三步，就月光下看手中刀时，都是丝毫无损。原来两口宝刀，正堪匹敌。

胡斐一见手中单刀不怕田归农的宝刀，登时如虎添翼，展开胡家刀法，霎时间又伤了三名武士。田归农的宝刀虽和他各不相下，但刀法却大大不如，他以擅使的长剑和胡斐相斗，尚且不及，何况以己之短，攻敌之长？三四招一过，臂腿接连中刀，若非身旁武士相救退开，已然命丧胡斐刀下。此时身上没带伤的武士已寥寥无几，任何兵刃遇上胡斐手中宝刀，无不立断，尽变空手。

胡斐也不赶尽杀绝，叫道："我看各位也都是好汉子，何必枉自送了性命？"

田归农见情势不对，拔足便逃。众武士搭起地下的伤毙同伴，大败而走。众人直到数年之后，苦苦思索，纷纷议论，还是没丝毫头绪，不知胡斐这柄宝刀从何而来。总觉此人行事神出鬼没，人所难测，"飞狐"这外号便由此而传开了。

胡斐弹刀清啸，心中感慨，还刀入鞘，将宝刀放回土坑之中，使它长伴父亲于地下，再将程灵素的骨灰坛也轻轻放入土坑，拨土掩好。

圆性双手合十，轻念佛偈：

> 一切恩爱会，无常难得久。
> 生世多畏惧，命危于晨露。
> 由爱故生忧，由爱故生怖。
> 若离于爱者，无忧亦无怖。

念毕,悄然上马,缓步西去。

胡斐追将上去,牵过骆冰所赠的白马,说道:"你骑了这马去吧。你身上有伤,还是……还是……"圆性摇摇头,纵马便行。

胡斐望着她的背影,那八句佛偈,在耳际心头不住盘旋。

他身旁那匹白马望着圆性渐行渐远,不由得纵声悲嘶,不明白这位旧主人为什么竟不转过头来。

(全书完)

《飞狐外传》写于一九六〇、六一年间，原在《武侠与历史》小说杂志连载，每期刊载八千字。

在报上连载的小说，每段约一千字至一千四百字。《飞狐外传》则是每八千字成一个段落，所以写作的方式略有不同。我每十天写一段，一个通宵写完，一般是半夜十二点钟开始，到第二天早晨七八点钟工作结束。作为一部长篇小说，每八千字成一段落的节奏是绝对不好的。这次所作的修改，主要是将节奏调整得流畅一些，消去其中不必要的段落痕迹。

《飞狐外传》是《雪山飞狐》的"前传"，叙述胡斐过去的事迹。然而这是两部小说，互相有联系，却并不是全然的统一。在《飞狐外传》中，胡斐不止一次和苗人凤相会，胡斐有过别的意中人。这些情节，没有在修改《雪山飞狐》时强求协调。

这部小说的文字风格，比较远离中国旧小说的传统，现在并没有改回来，但有两种情形是改了的：第一，对话中删除了含有现代气息的字眼和观念，人物的内心语言也是如此。第二，改写了太新文艺腔的、类似外国语文法的句子。

《雪山飞狐》的真正主角，其实是胡一刀。胡斐的性格在《雪山飞狐》中十分单薄，到了本书中才渐渐成形。我企图在本书中写一个急人之难、行侠仗义的侠士。武侠小说中真正写侠士的其实并不很多，大多数主角的所作所为，主要是武而不是侠。

孟子说："富贵不能淫，贫贱不能移，威武不能屈，此之谓大丈夫。"武侠人物对富贵贫贱并不放在心上，更加不屈于威武，这大丈夫的三条标准，他们都不难做到。在本书之中，我想给胡斐增加一些要求，要他"不为美色所动，不为哀恳所动，不为面子所动"。英雄难过美人关，像袁紫衣那样美貌的姑娘，又为胡斐所倾心，正在两情相洽之际而软语央求，不答允她是很难的。英雄好汉总是吃软不吃硬，凤天南赠送金银华屋，胡斐自不重视，但这般诚心诚意的服输求情，要再不饶他就更难了。江湖上最讲究面子和义气，周铁鹪等人这样给足了胡斐面子，低声下气地求他揭开了对凤天南的过节，胡斐仍是不允。不给人面子恐怕是英雄好汉最难做到的事。

胡斐所以如此，只不过为了钟阿四一家四口，而他跟钟阿四素不相识，没一点交情。

目的是写这样一个性格，不过没能写得有深度。只是在我所写的这许多男性人物中，胡斐、乔峰、杨过、郭靖、令狐冲这几个是我比较特别喜欢的。

武侠小说中，反面人物被正面人物杀死，通常的处理方式是认为"该死"，不再多加理会。本书中写商老太这个人物，企图表示：反面人物被杀，他的亲人却不认为他该死，仍然崇拜他，深深地爱他，至老不减，至死不变，对他的死亡永远感到悲伤，对害死他的人永远强烈憎恨。

一九七五年一月

618